国家出版基金项目
NATIONAL PUBLICATION FOUNDATION

中国中药资源大典

"十三五"国家重点出版物出版规划项目

中国中药资源大典

资源大典

广东卷

③

黄璐琦 / 总主编

叶华谷　廖文波　潘超美 / 主　编

北京科学技术出版社

图书在版编目（CIP）数据

中国中药资源大典. 广东卷. 3 / 叶华谷，廖文波，潘超美主编. -- 北京 : 北京科学技术出版社，2024. 6.
ISBN 978-7-5714-4005-3

Ⅰ. R281.4

中国国家版本馆CIP数据核字第20246GA329号

责任编辑：侍 伟 李兆弟 王治华 庞璐璐 吕 慧
责任校对：贾 荣
图文制作：樊润琴
责任印制：李 茗
出 版 人：曾庆宇
出版发行：北京科学技术出版社
社 　　址：北京西直门南大街16号
邮政编码：100035
电 　　话：0086-10-66135495（总编室）　 0086-10-66113227（发行部）
网 　　址：www.bkydw.cn
印 　　刷：北京博海升彩色印刷有限公司
开 　　本：889 mm×1 194 mm 　　1/16
字 　　数：881千字
印 　　张：39.75
版 　　次：2024年6月第1版
印 　　次：2024年6月第1次印刷
审 图 号：GS京（2023）1758号
ISBN 978-7-5714-4005-3

定 　价：490.00元

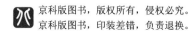

《中国中药资源大典·广东卷》

总编写委员会

总 主 编	黄璐琦	（中国中医科学院）
主 编	潘超美	（广州中医药大学）
	叶华谷	（中国科学院华南植物园）
	廖文波	（中山大学）
	夏念和	（中国科学院华南植物园）
	晁 志	（南方医科大学）
	黄海波	（广州中医药大学）
	严寒静	（广东药科大学）
	童毅华	（中国科学院华南植物园）
	童 毅	（广州中医药大学）
	赵万义	（中山大学）
	凡 强	（中山大学）
编 委	（按姓氏笔画排序）	
	凡 强	（中山大学）
	王亚荣	（中山大学）
	王英强	（华南师范大学）
	邓旺秋	（广东省科学院微生物研究所）
	叶华谷	（中国科学院华南植物园）
	叶幸儿	（广东药科大学）
	付 琳	（中国科学院华南植物园）
	白 琳	（中国科学院华南植物园）
	刘基柱	（广东药科大学）
	严寒静	（广东药科大学）

李泰辉 （广东省科学院微生物研究所）

肖凤霞 （广州中医药大学）

何春梅 （广东省林业科学研究院）

张宏伟 （南方医科大学）

陈　娟 （中国科学院华南植物园）

陈秋梅 （广州中医药大学）

林哲丽 （韶关学院）

赵万义 （中山大学）

秦新生 （华南农业大学）

夏　静 （广州白云山和记黄埔中药有限公司）

夏念和 （中国科学院华南植物园）

晁　志 （南方医科大学）

黄海波 （广州中医药大学）

梅全喜 （深圳市宝安区中医院）

彭泽通 （广州中医药大学）

童　毅 （广州中医药大学）

童家赟 （广州中医药大学）

童毅华 （中国科学院华南植物园）

曾飞燕 （中国科学院华南植物园）

楼步青 （广东省中医院）

廖文波 （中山大学）

潘超美 （广州中医药大学）

《中国中药资源大典·广东卷3》

编写委员会

主　编　叶华谷　廖文波　潘超美

副主编　曾飞燕　凡　强　付　琳　赵万义　黄海波

编　委　（按姓氏笔画排序）

于　慧　凡　强　叶华谷　叶育石　付　琳　李如良　李健容　张慧晔

陈　斑　陈玉笋　陈玉娥　陈秋梅　陈海山　赵万义　赵凌霄　钟慧怡

唐秀娟　黄海波　黄萧洒　彭泽通　童　毅　曾飞燕　曾伟雄　廖文波

潘超美

黄 序

　　中药资源是中医药事业传承和发展的物质基础，是关系国计民生的战略性资源。为促进中药资源保护、开发和合理利用，国家中医药管理局组织开展了第四次全国中药资源普查。广东省得天独厚的地理环境，孕育了丰富多样、具有岭南特色的中药资源。《中国中药资源大典·广东卷》对广东省中药资源现状的总结，也是广东省中药资源普查成果的集中体现。

　　本书分上、中、下篇，上篇介绍了广东省中药资源概况、中药资源普查工作及中药资源产业现状等，中篇介绍了广东省23种道地、大宗中药资源的栽培面积、分布区域、资源利用等，下篇为广东省3 514种中药资源的基本信息。本书充分反映了广东省中药资源的最新研究成果，内容丰富，体例新颖，图文并茂，为一部具有较高学术价值和实用价值的工具书。

　　相信本书的出版可为进一步开展中药品质研究与评价、推动中药产业的健康和可持续发展、为地方制定中药产业政策提供支撑，为推动区域经济社会高质量发展贡献力量。

　　欣闻本书即将付梓，乐之为序。

中国工程院院士

中国中医科学院院长

第四次全国中药资源普查技术指导专家组组长

2024 年 4 月

序 言

中药资源是中医药事业发展的物质基础，国家高度重视中药资源保护及其可持续利用。我国已开展了4次全国范围的中药资源普查，其中第四次全国中药资源普查工作起止时间为2011—2021年。第四次全国中药资源普查确认了我国共有18 817种药用资源，与第三次普查相比增加了6 000多种，其中，3 151种为我国特有的药用植物，464种为需要保护的物种；还发现196个新物种，其中约100种具有潜在药用价值。

广东省第四次中药资源普查工作于2014年开始、2021年11月结束，历时近8年，普查区域实现了对全省全部县级行政区域的覆盖。为推广中药资源普查成果，更好地服务于广东省中药产业发展，广东省第四次全国中药资源普查（试点）工作办公室（以下简称广东省普查办）、广东省中药资源普查（试点）工作技术专家指导委员会组织相关专家、学者和技术人员，从广东省中药资源概况、重点中药资源情况、中药资源监测体系建设、中药材种植生产区划、传统医药知识收集、种质资源圃建设等方面入手，进行了数据统计和细致的整理研究工作，汇总了广东省在中药资源保护、科研和产业等领域取得的一系列成果。一是基本摸清了广东省中药资源家底，为编制《中国中药资源大典·广东卷》提供了翔实的数据。本次普查共发现药用植物3 443种，其中涵盖栽培药用植物185种；发现新种8种，新分布记录属和新分布记录种共11种；对区域内水生和耐盐药用资源、菌类药用资源、瑶药资源等进行了专项调研，构建了广东省岭南中药资源信息管理系统。二是建立了广东省中药资源动态监测信息和技术服务体系，形成了区域内中药资源动态监测网络，与国家中药资源动态监测信息和技术服务体系实现了数据共享，形成了长效机制，可实时掌握广东省中药材的产量、流通量、价格和质量等的变化趋势，促进中药产业的健康发展。广东省中药资源普查过程中开展了区域内重点道地药材品种的标准化建设，开展了中药材产业扶贫行动，使中药材生产成为推进乡村振兴的重要抓手，为加快区域中药材产业的发展贡献了力量。三是建立了省级中药材种子种苗繁育基地、省中药药用植物重点物种保存圃和种质资源圃，保存广东省活体中药药用植物种质资源2 639份，从源头上保证了中药材的质量，促进了珍稀、濒危、道地药材的繁育和保护，凸显了中药资源保护和可持续利用工作的重要性。四是在汇总广东省中药资源相关传统知识调查成果的基础上，梳理了广东省岭南地区独特地理气候条件下的人群体质特点，形成了具有地域特色的岭南中医药学体系亮点，如广东凉茶、罗浮山百草油、沙溪凉茶、冯了性风湿跌打药酒、跌打万花油、乌鸡白凤丸等具有岭南特色的中药配伍应用；整理出岭南民间特色治疗验方554首，挖掘、传承、保护与中药资源相关的传统知识。五是汇编出版了《广东省中药资源志要》《梅州中草药图鉴》《乳源瑶医瑶药志要》《岭南采药录考释》等专著。

《中国中药资源大典·广东卷》是对广东省第四次中药资源普查工作成果的全面汇总，是全体普查人员经过多年努力，获得的广东省中药资源现状的第一手资料。《中国中药资源大典·广东卷》由广州中医药大学、中国科学院华南植物园、中山大学、南方医科大学、广东药科大学、华南农业大学等17个普查技术单位的200多位普查技术人员共同编撰完成。全书分为上篇、中篇、下篇，共12册。上篇全面介绍了广东省中药资源生态环境、分布概况，梳理了广东省中药资源和产业现状，对比广东省第三次中药资源普查结果，对广东省野生药用资源分布、人工种植（养殖）中药资源物种的变化、中药材市场流通情况、岭南民间用药特点等进行了分析，并提出了广东省中药资源区划和发展建议；中篇详细地介绍了广东省23种道地、大宗中药资源的资源情况、分布情况、栽培情况、采收应用等内容，为中药材产业的高质量发展提供了技术服务，为中药材生产布局提供了参考；下篇对广东省境内3 514种中药资源物种（药用植物、药用动物、药用矿物）做了图文并茂的介绍，展现了广东省中药资源领域的最新数据信息成果。《中国中药资源大典·广东卷》的出版客观真实地反映了广东省中药资源的整体情况，对广东省乃至全国中药资源的保护、合理利用、开发、科研、教学以及产业规划等将发挥重要的指导作用。

《中国中药资源大典·广东卷》编写委员会

2024 年 3 月

前　言

广东省位于我国大陆最南端，北回归线横穿其中部。全省地势北高南低，山脉大多呈东北—西南走向。气候从北向南分别为中亚热带、南亚热带和热带气候，受海洋上的湿润气流影响，夏季高温多雨、多台风，冬季多干旱且有冷空气侵袭。广东省年平均气温为18.9～23.8 ℃，气温呈南高北低的特点，南端雷州半岛年平均气温最高，为23.8 ℃，粤北山区年平均气温最低，为18.9 ℃；历史极端最高气温为42.0 ℃，极端最低气温为−7.3 ℃。

广东省光、热、水资源丰富，得天独厚的地理环境和气候为生物的生长创造了优越的条件，动植物种类繁多，药用植物资源非常丰富。广东省的植被类型有纬度地带性分布的北亚热带季雨林、南亚热带季风常绿阔叶林、中亚热带典型常绿阔叶林和沿海的热带红树林，还有非纬度地带性分布的常绿落叶阔叶混交林、常绿针阔叶混交林、常绿针叶林、竹林、灌丛和草坡，以及水稻、甘蔗和茶树等栽培植被。

2014年，广东省启动了第四次中药资源普查工作，到2021年11月普查结束。广东省本次中药资源普查共记录调查信息445 240条、中药资源4 692种（已确认的药用植物3 443种），调查中药材栽培面积14.3万 hm^2，涵盖药用植物栽培品种185种；记录病虫害种类351种，调查市场主流药材品种852种，记录传统医药知识信息629条。通过统计分析现有典籍专著和文献记载的广东省药用资源种类信息，结合广东省本次中药资源普查结果，确定广东省现有中药资源种类为3 587种。广东省本次中药资源普查调查代表区域 368 个，调查样地 4 056 个，调查样方套 20 273 个，记录有蕴藏量的中药资源 330 种，收集药材标本 4 977 份、中药材种质资源 2 639 份。此外，本次普查还对广东省菌类和水生、耐盐等药用植物资源进行了专项调研，收载大型药用真菌 217 种，隶属 26 科 46 属；记录水生药用植物资源 160 种、耐盐药用植物资源 269 种。

广东省是我国南药的主产区，与第三次中药资源普查相比，其道地药材和岭南特色药材的生产现状发生了很大的变化。广东省目前生产的道地药材品种主要有春砂仁、何首乌、广藿香、巴戟天、白木香、檀香、穿心莲、肉桂、广陈皮、芡实、山柰、益智等，珍稀野生药材品种有金毛狗、桫椤、青天葵、华南龙胆、蛇足石杉、金线兰等，岭南特色药材品种有莪术、红豆蔻、草豆蔻、甘葛、广山药、猴耳环、溪黄草、凉粉草、九节茶、鸡骨草、广金钱草、牛大力、千斤拔、黑老虎、铁皮石斛等。

广东省是中成药、中药配方颗粒、凉茶的生产大省，每年消耗的中药原料达数千吨，而许多中药原料主要来源于野生资源，导致野生药用资源品种数和蕴藏量均急剧减少。为了保证国家基本药物所需中药原料的可持续利用，广东省大部分制药企业建立了配套的中成药原料基地，还建立了野生中药资源转家种的药材原料基地，主要种植品种有黑老虎、吴茱萸、猴耳环、九里香、白花蛇舌草、溪黄草、紫茉莉、岗梅、毛冬青、两面针、三桠苦、草珊瑚、南板蓝根、山银花、鸡血藤、虎杖、龙脷叶、金樱子、金毛狗、钩藤、土牛膝、佩兰、千年健、山豆根、桃金娘、五指毛桃、无花果、地胆草、紫花杜鹃、裸花紫珠等稀缺原料药材，这些药材种植基地的建立对广东省中药资源的保护和可持续利用具有重要意义。

广东省第四次中药资源普查为广东省中药材产业提供了准确的资源信息，已有的成果数据信息可以更好地服务于产业发展，同时也为区域内主管部门制定相关法规政策提供了数据支撑。我们对广东省近 8 年来的普查数据进行了系统、严谨的梳理和统计，这对促进区域内中药资源的保护和可持续利用、促进地方中药资源产业和国民经济的发展具有重要意义。

《中国中药资源大典·广东卷》编写委员会

2024 年 3 月

凡 例

（1）本书分为上篇、中篇、下篇，共12册。上篇内容包括广东省自然地理概况、广东省第四次中药资源普查实施情况、广东省第四次中药资源普查成果、广东省中药资源发展存在的问题与建议；中篇重点介绍广东省23种道地、大宗中药资源；下篇是各论，共收载植物、动物、矿物等药用资源3 514种，以药用资源物种为单元进行介绍。本书主要参考《中国药典》《中国药材学》《中华本草》《中国植物志》《全国中草药汇编》等，以及历代本草文献等权威著作。为检索方便，本书在第1册正文前收录1 ～ 12册总目录，在页码前均标注了其所在册数（如"[1]"）。同时，还在第12册正文后附有1 ～ 12 册所录中药资源的中文笔画索引、拉丁学名索引。

（2）植物分类系统。蕨类植物采用秦仁昌1978年分类系统。裸子植物采用郑万钧1975年分类系统。被子植物采用哈钦松分类系统。少数类群根据最新研究成果稍作调整；属、种按拉丁学名的字母顺序排列。

（3）本书下篇各品种按照其科名及属名、物种名、药材名、形态特征、生境分布、资源情况、采收加工、药材性状、功能主治、用法用量、凭证标本号、附注依次著述，资料不全者项目从略。

1）科名及属名。该项包括科、属的中文名和拉丁学名。

2）物种名。该项包括中文名和拉丁学名。

3）药材名。该项介绍药用部位及药材的别名。未查到药材别名的则内容从略。

4）形态特征。该项简要介绍物种的形态。

5）生境分布。该项介绍物种的生存环境及其在广东省的分布区域，栽培品种则介绍其主产地及道地产区。分布中的地级市专指其城区范围，不涵盖其管辖的县域范围，正文中采用"地级市（市区）"的形式表示，如"茂名（市区）"。

6）资源情况。该项介绍物种的蕴藏量情况，野生资源以丰富、较丰富、一般、较少、稀少表示，并说明药材来源于栽培资源还是野生资源。

7）采收加工。该项简要介绍药材的采收时间、采收方式及加工方法。

8）药材性状。该项主要介绍药材的性状特征。对于民间习用的鲜草药或冷背药材，则此项内容从略。

9）功能主治。该项介绍药材的味、性、毒性、归经、功能和主治。

10）用法用量。该项介绍药材的使用方法及用量范围。

11）凭证标本号。该项为第四次全国中药资源普查收载的物种标本号或补充收录物种的馆藏标本号。依据文献记载补充的经确认广东省已有、普查未收录的物种同时附上中国科学院华南植物园标本馆（IBSC）、深圳市中国科学院仙湖植物园植物标本馆（SZG）、广东省韩山师范学院植物标本室（CZH）等的标本号。补充收录的动物和矿物药用资源的标本号引用《广东中药志》《广东省中药材标准》《中国药用动物志》等文献的记录；菌类药用资源的标本号引用广东省科学院微生物研究所标本馆（GDGM）的标本号。

12）附注。该项简述物种的品种情况、民间使用情况、资源利用情况等内容。

目 录
Contents

被子植物 ---------------------------- [3] 1

青藤科 ------------------------------ [3] 2

　　宽药青藤 -------------------------- [3] 2

　　小花青藤 -------------------------- [3] 4

　　毛青藤 ---------------------------- [3] 6

肉豆蔻科 ---------------------------- [3] 8

　　肉豆蔻 ---------------------------- [3] 8

毛茛科 ------------------------------ [3] 10

　　乌头 ------------------------------ [3] 10

　　秋牡丹 ---------------------------- [3] 12

　　小升麻 ---------------------------- [3] 14

　　女萎 ------------------------------ [3] 16

　　钝齿芹叶铁线莲 -------------------- [3] 18

　　小木通 ---------------------------- [3] 20

　　威灵仙 ---------------------------- [3] 22

　　厚叶铁线莲 ------------------------ [3] 24

　　山木通 ---------------------------- [3] 26

　　铁线莲 ---------------------------- [3] 28

　　小蓑衣藤 -------------------------- [3] 30

　　单叶铁线莲 ------------------------ [3] 32

　　毛蕊铁线莲 ------------------------ [3] 34

　　锈毛铁线莲 ------------------------ [3] 36

　　甘木通 ---------------------------- [3] 38

　　毛柱铁线莲 ------------------------ [3] 40

　　沙叶铁线莲 ------------------------ [3] 42

　　曲柄铁线莲 ------------------------ [3] 44

　　柱果铁线莲 ------------------------ [3] 46

　　短萼黄连 -------------------------- [3] 48

　　还亮草 ---------------------------- [3] 50

　　蕨叶人字果 ------------------------ [3] 52

　　两广锡兰莲 ------------------------ [3] 54

　　芍药 ------------------------------ [3] 56

　　牡丹 ------------------------------ [3] 58

　　禺毛茛 ---------------------------- [3] 60

　　茴茴蒜 ---------------------------- [3] 62

　　毛茛 ------------------------------ [3] 64

　　石龙芮 ---------------------------- [3] 66

　　天葵 ------------------------------ [3] 68

　　尖叶唐松草 ------------------------ [3] 70

　　盾叶唐松草 ------------------------ [3] 72

　　爪哇唐松草 ------------------------ [3] 74

　　东亚唐松草 ------------------------ [3] 76

金鱼藻科 ---------------------------- [3] 78

　　金鱼藻 ---------------------------- [3] 78

睡莲科 ------------------------------ [3] 80

　　芡实 ------------------------------ [3] 80

　　莲 -------------------------------- [3] 82

　　萍蓬草 ---------------------------- [3] 88

小檗科 ------------------------------ [3] 90

　　华东小檗 -------------------------- [3] 90

　　南岭小檗 -------------------------- [3] 92

　　豪猪刺 ---------------------------- [3] 94

日本小檗 ----------- [3] 96
庐山小檗 ----------- [3] 98
六角莲 ----------- [3] 100
八角莲 ----------- [3] 102
三枝九叶草 ----------- [3] 104
阔叶十大功劳 ----------- [3] 106
小果十大功劳 ----------- [3] 108
北江十大功劳 ----------- [3] 110
十大功劳 ----------- [3] 112
台湾十大功劳 ----------- [3] 114
海岛十大功劳 ----------- [3] 116
沈氏十大功劳 ----------- [3] 118
南天竹 ----------- [3] 120
木通科 ----------- [3] 122
木通 ----------- [3] 122
白木通 ----------- [3] 124
五月瓜藤 ----------- [3] 126
野木瓜 ----------- [3] 128
斑叶野木瓜 ----------- [3] 130
倒卵叶野木瓜 ----------- [3] 132
尾叶那藤 ----------- [3] 134
大血藤科 ----------- [3] 136
大血藤 ----------- [3] 136
防己科 ----------- [3] 138
樟叶木防己 ----------- [3] 138
木防己 ----------- [3] 140
毛叶轮环藤 ----------- [3] 142
密花轮环藤 ----------- [3] 144
粉叶轮环藤 ----------- [3] 146
轮环藤 ----------- [3] 148
四川轮环藤 ----------- [3] 150
秤钩风 ----------- [3] 152
苍白秤钩风 ----------- [3] 154
天仙藤 ----------- [3] 156
夜花藤 ----------- [3] 158
粉绿藤 ----------- [3] 160

细圆藤 ----------- [3] 162
风龙 ----------- [3] 164
金线吊乌龟 ----------- [3] 166
血散薯 ----------- [3] 168
海南地不容 ----------- [3] 170
千金藤 ----------- [3] 172
粪箕笃 ----------- [3] 174
粉防己 ----------- [3] 176
波叶青牛胆 ----------- [3] 178
青牛胆 ----------- [3] 180
中华青牛胆 ----------- [3] 182
马兜铃科 ----------- [3] 184
长叶马兜铃 ----------- [3] 184
马兜铃 ----------- [3] 186
广防己 ----------- [3] 188
通城虎 ----------- [3] 190
蜂窠马兜铃 ----------- [3] 192
广西马兜铃 ----------- [3] 194
柔叶马兜铃 ----------- [3] 196
耳叶马兜铃 ----------- [3] 198
海边马兜铃 ----------- [3] 200
管花马兜铃 ----------- [3] 202
变色马兜铃 ----------- [3] 204
香港马兜铃 ----------- [3] 206
尾花细辛 ----------- [3] 208
杜衡 ----------- [3] 210
地花细辛 ----------- [3] 212
金耳环 ----------- [3] 214
祈阳细辛 ----------- [3] 216
山慈菇 ----------- [3] 218
五岭细辛 ----------- [3] 220
猪笼草科 ----------- [3] 222
猪笼草 ----------- [3] 222
胡椒科 ----------- [3] 224
石蝉草 ----------- [3] 224
草胡椒 ----------- [3] 226

豆瓣绿 ----------- [3] 228

小叶爬崖香 ----------- [3] 230

华南胡椒 ----------- [3] 232

蒌叶 ----------- [3] 234

海南蒟 ----------- [3] 236

山蒟 ----------- [3] 238

毛蒟 ----------- [3] 240

风藤 ----------- [3] 242

大叶蒟 ----------- [3] 244

荜拔 ----------- [3] 246

胡椒 ----------- [3] 248

假蒟 ----------- [3] 250

三白草科 ----------- [3] 252

裸蒴 ----------- [3] 252

鱼腥草 ----------- [3] 254

三白草 ----------- [3] 256

金粟兰科 ----------- [3] 258

丝穗金粟兰 ----------- [3] 258

宽叶金粟兰 ----------- [3] 260

多穗金粟兰 ----------- [3] 262

及己 ----------- [3] 264

四川金粟兰 ----------- [3] 266

金粟兰 ----------- [3] 268

草珊瑚 ----------- [3] 270

海南草珊瑚 ----------- [3] 272

罂粟科 ----------- [3] 274

血水草 ----------- [3] 274

博落回 ----------- [3] 276

虞美人 ----------- [3] 278

罂粟 ----------- [3] 280

紫堇科 ----------- [3] 282

台湾黄堇 ----------- [3] 282

小花黄堇 ----------- [3] 284

地锦苗 ----------- [3] 286

白花菜科 ----------- [3] 288

膜叶槌果藤 ----------- [3] 288

广州槌果藤 ----------- [3] 290

纤枝槌果藤 ----------- [3] 292

小刺槌果藤 ----------- [3] 294

屈头鸡 ----------- [3] 296

白花菜 ----------- [3] 298

醉蝶花 ----------- [3] 300

臭矢菜 ----------- [3] 302

鱼木 ----------- [3] 304

辣木科 ----------- [3] 306

辣木 ----------- [3] 306

十字花科 ----------- [3] 308

油菜 ----------- [3] 308

芥兰头 ----------- [3] 310

小白菜 ----------- [3] 312

芥菜 ----------- [3] 314

芜菁甘蓝 ----------- [3] 316

塌棵菜 ----------- [3] 318

椰菜 ----------- [3] 320

白菜 ----------- [3] 322

芜菁 ----------- [3] 324

荠 ----------- [3] 326

弯曲碎米荠 ----------- [3] 328

碎米荠 ----------- [3] 330

堇叶碎米荠 ----------- [3] 332

臭荠 ----------- [3] 334

菘蓝 ----------- [3] 336

独行菜 ----------- [3] 338

北美独行菜 ----------- [3] 340

紫罗兰 ----------- [3] 342

西洋菜 ----------- [3] 344

萝卜 ----------- [3] 346

广州蔊菜 ----------- [3] 348

无瓣蔊菜 ----------- [3] 350

风花菜 ----------- [3] 352

蔊菜 ----------- [3] 354

董菜科 ·········· [3] 356

　戟叶董菜 ·········· [3] 356

　深圆齿董菜 ·········· [3] 358

　蔓茎董菜 ·········· [3] 360

　紫花董菜 ·········· [3] 362

　如意草 ·········· [3] 364

　长萼董菜 ·········· [3] 366

　江西董菜 ·········· [3] 368

　堇 ·········· [3] 370

　紫花地丁 ·········· [3] 372

　庐山董菜 ·········· [3] 374

　三角叶董菜 ·········· [3] 376

　三色堇 ·········· [3] 378

　董菜 ·········· [3] 380

远志科 ·········· [3] 382

　小花远志 ·········· [3] 382

　尾叶远志 ·········· [3] 384

　黄花倒水莲 ·········· [3] 386

　金不换 ·········· [3] 388

　香港远志 ·········· [3] 390

　卵叶远志 ·········· [3] 392

　曲江远志 ·········· [3] 394

　岩生远志 ·········· [3] 396

　细叶远志 ·········· [3] 398

　莎萝莽 ·········· [3] 400

　缘毛莎萝莽 ·········· [3] 402

　蝉翼藤 ·········· [3] 404

景天科 ·········· [3] 406

　落地生根 ·········· [3] 406

　八宝 ·········· [3] 408

　伽蓝菜 ·········· [3] 410

　匙叶伽蓝菜 ·········· [3] 412

　棒叶落地生根 ·········· [3] 414

　瓦松 ·········· [3] 416

　费菜 ·········· [3] 418

　东南景天 ·········· [3] 420

大苞景天 ·········· [3] 422

珠芽景天 ·········· [3] 424

大叶火焰草 ·········· [3] 426

凹叶景天 ·········· [3] 428

台湾佛甲草 ·········· [3] 430

佛甲草 ·········· [3] 432

垂盆草 ·········· [3] 434

虎耳草科 ·········· [3] 436

落新妇 ·········· [3] 436

大落新妇 ·········· [3] 438

肾萼金腰 ·········· [3] 440

大叶金腰 ·········· [3] 442

鸡眼梅花草 ·········· [3] 444

扯根菜 ·········· [3] 446

虎耳草 ·········· [3] 448

黄水枝 ·········· [3] 450

茅膏菜科 ·········· [3] 452

锦地罗 ·········· [3] 452

长叶茅膏菜 ·········· [3] 454

光萼茅膏菜 ·········· [3] 456

宽苞茅膏菜 ·········· [3] 458

沟繁缕科 ·········· [3] 460

田繁缕 ·········· [3] 460

石竹科 ·········· [3] 462

无心菜 ·········· [3] 462

簇生卷耳 ·········· [3] 464

须苞石竹 ·········· [3] 466

石竹 ·········· [3] 468

瞿麦 ·········· [3] 470

荷莲豆草 ·········· [3] 472

剪夏罗 ·········· [3] 474

剪红纱花 ·········· [3] 476

牛繁缕 ·········· [3] 478

白鼓钉 ·········· [3] 480

漆姑草 ·········· [3] 482

女娄菜 ·········· [3] 484

雀舌草 ----------- [3] 486
繁缕 ----------- [3] 488
石生繁缕 ----------- [3] 490
巫山繁缕 ----------- [3] 492

粟米草科 ----------- [3] 494
簇花粟米草 ----------- [3] 494
粟米草 ----------- [3] 496

番杏科 ----------- [3] 498
番杏 ----------- [3] 498

马齿苋科 ----------- [3] 500
马齿苋 ----------- [3] 500
多毛马齿苋 ----------- [3] 502
松叶牡丹 ----------- [3] 504
土人参 ----------- [3] 506

蓼科 ----------- [3] 508
金线草 ----------- [3] 508
短毛金线草 ----------- [3] 510
野荞麦 ----------- [3] 512
荞麦 ----------- [3] 514
何首乌 ----------- [3] 516
竹节蓼 ----------- [3] 518
萹蓄 ----------- [3] 520
毛蓼 ----------- [3] 522
细齿毛蓼 ----------- [3] 524
头花蓼 ----------- [3] 526
火炭母 ----------- [3] 528
蓼子草 ----------- [3] 530
大箭叶蓼 ----------- [3] 532
箭叶蓼 ----------- [3] 534
水蓼 ----------- [3] 536
蚕虫草 ----------- [3] 538
山蓼 ----------- [3] 540
酸模叶蓼 ----------- [3] 542
绵毛酸模叶蓼 ----------- [3] 544

长鬃蓼 ----------- [3] 546
长戟叶蓼 ----------- [3] 548
粗糙蓼 ----------- [3] 550
尼泊尔蓼 ----------- [3] 552
红蓼 ----------- [3] 554
掌叶蓼 ----------- [3] 556
杠板归 ----------- [3] 558
腋花蓼 ----------- [3] 560
丛枝蓼 ----------- [3] 562
伏毛蓼 ----------- [3] 564
廊茵 ----------- [3] 566
戟叶蓼 ----------- [3] 568
蓼蓝 ----------- [3] 570
香蓼 ----------- [3] 572
虎杖 ----------- [3] 574
酸模 ----------- [3] 576
皱叶酸模 ----------- [3] 578
齿果酸模 ----------- [3] 580
羊蹄 ----------- [3] 582
刺果酸模 ----------- [3] 584
小果酸模 ----------- [3] 586
长刺酸模 ----------- [3] 588

商陆科 ----------- [3] 590
商陆 ----------- [3] 590
美洲商陆 ----------- [3] 592

藜科 ----------- [3] 594
海滨藜 ----------- [3] 594
匍匐滨藜 ----------- [3] 596
莙荙菜 ----------- [3] 598
藜 ----------- [3] 600
土荆芥 ----------- [3] 602
小藜 ----------- [3] 604
地肤 ----------- [3] 606
菠菜 ----------- [3] 608

被子植物

青藤科 Illigeraceae 青藤属 Illigera

宽药青藤 *Illigera celebica* Miq.

| 药 材 名 | 宽药青藤（药用部位：根、藤茎。别名：大青藤、瑶山青藤、保龙师）。

| 形态特征 | 藤本。茎具沟棱。三出复叶；小叶卵形至卵状椭圆形，纸质至近革质，长 6 ~ 15 cm，宽 3.5 ~ 7 cm，两面光滑无毛。花绿白色；萼片 5，椭圆状长圆形，长 5 ~ 6 mm，宽约 2.5 mm，被柔毛，具透明腺点，被短柔毛；雄蕊 5；子房下位，四棱形；花盘上的腺体 5，球形，小。果实具 4 翅。花期 4 ~ 10 月，果期 6 ~ 11 月。

| 生境分布 | 生于低海拔丘陵地区的疏林、灌丛、山谷、坡地及路旁。分布于广东英德、翁源、高要、台山、阳春、信宜及深圳（市区）。

| 资源情况 | 野生资源较丰富。药材主要来源于野生。

| 采收加工 | 夏、秋季采收，晒干。

| **功能主治** | 辛，温。祛风除湿，行气止痛。用于风湿骨痛，肥大性脊椎炎。

| **用法用量** | 内服煎汤，9 ~ 15 g。

| **凭证标本号** | 开云考察队 56。

青藤科 Illigeraceae 青藤属 Illigera

小花青藤
Illigera parviflora Dunn

| 药 材 名 | 小花青藤（药用部位：根、藤茎。别名：翅果藤、黑九牛）。

| 形态特征 | 藤本。掌状三出复叶；小叶纸质，椭圆状披针形至椭圆形，长7～14 cm，宽3～7 cm。聚伞状圆锥花序腋生，长10～20 cm，密被灰褐色微柔毛；花绿白色，两性；花萼5，绿色，椭圆状长圆形，长5 mm，宽1.5 mm，稍被毛；花瓣与萼片同形，白色，长4 mm，外面被毛；雄蕊5，长6～7 mm，花丝被微柔毛；附属物10，倒卵状长圆形，具柄；子房下位，花柱长3.5～4 mm。果实具4翅。花期5～10月，果期11～12月。

| 生境分布 | 生于低海拔山谷、山坡或溪边林中。分布于广东翁源、乳源、台山、恩平、高州、信宜、鼎湖、怀集、高要、博罗、龙门、大埔、阳西、阳春、连山、英德、揭西、罗定及茂名（市区）等。

| **资源情况** | 野生资源较少。药材主要来源于野生。

| **采收加工** | 夏、秋季采收，晒干。

| **功能主治** | 微甘、辛、涩，温。祛风除湿，行气止痛。用于风湿骨痛，小儿麻痹后遗症。

| **用法用量** | 内服煎汤，9 ~ 15 g。

| **凭证标本号** | 441224180830010LY。

青藤科 Illigeraceae 青藤属 Illigera

毛青藤
Illigera rhodantha Hance

| 药 材 名 | 毛青藤（药用部位：全株。别名：红花青藤）。

| 形态特征 | 藤本。掌状三出复叶；小叶纸质，卵形至倒卵状椭圆形或卵状椭圆形，长 6 ~ 11 cm，宽 3 ~ 7 cm。聚伞花序组成的圆锥花序腋生，狭长，较叶柄长，密被黄褐色绒毛；萼片紫红色，长圆形，外面稍被短柔毛，长约 8 mm；花瓣与萼片同形，稍短，玫瑰红色；雄蕊 5，长 6 ~ 9 mm，被毛；附属物花瓣状，膜质，先端齿状，背部张口状，具柄；花盘上腺体 5，小。果实具 4 翅，翅较大的舌形或近圆形，长 2.5 ~ 3.5 cm，翅较小的长 0.5 ~ 1 cm。花期（6 ~）9 ~ 11 月，果期 12 月至翌年 4 ~ 5 月。

| 生境分布 | 生于低海拔山谷、坡地、灌丛及路旁。分布于广东英德、博罗、惠东、高要、台山、恩平、新兴、阳春、郁南、封开、高州、徐闻及云浮

（市区）。

| **资源情况** | 野生资源较少。药材主要来源于野生。

| **采收加工** | 夏、秋季采收，晒干。

| **功能主治** | 甘、辛、涩，温。祛风散瘀，消肿止痛。用于风湿性关节炎，跌打肿痛，小儿麻痹后遗症。

| **用法用量** | 内服煎汤，9～15 g，冲酒服；或浸酒。外用适量，浸酒外搽。

| **凭证标本号** | 441823190928024LY。

肉豆蔻科 Myristicaceae 肉豆蔻属 Myristica

肉豆蔻 *Myristica fragrans* Houtt.

| 药 材 名 | 肉豆蔻（药用部位：种子。别名：蔻玉果、肉果、肉寇）。

| 形态特征 | 小乔木。叶近革质，椭圆形或椭圆状披针形；侧脉 8 ~ 10 对；叶柄长 7 ~ 10 mm。花雌雄异序，雌花序较雄花序长；总花梗粗壮，着花 1 ~ 2；花长 6 mm，直径约 4 mm；花被裂片 3，外面密被微绒毛；花梗长于雌花；小苞片着生在花被基部，脱落后通常残存环形疤痕；子房椭圆形，外面密被锈色绒毛，花柱极短，柱头先端 2 裂。果实通常单生，具短柄，有时具残存的花被片；假种皮红色，至基部撕裂；种子卵珠形。

| 生境分布 | 广东无野生分布。广东湛江热带作物试验站及广州（市区）有少量栽培。

| 资源情况 | 有少量栽培。药材主要来源于栽培。 |

| 采收加工 | 3 ~ 6 月果实成熟时采收，晒干。 |

| 药材性状 | 本品呈卵圆形或椭圆形，长 2 ~ 3 cm，直径 1.5 ~ 2.5 cm。表面灰棕色或灰黄色，有时被白粉。全体有浅色纵行沟纹和不规则网状沟纹。种脐位于宽端，呈浅色圆形突起，合点呈暗凹陷。种脊呈纵沟状，连接两端。质坚，断面显棕黄色相杂的大理石花纹，宽端可见干燥皱缩的胚，富油性。气香浓烈，味辛。 |

| 功能主治 | 辛，温。温中行气，涩肠止泻。用于脾胃虚寒，久泻不止，脘腹胀痛，食少呕吐。 |

| 用法用量 | 内服煎汤，3 ~ 10 g。 |

| 凭证标本号 | 陈少卿 19891。 |

毛茛科 Ranunculaceae 乌头属 Aconitum

乌头 *Aconitum carmichaelii* Debeaux

药材名

川乌（药用部位：母根。别名：草乌、乌药、盐乌头）、附子（药材来源：子根的加工品）。

形态特征

草本。块根倒圆锥形，长 2 ～ 7 cm，直径 1 ～ 5 cm。叶纸质，五角形，长 6 ～ 11 cm，宽 9 ～ 15 cm。顶生总状花序；萼片蓝紫色，外面被短柔毛；花瓣无毛，瓣片长约 1.1 cm，唇长约 6 mm，微凹，距长（1 ～）2 ～ 2.5 mm，通常拳卷；心皮 3 ～ 5，子房疏或密被短柔毛，稀无毛。蓇葖果长 1.5 ～ 1.8 cm；种子长 3 ～ 3.2 mm，三棱形，只在两面密生横膜翅。9 ～ 10 月开花。

生境分布

生于山地草坡或灌丛中。分布于广东乐昌、乳源。

资源情况

野生资源较少。药材主要来源于野生。

采收加工

川乌：春、秋季采收块根（母根），晒干。
附子：夏季挖取侧根（子根），晒干。

| **药材性状** | 川乌：本品呈不规则的圆锥形，稍弯曲，先端有残茎，中部多向一侧膨大，长 2～7.5 cm，直径 1.2～2.5 cm。表面棕褐色或灰棕色，皱缩，有小瘤状侧根或子根脱离后的痕迹。质坚实，断面类白色或浅灰黄色，形成层环纹呈多角形。气微，味辛辣、麻舌。

附子：本品呈圆锥形，长 4～7 cm，直径 3～5 cm。表面灰黑色，被盐霜，先端有凹陷的芽痕，周围有瘤状凸起的支根或支根痕。体重，横切面灰褐色，可见充满盐霜的小空隙和多角形形成层环纹，环纹内侧导管束排列不整齐。气微，味咸而麻，刺舌。

功能主治

川乌：辛，温；有大毒。祛风散寒，除湿止痛，麻醉。用于风湿性关节炎，类风湿性关节炎，大骨节病，半身不遂，手足拘挛，坐骨神经痛，跌打肿痛，胃腹冷痛。

附子：辛，大热；有毒。回阳救逆，温中止痛，散寒燥湿。用于虚脱，汗出，四肢厥冷，胃腹冷痛，呕吐，泄泻，风寒湿痹，肾虚水肿。

用法用量

川乌：内服煎汤，3 g。不宜与半夏、贝母、瓜蒌、天花粉、白及、白蔹同用。孕妇忌用。

附子：内服煎汤，6 g。不宜与白及、贝母、半夏、白蔹、瓜蒌同用。阴虚火旺者及孕妇禁用。

凭证标本号

刘心祈 25588。

毛茛科 Ranunculaceae 银莲花属 Anemone

秋牡丹

Anemone hupehensis Lemoine var. *japonica* (Thunb.) Bowles et Stearn

| 药 材 名 | 秋牡丹（药用部位：茎、叶、根。别名：野棉花、土牡丹、打破碗花花）。

| 形态特征 | 草本。基生叶三出复叶；小叶卵形或宽卵形，长 4 ~ 11 cm，宽 3 ~ 10 cm。聚伞花序 2 ~ 3 回分枝；苞片 3，柄长 0.5 ~ 6 cm，稍不等大；花梗长 3 ~ 10 cm，有密或疏柔毛；萼片花瓣状，约 20，紫色或紫红色，倒卵形，长 2 ~ 3 cm，宽 1.3 ~ 2 cm，外面有短绒毛；雄蕊长约为萼片长度的 1/4，花药黄色，椭圆形，花丝丝形。聚合果球形，直径约 1.5 cm；瘦果长约 3.5 mm，有细柄，密被白色绢状毛。花期 7 ~ 10 月。

| 生境分布 | 生于山地路旁、山谷或混交林中。分布于广东乐昌、乳源、连州、梅县。

| **资源情况** | 野生资源较丰富。药材主要来源于野生。

| **采收加工** | 夏、秋季采收，晒干。

| **功能主治** | 茎、叶，苦、辛，温；有大毒。杀虫。外用于顽癣。根，苦，温；有毒。利湿，驱虫，祛瘀。用于痢疾，肠炎，蛔虫病，跌打损伤。

| **用法用量** | 茎、叶，外用适量，鲜品捣烂绞汁外搽。根，内服煎汤，1.5 ~ 6 g。

| **凭证标本号** | 叶育石、曹照忠 3759。

毛茛科 Ranunculaceae 升麻属 Cimicifuga

小升麻 *Cimicifuga acerina* (Sieb. et Zucc.) Tanaka

| 药 材 名 |

小升麻（药用部位：根茎。别名：金龟草、黑八角莲）。

| 形态特征 |

多年生草本。叶 1 ~ 2，近基生，三出复叶，宽达 35 cm。花序顶生，1 ~ 3 分枝，长 10 ~ 25 cm；花小，直径约 4 mm，近无梗；萼片白色，椭圆形至倒卵状椭圆形，长 3 ~ 5 mm；花药椭圆形，长 1 ~ 1.5 mm，花丝狭线形，长 4 ~ 7 mm；心皮 1 ~ 2，无毛。蓇葖果长约 10 mm，宽约 3 mm，宿存花柱向外方伸展；种子 8 ~ 12，椭圆状卵球形，长约 2.5 mm，表面有多数横向的短鳞翅，四周无翅。花期 8 ~ 9 月，果期 10 月。

| 生境分布 |

生于山地林缘。分布于广东乳源。

| 资源情况 |

野生资源较少。药材主要来源于野生。

| 采收加工 |

夏、秋季采收，切段，晒干。

| **功能主治** | 苦，温；有小毒。理气活血，消肿止痛。用于跌打损伤，风湿关节痛。

| **用法用量** | 内服煎汤，3～9 g；或浸酒。

| **凭证标本号** | 黄志 44305。

毛茛科 Ranunculaceae 铁线莲属 Clematis

女萎
Clematis apiifolia DC.

| 药 材 名 | 女萎（药用部位：茎、叶。别名：一把抓、白棉纱、风藤）。

| 形态特征 | 藤本。三出复叶；小叶卵形或宽卵形，长 2.5 ~ 8 cm，宽 1.5 ~ 7 cm，不明显 3 浅裂，边缘有锯齿。圆锥状聚伞花序多花；花直径约 1.5 cm；萼片 4，开展，白色，狭倒卵形，长约 8 mm，两面有短柔毛，外面较密；雄蕊无毛，花丝比花药长 5 倍。瘦果纺锤形或狭卵形，长 3 ~ 5 mm，先端渐尖，不扁，有柔毛，宿存花柱长约 1.5 cm。花期 7 ~ 9 月，果期 9 ~ 10 月。

| 生境分布 | 生于山坡或沟边。分布于广东怀集。

| 资源情况 | 野生资源较丰富。药材主要来源于野生。

| 采收加工 | 夏、秋季采收，晒干。

| 功能主治 | 辛，温；有小毒。祛风除湿，温中理气，消食，利尿。用于风湿痹痛，小便不利，吐泻，痢疾，腹痛肠鸣，水肿。

| 用法用量 | 内服煎汤，10 ~ 15 g。

钝齿芹叶铁线莲 *Clematis apiifolia* DC. var. *obtusidentata* Rehd. et Wils.

| 药 材 名 | 川木通（药用部位：茎、叶。别名：淮通）。

| 形态特征 | 藤本。三出复叶；小叶卵形或宽卵形，长 5 ~ 13 cm，宽 3 ~ 9 cm，不明显 3 浅裂，边缘有少数钝齿。圆锥状聚伞花序多花；花直径约 1.5 cm；萼片 4，开展，白色，狭倒卵形，长约 8 mm，两面有短柔毛，外面较密；雄蕊无毛，花丝比花药长 5 倍。瘦果纺锤形或狭卵形，长 3 ~ 5 mm，先端渐尖，不扁，有柔毛，宿存花柱长约 1.5 cm。花期 7 ~ 9 月，果期 9 ~ 10 月。

| 生境分布 | 生于山坡或沟边。分布于广东乐昌、乳源、连州、连山、连南、南雄、阳山、仁化、和平。

| 资源情况 | 野生资源较丰富。药材主要来源于野生。

采收加工	夏、秋季采收，晒干。
功能主治	苦，寒。利尿消肿，通经下乳。用于尿路感染，小便不利，肾炎性水肿，闭经，乳汁不通。
用法用量	内服煎汤，6 ～ 15 g。孕妇忌用。
凭证标本号	441823200710028LY。

毛茛科 Ranunculaceae 铁线莲属 Clematis

小木通 *Clematis armandii* Franch.

| 药 材 名 | 小木通（药用部位：根、茎。别名：山木通、川木通、蓑衣藤）。

| 形态特征 | 木质藤本。三出复叶；小叶卵状披针形、长椭圆状卵形至卵形，长 4 ~ 12（~ 16）cm，宽 2 ~ 5（~ 8）cm，先端渐尖，基部圆形、心形或宽楔形，全缘，两面无毛。萼片 4（~ 5），开展，白色，偶带淡红色，长圆形或长椭圆形，大小变异极大。瘦果扁，卵形至椭圆形，长 4 ~ 7 mm，疏生柔毛，宿存花柱长达 5 cm，有白色长柔毛。花期 3 ~ 4 月，果期 4 ~ 7 月。

| 生境分布 | 生于山坡、山谷、路旁或灌丛中。分布于广东乐昌、乳源、连州、连山、连南、阳山、仁化、曲江、英德、新丰、龙门、龙川、从化、平远、阳春、阳西及深圳（市区）、珠海（市区）、云浮（市区）。

| **资源情况** | 野生资源较丰富。药材主要来源于野生。

| **采收加工** | 夏、秋季采收，晒干。

| **功能主治** | 苦，寒。利尿消肿，通经下乳，活血止痛。用于尿路感染，小便不利，肾炎性水肿，闭经，乳汁不通。

| **用法用量** | 内服煎汤，3 ~ 6 g。孕妇忌用。

| **凭证标本号** | 440224180330014LY。

毛茛科 Ranunculaceae 铁线莲属 Clematis

威灵仙
Clematis chinensis Osbeck

| **药 材 名** | 威灵仙（药用部位：根、叶。别名：铁脚威灵仙、老虎须、移星草）。 |

| **形态特征** | 木质藤本，干后变黑色。一回羽状复叶；小叶 5，有时 3 或 7，小叶纸质，卵形至卵状披针形、线状披针形或为卵圆形，长 1.5 ~ 10 cm，宽 1 ~ 7 cm。圆锥状聚伞花序，多花，腋生或顶生；花直径 1 ~ 2 cm；萼片 4（~ 5），开展，白色。瘦果扁，3 ~ 7，卵形至宽椭圆形，长 5 ~ 7 mm，有柔毛，宿存花柱长 2 ~ 5 cm。花期 6 ~ 9 月，果期 8 ~ 11 月。 |

| **生境分布** | 生于山坡、山谷、路旁。分布于广东乐昌、乳源、连州、连山、连南、英德、阳山、南雄、翁源、新丰、龙门、博罗、高要、南海、封开及清远（市区）、河源（市区）、广州（市区）、深圳（市区）、云浮（市区）。 |

| 资源情况 |　野生资源较丰富。药材主要来源于野生。

| 采收加工 |　夏、秋季采收，晒干。

| 功能主治 |　根，辛、微苦，温。祛风除湿，通络止痛。用于风寒湿痹，关节不利，四肢麻木，跌打损伤，扁桃体炎，急性黄疸性肝炎，鱼骨鲠喉，食道异物，丝虫病；外用于牙痛，角膜溃疡。叶，辛、苦，平。消炎解毒。用于咽喉炎，急性扁桃体炎。

| 用法用量 |　内服煎汤，根 3 ~ 9 g，叶 15 ~ 30 g；或绞汁含咽。外用适量。

| 凭证标本号 |　440281200710007LY。

| 毛茛科 | Ranunculaceae | 铁线莲属 | *Clematis*

厚叶铁线莲 *Clematis crassifolia* Benth.

| **药 材 名** | 厚叶铁线莲（药用部位：根及根茎）。

| **形态特征** | 藤本。三出复叶；小叶革质，长椭圆形、椭圆形或卵形，长 5 ~ 12 cm，宽 2.5 ~ 6.5 cm。花白色或略带水红色，披针形或倒披针形，长 1.2 ~ 2 cm，外面近无毛，边缘密生短绒毛，内面有较密短柔毛；雄蕊无毛，花药椭圆形或长椭圆形，长 1 ~ 2 mm。瘦果镰状狭卵形，有柔毛，长 4 ~ 6 mm。花期 12 月至翌年 1 月，果期 2 月。

| **生境分布** | 生于海拔 300 ~ 1 100 m 的山谷、山坡或林缘。分布于广东从化、翁源、乳源、新丰、乐昌、怀集、封开、高要、博罗、龙门、阳春、阳山及云浮（市区）。

| **资源情况** | 野生资源较丰富。药材主要来源于野生。

| 采收加工 | 夏、秋季采收，晒干。 |

| 功能主治 | 辛、微苦，温。祛风除湿，通络止痛。用于风湿骨痛，跌打损伤。 |

| 用法用量 | 内服煎汤，3 ~ 9 g。 |

| 凭证标本号 | 440783191102010LY。 |

毛茛科 Ranunculaceae　铁线莲属 Clematis

山木通
Clematis finetiana Lévl. et Vant. [*Clematis pavoliniana* Pamp.]

| 药 材 名 | 山木通（药用部位：根、茎、叶。别名：巴氏铁线莲、雪球藤、老虎毛）。

| 形态特征 | 木质藤本。三出复叶，基部有时为单叶；小叶卵形至披针形。花常单生，或为聚伞花序，腋生或顶生，具花 1 ~ 5；萼片 4，白色，开展，长椭圆形或披针形，长 1 ~ 1.8 cm，宽约 5 mm，外面边缘密被短柔毛；无花瓣；雄蕊无毛，药隔明显。瘦果镰状，长 6 ~ 7 mm，宽约 1.5 mm，被短柔毛，宿存花柱长约 3 cm，被黄棕色的长柔毛。花期 4 ~ 6 月，果期 7 ~ 11 月。

| 生境分布 | 生于山坡、疏林中。分布于广东从化、始兴、仁化、乳源、新丰、乐昌、南雄、新会、怀集、高要、平远、蕉岭、连平、和平、阳山、连山、英德、连州及清远（市区）。

| **资源情况** | 野生资源较丰富。药材主要来源于野生。

| **采收加工** | 夏、秋季采收，晒干。

| **功能主治** | 苦、辛，温。祛风湿，通经络，活血行气。用于风湿性关节炎，骨鲠喉，牙疳，痔疮，跌打损伤，角膜炎，疟疾等。

| **用法用量** | 内服煎汤，9 ~ 15 g。

| **凭证标本号** | 440281190424037LY。

毛茛科 Ranunculaceae 铁线莲属 Clematis

铁线莲 *Clematis florida* Thunb.

| 药材名 |

铁线莲（药用部位：茎、叶。别名：东北铁线莲、架子菜）。

| 形态特征 |

草质藤本。二回三出复叶，连叶柄长达12 cm；小叶狭卵形至披针形，长2～6 cm，宽1～2 cm。花单生于叶腋；萼片6，白色，倒卵圆形或匙形，长达3 cm，宽约1.5 cm。瘦果倒卵形，扁平，边缘增厚，宿存花柱伸长成喙状，细瘦，下部有开展的短柔毛，上部无毛，膨大的柱头2裂。花期1～2月，果期3～4月。

| 生境分布 |

生于低山区的丘陵灌丛中、山谷、路旁及小溪边。分布于广东龙门、紫金、南海、高要及清远（市区）。

| 资源情况 |

野生资源较丰富。药材主要来源于野生。

| 采收加工 |

夏、秋季采收，晒干。

功能主治	辛，温。利尿，理气通便，活血止痛。用于小便不利，腹胀，便闭；外用于关节肿痛，蛇虫咬伤。
用法用量	内服煎汤，9 ～ 15 g。外用适量，鲜叶加酒或食盐，捣敷。
凭证标本号	441622200907039LY。

毛茛科 Ranunculaceae 铁线莲属 Clematis

小蓑衣藤 _Clematis gouriana_ Roxb. ex DC.

| 药 材 名 | 小蓑衣藤（药用部位：全株）。

| 形态特征 | 藤本。一回羽状复叶，小叶 5，有时 3 或 7，小叶纸质，卵形、长卵形至披针形。圆锥状聚伞花序多花；花序梗、花梗密生短柔毛；萼片4，开展，白色，椭圆形或倒卵形，长 5 ~ 9 mm，先端钝，两面被短柔毛；雄蕊无毛；子房有柔毛。瘦果纺锤形或狭卵形，不扁，先端渐尖，被柔毛，长 3 ~ 5 mm，宿存花柱长达 3 cm。花期 9 ~ 10 月，果期 11 ~ 12 月。

| 生境分布 | 生于山坡灌丛中。分布于广东乐昌、乳源、连州、英德。

| 资源情况 | 野生资源较少。药材主要来源于野生。

| 采收加工 | 夏、秋季采收，晒干。

| 功能主治 | 辛，温。祛风除湿，活血化瘀。用于风湿骨痛，肢体麻木，跌打损伤，瘀滞疼痛。

| 用法用量 | 内服煎汤，9 ~ 12 g。

| 凭证标本号 | 伍世忠 3815。

毛茛科 Ranunculaceae 铁线莲属 Clematis

单叶铁线莲 *Clematis henryi Oliv.*

| 药 材 名 |

单叶铁线莲（药用部位：根。别名：地雷根、雪里开）。

| 形态特征 |

藤本。主根下部膨大成瘤状或地瓜状。单叶；叶片卵状披针形，长 10 ~ 15 cm，宽 3 ~ 7.5 cm。花钟状，直径 2 ~ 2.5 cm；萼片 4，较肥厚，白色或淡黄色，卵圆形或长卵圆形；雄蕊长 1 ~ 1.2 cm，花药长椭圆形，花丝线形，具 1 脉，两边有长柔毛，长于花药；心皮被短柔毛，花柱被绢状毛。瘦果狭卵形，长 3 mm，直径 1 mm，被短柔毛，宿存花柱长达 4.5 cm。花期 11 ~ 12 月，果期翌年 3 ~ 4 月。

| 生境分布 |

生于山谷溪边或灌丛中。分布于广东乐昌、乳源、连州、连山、连南、阳山、仁化、曲江、怀集。

| 资源情况 |

野生资源较少。药材主要来源于野生。

| **采收加工** | 夏、秋季采收，晒干。

| **功能主治** | 辛、苦，凉。清热解毒，行气止痛，活血消肿。用于胃痛，腹痛，跌打损伤，晕厥，支气管炎；外用于腮腺炎。

| **用法用量** | 内服煎汤，1.5 ～ 6 g。外用适量，磨汁涂。

| **凭证标本号** | 441224180717021LY。

毛茛科 Ranunculaceae 铁线莲属 Clematis

毛蕊铁线莲 *Clematis lasiandra* Maxim.

| 药 材 名 | 毛蕊铁线莲（药用部位：全株。别名：丝瓜花、小木通）。

| 形态特征 | 藤本。三出复叶、羽状复叶或二回三出复叶；小叶卵状披针形或窄卵形。花钟状，先端反卷，直径 2 cm；萼片 4，粉红色至紫红色，直立，卵圆形至长椭圆形，长 1 ~ 1.5 cm，宽 5 ~ 8 mm，两面无毛，边缘及反卷的先端被茸毛；雄蕊微短于萼片，花丝线形；心皮在开花时短于雄蕊，被绢状毛。瘦果卵形或纺锤形，棕红色，长 3 mm。花期 10 月，果期 11 月。

| 生境分布 | 生于山谷、山坡疏林或灌丛中。分布于广东乐昌、乳源、连州、阳山、惠阳、高要及汕头（市区）、湛江（市区）等。

| 资源情况 | 野生资源较少。药材主要来源于野生。

| **采收加工** | 夏、秋季采收，晒干。

| **功能主治** | 淡，平。舒筋活络，祛湿止痛。用于筋骨疼痛，无名肿毒，腹胀。

| **用法用量** | 内服煎汤，20 ~ 30 g。

| **凭证标本号** | 441882181101019LY。

毛茛科 Ranunculaceae 铁线莲属 Clematis

锈毛铁线莲 *Clematis leschenaultiana* DC.

| **药 材 名** | 锈毛铁线莲（药用部位：藤茎。别名：齿叶铁线莲）。 |

| **形态特征** | 木质藤本。三出复叶；小叶纸质，卵圆形、卵状椭圆形至卵状披针形。聚伞花序腋生，密被黄色柔毛，常有3花；花萼壶状，先端反卷，直径约2 cm；萼片4，黄色，卵圆形至卵状椭圆形，长1.8 ~ 2.5 cm，宽约9 mm，外面密被金黄色柔毛；雄蕊与萼片等长，花丝扁平。瘦果狭卵形，长约5 mm，宽约1 mm，被棕黄色短柔毛，宿存花柱长3 ~ 3.5 cm，具黄色长柔毛。花期1 ~ 2月，果期3 ~ 4月。 |

| **生境分布** | 生于海拔300 ~ 1 200 m的山坡灌丛中。分布于广东乐昌、乳源、连州、英德、阳山、翁源、和平。 |

| **资源情况** | 野生资源较少。药材主要来源于野生。 |

| 采收加工 | 春、秋季采收，除去粗皮，切片，晒干。

| 功能主治 | 苦、微辛，温；有小毒。利尿通络，理气通便，解毒。用于风湿性关节炎，小便不利，闭经，便秘腹胀，风火牙痛，眼起星翳，蛇虫咬伤，黄疸等。

| 用法用量 | 内服煎汤，15～30g。外用适量，鲜品加酒或食盐，捣敷。

| 凭证标本号 | 陈少卿182。

毛茛科 Ranunculaceae 铁线莲属 Clematis

甘木通 *Clematis loureiroana* DC. [*Clematis filamentosa* Dunn]

| 药 材 名 | 甘木通（药用部位：茎、叶。别名：丝铁线莲、紫木通、眼蛇药）。

| 形态特征 | 藤本。三出复叶；小叶卵圆形、宽卵圆形至披针形，长 7 ~ 11 cm，宽 4 ~ 8 cm，先端钝圆，基部宽楔形、圆形或亚心形，全缘。萼片 4，白色，窄卵形或卵状披针形。瘦果狭卵形，常偏斜，棕色，长约 1 cm，宽约 2 mm，宿存花柱长 3 ~ 5 cm，丝状，有开展的长柔毛。花期 11 ~ 12 月，果期翌年 1 ~ 2 月。

| 生境分布 | 生于山谷疏林或林缘。分布于广东乐昌、乳源、连州、英德、新丰、博罗、惠阳、惠东、梅县、高要、新兴、信宜、阳春、封开及深圳（市区）、云浮（市区）。

| 资源情况 | 野生资源较少。药材主要来源于野生。

| **采收加工** | 夏、秋季采收，晒干。 |

| **功能主治** | 甘，微凉。镇静，镇痛，降血压。用于红眼病，头痛，高血压。 |

| **用法用量** | 内服煎汤，10 ~ 15 g。 |

| **凭证标本号** | 441284190715560LY。 |

毛茛科 Ranunculaceae 铁线莲属 Clematis

毛柱铁线莲 *Clematis meyeniana* Walp.

| 药 材 名 | 毛柱铁线莲（药用部位：全株。别名：木通藤、吹风藤、老虎须藤）。

| 形态特征 | 藤本。三出复叶；小叶卵形或卵状长圆形。圆锥状聚伞花序多花，腋生或顶生，常比叶长或近等长；通常无宿存芽鳞，偶尔有；苞片小，钻形；萼片 4，开展，白色，长椭圆形或披针形，先端钝、凸尖，有时微凹，长 0.7 ~ 1.2 cm，外面边缘有茸毛，内面无毛；雄蕊无毛。瘦果镰状狭卵形或狭倒卵形，长约 4.5 mm，有柔毛，宿存花柱长达 2.5 cm。花期 6 ~ 8 月，果期 8 ~ 10 月。

| 生境分布 | 生于山谷、山坡疏林或灌丛中。分布于广东乳源、英德、连山、连南、和平、龙门、龙川、博罗、惠东、惠阳、海丰、大埔、花都、台山、高要、阳春及深圳（市区）、珠海（市区）。

| **资源情况** | 野生资源较少。药材主要来源于野生。

| **采收加工** | 夏、秋季采收，切段，晒干。

| **功能主治** | 辛、咸、微苦，温。祛风除湿，舒筋，止痛。用于风湿骨痛，肢体麻木，脚气，乳痈，跌打损伤，风湿，蛇咬伤，神经麻痹。

| **用法用量** | 内服煎汤，10 ~ 15 g。

| **凭证标本号** | 441825190801022LY。

毛茛科 Ranunculaceae 铁线莲属 Clematis

沙叶铁线莲 *Clematis meyeniana* Walp. var. *granulata* Finet et Gagnep.

| 药 材 名 | 沙叶铁线莲（药用部位：藤茎。别名：软骨过山龙、三叶木通）。

| 形态特征 | 藤本。三出复叶，小叶卵形或卵状长圆形，小叶两面皱纹紧密。圆锥状聚伞花序多花，腋生或顶生，常比叶长或近等长；通常无宿存芽鳞，偶尔有；苞片小，钻形；萼片 4，开展，白色，长椭圆形或披针形，先端钝、凸尖，有时微凹，长 0.7 ~ 1.2 cm，外面边缘有绒毛，内面无毛；雄蕊无毛。瘦果镰状狭卵形或狭倒卵形，长约 4.5 mm，有柔毛，宿存花柱长达 2.5 cm。花期 6 ~ 8 月，果期 8 ~ 10 月。

| 生境分布 | 生于山谷疏林中。分布于广东高要、新兴、阳春、阳西、信宜及茂名（市区）。

| 资源情况 | 野生资源较少。药材主要来源于野生。

| 采收加工 | 全年均可采收，除去叶片，截成长段，除去外皮，晒干或阴干。

| 功能主治 | 苦、辛，寒。清热利尿，通经活络。用于湿热水肿，乳汁不通，风湿骨痛。

| 用法用量 | 内服煎汤，15 ～ 30 g。孕妇忌用。

| 凭证标本号 | 叶华谷 6017。

毛茛科 Ranunculaceae 铁线莲属 Clematis

曲柄铁线莲 *Clematis repens* Finet et Gagnep.

| 药 材 名 | 曲柄铁线莲（药用部位：全株）。

| 形态特征 | 藤本。单叶；叶卵圆形或卵状椭圆形；叶柄常扭曲，长 2 ~ 5 cm。花单生于叶腋；花萼钟状，萼片 4，黄色，卵圆形或长卵圆形，长 1.5 ~ 2.5 cm，宽 5 ~ 7 mm，先端渐尖或钝圆，两面光滑无毛，边缘密被淡黄色绒毛；雄蕊较花萼短或有时近等长，花丝线形，花药长椭圆形；子房卵形。瘦果纺锤形或狭卵形，长约 5 mm，宽约 2 mm，两面隆起，被短柔毛。花期 7 ~ 8 月，果期 9 ~ 10 月。

| 生境分布 | 生于江边、路旁的疏林中及潮湿的林下，常攀缘于树枝上及岩石上。分布于广东乳源、仁化。

| 资源情况 | 野生资源较少。药材主要来源于野生。

| 采收加工 | 夏、秋季采收，晒干。

| 功能主治 | 通经活络。用于风湿骨痛，痛风。

| 用法用量 | 内服煎汤，15 ~ 30 g。

| 凭证标本号 | 441882180412015LY。

毛茛科 Ranunculaceae 铁线莲属 Clematis

柱果铁线莲 Clematis uncinata Champ.

| 药 材 名 | 柱果铁线莲(药用部位: 根、茎、叶。别名: 癞子藤、猪娘藤、花木通)。

| 形态特征 | 藤本，干时常带黑色。一至二回羽状复叶，有 5 ~ 15 小叶，基部 2 对常为 2 ~ 3 小叶，茎基部为单叶或三出叶；小叶宽卵形、卵形、长圆状卵形至卵状披针形。萼片 4，开展，白色，干时变褐色至黑色，线状披针形至倒披针形，长 1 ~ 1.5 cm；雄蕊无毛。瘦果圆柱状钻形，干后变黑，长 5 ~ 8 mm，宿存花柱长 1 ~ 2 cm。花期 6 ~ 7 月，果期 7 ~ 9 月。

| 生境分布 | 生于海拔 200 ~ 1 000 m 的山地、山谷、溪边的灌丛中或林边。分布于广东乐昌、乳源、阳山、南雄、连州、连南、英德、龙门、博罗、梅县、五华、平远、蕉岭、大埔、丰顺、高要、封开、阳春、郁南、德庆、广宁及深圳（市区）、云浮（市区）。

| **资源情况** | 野生资源较丰富。药材主要来源于野生。 |

| **采收加工** | 夏、秋季采收，晒干。 |

| **功能主治** | 辛，温。祛风除湿，舒筋活络，镇痛。根、茎，用于风湿性关节痛，牙痛，骨鲠喉。叶，外用于外伤出血。 |

| **用法用量** | 根、茎，内服煎汤，9 ~ 15 g；或浸酒。叶，外用适量，捣敷。 |

| **凭证标本号** | 441825190801027LY。 |

毛茛科 Ranunculaceae 黄连属 Coptis

短萼黄连

Coptis chinensis Franch. var. *brevisepala* W. T. Wang et Hsiao

| 药 材 名 | 鸡爪黄连（药用部位：根茎）。

| 形态特征 | 草本。根茎黄色，常分枝，密生多数须根。叶3或5对羽状深裂。二歧或多歧聚伞花序；萼片黄绿色，长椭圆状卵形，长约6.5 mm；花瓣线形或线状披针形，长5～6.5 mm，先端渐尖，中央有蜜槽；雄蕊约20，花药长约1 mm，花丝长2～5 mm；心皮8～12，花柱微外弯。蓇葖果长约7 mm，果柄约与之等长；种子7～8，长椭圆形，长约2 mm，宽约0.8 mm，褐色。花期2～3月，果期4～6月。

| 生境分布 | 生于海拔600～1 500 m的山谷林下潮湿的岩石上。分布于广东乐昌、乳源、连州、连山、连南、英德、新丰、和平、连平、龙门、从化、阳春。

| **资源情况** | 野生资源较少。药材主要来源于野生。 |

| **采收加工** | 夏、秋季采收，晒干。 |

| **药材性状** | 本品弯曲，形如鸡爪，长 3 ~ 6 cm，直径 3 ~ 6 mm。表面灰黄色或黄褐色，粗糙，有不规则结节状隆起的须根及根残基，有的结节间表面平滑如茎秆。上部多残留褐色鳞叶，先端留有残余的茎或叶柄。质硬，断面不整齐，皮部橙红色或暗棕色，木部鲜黄色或橙黄色，呈放射状排列，髓部有的中空。气微，味极苦。 |

| **功能主治** | 苦，寒。清热泻火，解毒消肿，燥湿健胃。用于细菌性痢疾，肠炎腹泻，流行性脑脊髓膜炎，黄疸性肝炎，疔疮肿毒，目赤肿痛，高热不退，烫火伤。 |

| **用法用量** | 内服煎汤，3 ~ 9 g。 |

| **凭证标本号** | 曾怀德 25065。 |

| 毛茛科 | Ranunculaceae | 翠雀属 | Delphinium

还亮草
Delphinium anthriscifolium Hance

| **药 材 名** | 还亮草（药用部位：全草。别名：飞燕草、鱼灯苏、车子野芫荽）。

| **形态特征** | 草本。叶为二至三回近羽状复叶，间或为三出复叶，有较长柄或短柄；叶片菱状卵形或三角状卵形。萼片堇色或紫色，椭圆形至长圆形，长 6 ~ 9 mm，外面疏被短柔毛，距钻形或圆锥状钻形，长 5 ~ 9 mm；花瓣紫色，无毛，上部变宽；退化雄蕊与萼片同色，无毛，瓣片斧形，2 深裂至近基部；雄蕊无毛；心皮 3，子房疏被短柔毛或近无毛。蓇葖果长 1.1 ~ 1.6 cm；种子扁球形，直径 2 ~ 2.5 mm。花期 3 ~ 5 月。

| **生境分布** | 生于山谷林下或溪边草地。分布于广东高要及云浮（市区）。

| **资源情况** | 野生资源较少。药材主要来源于野生。

| 采收加工 | 夏季采收，晒干。

| 功能主治 | 辛，温；有毒。祛风通络。用于中风半身不遂，风湿筋骨疼痛；外用于痈疮。

| 用法用量 | 内服煎汤，3 ~ 6 g。外用适量，鲜品捣敷。

| 凭证标本号 | 441823190315021LY。

毛茛科 Ranunculaceae 人字果属 Dichocarpum

蕨叶人字果
Dichocarpum dalzielii (Drumm. et Hutch.) W. T. Wang et Hsiao

| 药 材 名 | 蕨叶人字果（药用部位：全草。别名：岩节连）。

| 形态特征 | 草本。叶为鸟趾状复叶。花葶 3 ~ 11；萼片白色，倒卵状椭圆形，长 8 ~ 10 mm，宽 3.8 ~ 4 mm，先端钝尖；花瓣金黄色，长 2.8 ~ 4.5 mm，瓣片近圆形，先端微凹或有时全缘，常在凹缺中央具 1 小短尖；雄蕊多数，长 3.5 ~ 4.5 mm，花药宽椭圆形，长约 0.8 mm；子房狭倒卵形，长 7 ~ 8 mm，花柱长约 2 mm。蓇葖果倒"人"字状叉开，狭倒卵状披针形，连同 2 mm 长的细喙共长 11 ~ 12 mm。花期 4 ~ 5 月，果期 5 ~ 6 月。

| 生境分布 | 生于海拔 750 ~ 1 600 m 的山谷林下潮湿处。分布于广东乐昌、乳源、连州、连山、信宜及汕头（市区）。

| **资源情况** | 野生资源较少。药材主要来源于野生。

| **采收加工** | 随采随用，鲜用。

| **功能主治** | 辛、微苦，寒。消肿散毒。外用于痈肿疮毒。

| **用法用量** | 外用适量，鲜品捣敷。

| **凭证标本号** | 441823210205010LY。

毛茛科 Ranunculaceae 锡兰莲属 *Naravelia*

两广锡兰莲 *Naravelia pilulifera* Hance

| **药 材 名** | 两广锡兰莲（药用部位：全株。别名：拿拉藤、锡兰莲）。 |

| **形态特征** | 木质藤本。小叶宽卵圆形或近圆形，长 7 ~ 11 cm，宽 6 ~ 8 cm，先端钝尖，基部圆形或微心形，全缘。圆锥花序腋生；萼片 4，窄卵形至椭圆形，长 6 ~ 7 mm，宽 3 ~ 4 mm；花瓣 8 ~ 12，淡绿色，先端膨大成球形，下部丝形，长 8 mm，无毛；雄蕊长 4 mm；心皮与雄蕊近等长，被绢状毛。瘦果狭长，长 5 mm，直径 1 mm，基部有短柄，被稀疏柔毛，宿存羽毛状花柱长 2 cm。花期 9 月，果期 10 月。 |

| **生境分布** | 生于山谷溪边疏林。分布于广东高要、阳春、新兴、怀集及云浮（市区）。 |

| **资源情况** | 野生资源较少。药材主要来源于野生。 |

| 采收加工 | 夏、秋季采收，晒干。

| 功能主治 | 辛，温。用于腹泻，便血，肝脾肿大，子宫脱垂，带下，风湿关节痛，脘腹胀痛，寒疝腹痛；外用于刀伤出血。

| 用法用量 | 内服煎汤，6～15 g。外用适量，鲜品捣敷。

| 凭证标本号 | 石国良 14133。

毛茛科 Ranunculaceae 芍药属 Paeonia

芍药 *Paeonia lactiflora* Pall.

| **药 材 名** | 白芍（药用部位：根。别名：野芍药、土白芍、芍药花）。 |

| **形态特征** | 多年生草本。根粗壮，分枝黑褐色。茎生叶为二回三出复叶，上部茎生叶为三出复叶。花数朵，生于茎顶和叶腋；萼片4，宽卵形或近圆形，长1～1.5 cm，宽1～1.7 cm；花瓣9～13，倒卵形，长3.5～6 cm，宽1.5～4.5 cm，白色；花丝长0.7～1.2 cm，黄色；花盘浅杯状，包裹心皮基部，先端裂片钝圆；心皮（2～）4～5，无毛。蓇葖果长2.5～3 cm，直径1.2～1.5 cm，先端具喙。花期5～6月，果期8月。 |

| **生境分布** | 广东无野生分布。广东乐昌有栽培。 |

| **资源情况** | 有少量栽培。药材主要来源于栽培。 |

| 采收加工 | 秋季采收，晒干。

| 药材性状 | 本品略呈圆柱形，常一端稍粗，直或稍弯曲，两端平截，常无分枝，长达 20 cm，直径 1 ~ 2.5 cm，表面灰白色或淡红棕色，很少粉红色，或有纵皱纹及细根痕，皮孔横生。质坚实，不易折断，断面较平坦，灰白色或微带棕红色，有明显的环纹和放射状纹理。气微，味微苦、酸。以条粗、质坚实、无白心或裂隙者为佳。

| 功能主治 | 苦、酸，凉。养血敛阴，柔肝止痛。用于血虚肝旺引起的头晕、头痛、胸胁疼痛，痢疾，阑尾炎腹痛，腓肠肌痉挛，手足拘挛疼痛，月经不调，痛经，崩漏，带下。

| 用法用量 | 内服煎汤，6 ~ 18 g。不宜与藜芦同用。

| 凭证标本号 | 441882190417009LY。

毛茛科 Ranunculaceae 芍药属 Paeonia

牡丹 *Paeonia suffruticosa* Andr.

| 药 材 名 | 牡丹皮（药用部位：根皮。别名：鼠姑、鹿韭、白茸）。

| 形态特征 | 落叶灌木。叶常为二回三出复叶；小叶纸质，顶生小叶长达 10 cm，3 裂约达中部，裂片复 3 浅裂或不裂，侧生小叶较小。花单朵顶生，硕大，直径 12 ~ 20 cm；萼片 5；花瓣 5 或重瓣，白色、红紫色或黄色，倒卵形，先端常 2 浅裂；雄蕊多数，花药黄色；花盘紫红色，杯状，包着心皮。蓇葖果卵形，密被褐黄色绒毛。花期 4 ~ 5 月，果期 6 月。

| 生境分布 | 广东无野生分布。广东乐昌有栽培。

| 资源情况 | 有少量栽培。药材主要来源于栽培。

| 采收加工 | 春、秋季挖采，除去细根，剥取根皮，晒干。

药材性状

本品卷缩成筒状或半筒状，边缘略向内卷曲或
张开，长 5 ～ 10 cm 或过之，宽 0.5 ～ 1.2 cm，
厚 1 ～ 4 mm，外表面灰褐色或黄褐色，表皮脱
落处为棕红色，有多数横生皮孔及细根痕，里
面褐黄色或浅棕色，有明显的纵纹，常见发亮
的点状结晶；质硬而脆，易折断，断面较平坦，
粉质，淡红色。气芳香，味微苦而涩。以条粗、
肉厚、断面色白、粉性足、香气浓者为佳。

功能主治

辛、苦，凉。归心、肝、肾经。清热凉血，活
血行瘀。用于热病吐血，衄血，血热斑疹，急
性阑尾炎，血瘀痛经，经闭腹痛，跌打瘀血作痛，
高血压，神经性皮炎，过敏性鼻炎。

用法用量

内服煎汤，4.5 ～ 9 g。孕妇慎用。

凭证标本号

罗献瑞 548。

毛茛科 Ranunculaceae 毛茛属 Ranunculus

禺毛茛 *Ranunculus cantoniensis* DC.

| 药 材 名 | 禺毛茛（药用部位：全草。别名：小回回蒜）。

| 形态特征 | 多年生草本。叶为三出复叶，两面贴生糙毛。花梗与萼片均生糙毛；花直径 1 ~ 1.2 cm，生茎顶和分枝先端；萼片卵形，长 3 mm，开展；花瓣 5，椭圆形，长 5 ~ 6 mm，约为宽的 2 倍，基部狭窄成爪，蜜槽上有倒卵形小鳞片；花药长约 1 mm；花托长圆形，生白色短毛。聚合果近球形，直径约 1 cm；瘦果扁平，长约 3 mm，宽约 2 mm。花果期 4 ~ 7 月。

| 生境分布 | 生于溪边、沟旁、田边湿地上。分布于广东乐昌、乳源、连州、连山、连南、始兴、曲江、连平、龙门、从化、惠东、大埔、蕉岭、饶平、丰顺、高要、阳春及云浮（市区）。

| 资源情况 | 野生资源较丰富。药材主要来源于野生。

| 采收加工 | 夏、秋季采收，晒干。

| 功能主治 | 辛，温；有毒。用于疟疾，结膜炎，外伤性角膜白斑。

| 用法用量 | 外用适量，捣敷。本品有毒，一般不作内服。

| 凭证标本号 | 441825190801005LY。

毛茛科 Ranunculaceae 毛茛属 Ranunculus

茴茴蒜
Ranunculus chinensis Bunge

| 药 材 名 | 回回蒜（药用部位：全草。别名：回回蒜毛茛）。

| 形态特征 | 一年生草本。基生叶与下部叶为三出复叶。花序有较多疏生的花，花梗贴生糙毛；花瓣5，宽卵圆形，与萼片近等长或稍长，黄色或上面白色，基部有短爪，蜜槽有卵形小鳞片；花药长约1 mm；花托在果期显著伸长，圆柱形，长达1 cm。聚合果长圆形，直径6～10 mm；瘦果扁平，长3～3.5 mm，宽约2 mm，喙极短，呈点状，长0.1～0.2 mm。花期6～8月，果期7～9月。

| 生境分布 | 生于溪边、沟旁、田边湿地上。分布于广东乐昌、乳源、连州、连山、连南、英德、龙门、博罗、平远、饶平、高要及清远（市区）、广州（市区）。

| **资源情况** | 野生资源较丰富。药材主要来源于野生。 |

| **采收加工** | 夏、秋季采收，鲜用或晒干。 |

| **功能主治** | 苦、辛，微温；有小毒。清热解毒，消炎退肿，平喘，降压，祛湿，杀虫，截疟，退翳。用于疟疾，肝炎，肝硬化腹水，夜盲症，牙痛，哮喘，气管炎，口腔炎，高血压，食管癌，恶疮痈肿，角膜薄翳，疮癞，牛皮癣。 |

| **用法用量** | 内服煎汤，5 ~ 10 g。外用适量，捣敷发泡，绞汁搽；或煎汤洗。 |

| **凭证标本号** | 441825190412038LY。 |

毛茛科 Ranunculaceae 毛茛属 Ranunculus

毛茛
Ranunculus japonicus Thunb.

| 药 材 名 | 毛茛（药用部位：全草。别名：鱼疗草、鸭脚板、老虎脚迹）。

| 形态特征 | 多年生草本。基生叶圆心形或五角形。聚伞花序有多数花；萼片椭圆形，长 4 ~ 6 mm，生白柔毛；花瓣 5，倒卵状圆形，长 6 ~ 11 mm，宽 4 ~ 8 mm，基部有长约 0.5 mm 的爪，蜜槽鳞片长 1 ~ 2 mm；花药长约 1.5 mm；花托短小，无毛。聚合果近球形，直径 6 ~ 8 mm；瘦果扁平，长 2 ~ 2.5 mm，上部最宽处与长近相等，喙短直或外弯，长约 0.5 mm。花果期 4 ~ 9 月。

| 生境分布 | 生于溪边、沟旁、田边湿地上。分布于广东乐昌、乳源、连州、连南、阳山、曲江、英德、南雄、龙门、博罗、封开。

| 资源情况 | 野生资源较丰富。药材主要来源于野生。

| **采收加工** | 夏、秋季采收，鲜用。

| **功能主治** | 辛、微苦，温；有毒。利湿消肿，止痛，退翳，截疟，杀虫。用于胃痛，黄疸，疟疾，淋巴结结核，翼状胬肉，角膜薄翳。

| **用法用量** | 外用适量，治胃痛，鲜品捣敷胃俞、肾俞等穴位，局部有灼热感时弃去；治黄疸，外敷手臂三角肌下；治疟疾，于发作前 6 小时敷大椎穴，局部有灼热感时弃去，如发生水泡用消毒纱布覆盖；治淋巴结结核，敷局部；治翼状胬肉、角膜薄翳，敷手腕脉门处，左眼敷右，右眼敷左，双眼敷双手，至起水泡止，然后挑破水泡，外敷消炎药膏防止感染。一般不作内服。

| **凭证标本号** | 440281190627004LY。

毛茛科 Ranunculaceae 毛茛属 Ranunculus

石龙芮 *Ranunculus sceleratus* L.

| 药 材 名 | 石龙芮（药用部位：全草。别名：假芹菜）。

| 形态特征 | 一年生草本。叶片肾状圆形。聚伞花序有多数花；萼片椭圆形，长 2 ~ 3.5 mm，花瓣 5，倒卵形；雄蕊 10 余，花药卵形，长约 0.2 mm；花托在果期伸长增大呈圆柱形，长 3 ~ 10 mm，直径 1 ~ 3 mm，生短柔毛。聚合果长圆形，长 8 ~ 12 mm，为宽的 2 ~ 3 倍；瘦果极多数，近百枚，倒卵球形，稍扁，长 1 ~ 1.2 mm，无毛，喙短至近无，长 0.1 ~ 0.2 mm。花果期 5 ~ 8 月。

| 生境分布 | 生于溪边、沟旁、田边湿地上。分布于广东乐昌、乳源、高要及广州（市区）。

| 资源情况 | 野生资源较丰富。药材主要来源于野生。

| 采收加工 | 夏、秋季采收，晒干。

| 功能主治 | 辛、苦，平；有毒。消肿，拔毒，散结，截疟。外用于淋巴结结核，疟疾，痈肿，蛇咬伤，慢性下肢溃疡。

| 用法用量 | 外用适量，鲜品捣敷，或捣汁；或用油熬成膏，涂敷。

| 凭证标本号 | 445224210307029LY。

毛茛科 Ranunculaceae 天葵属 Semiaquilegia

天葵 *Semiaquilegia adoxoides* (DC.) Makino

| 药 材 名 | 天葵子（药用部位：块根。别名：天葵草）。

| 形态特征 | 多年生草本。根茎椭圆形或纺锤形。叶片扇形。花白色或淡紫色，排成顶生聚伞状花序；萼片5，狭椭圆形；花瓣5，匙形，基部膨胀成短距；雄蕊5，内侧有2白色、膜质的退化雄蕊。蓇葖果2，卵状长椭圆形，长6～7mm，成熟时内向开裂，微呈星状；种子小。花期3～4月，果期5～6月。

| 生境分布 | 生于丘陵草地或低山林下阴处。分布于广东乐昌、乳源。

| 资源情况 | 野生资源较少。药材主要来源于野生。

| 采收加工 | 夏季初采挖，洗净，干燥，除去须根。

药材性状	本品呈短柱状、纺锤状或块状，常略弯曲，中部较粗大，长 1 ～ 2 cm，直径 0.5 ～ 1 cm，暗褐色到灰黑色，略有皱纹及须根痕，先端常有茎叶残基，覆有数层黄褐色鞘状鳞片。质较软，易折断，断面皮部类白色，木部黄白色或黄棕色，有不明显的放射状纹理。气微，味甘、微苦、辛。以个大、断面皮部色白者为佳。
功能主治	甘、苦，寒；有小毒。归肝、胃经。清热解毒，利尿消肿。用于疔疮疖肿，乳腺炎，扁桃体炎，淋巴结结核，跌打损伤，毒蛇咬伤，小便不利。
用法用量	内服煎汤，3 ～ 9 g。外用适量，鲜品捣敷。脾胃虚弱者不宜用。
凭证标本号	440232160108001LY。

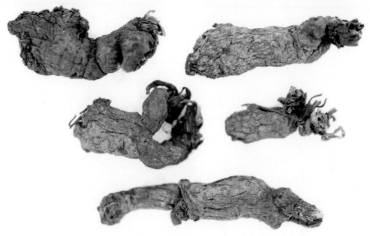

毛茛科 Ranunculaceae　唐松草属 Thalictrum

尖叶唐松草
Thalictrum acutifolium (Hand.-Mazz.) B. Boivin

| 药 材 名 | 尖叶唐松草（药用部位：全草。别名：石笋还阳）。

| 形态特征 | 草本。根肉质，胡萝卜形。基生叶，二回三出复叶。花序稀疏；花梗长 3 ~ 8 mm；萼片 4，白色或带粉红色，早落，卵形，长约 2 mm；雄蕊多数，长达 5 mm，花药长圆形，长 0.8 ~ 1.3 mm，花丝上部倒披针形，比花药宽约 3 倍，下部丝形；心皮 6 ~ 12，有细柄，花柱短，腹面生柱头。瘦果扁，有 8 细纵肋。花期 4 ~ 7 月。

| 生境分布 | 生于山谷溪边林下。分布于广东乐昌、乳源、连州、连山、连南、英德、阳山、仁化、新丰、龙门、博罗、五华、饶平。

| 资源情况 | 野生资源较丰富。药材主要来源于野生。

| 采收加工 | 夏、秋季采收，晒干。

| 功能主治 | 苦，寒。消肿解毒，明目，止泻。用于下痢腹痛，目赤肿痛，跌打损伤，肝炎，肺炎，肾炎，疮疖肿毒。 |

| 用法用量 | 内服煎汤，10 ~ 15 g。 |

| 凭证标本号 | 叶育石、曹照忠 4515。 |

毛茛科 Ranunculaceae 唐松草属 Thalictrum

盾叶唐松草 *Thalictrum ichangense* Lecoy. ex Oliv.

| 药 材 名 | 盾叶唐松草（药用部位：全草。别名：倒地挡、岩扫把、龙眼草）。

| 形态特征 | 草本。基生叶为一至三回三出复叶；顶生小叶卵形、宽卵形、宽椭圆形或近圆形。复单歧聚伞花序有稀疏分枝；花梗丝形，长0.3～2 cm；萼片白色，卵形，长约3 mm，早落；雄蕊长4～6 mm，花药椭圆形，长约0.6 mm，花丝上部倒披针形，比花药宽，下部丝形；心皮有细子房柄，柱头近球形，无柄。瘦果近镰形，长约4.5 mm，有约8细纵肋，果柄长约1.5 mm。

| 生境分布 | 生于山谷沟边、灌丛或疏林中。分布于广东北部的连州等。

| 资源情况 | 野生资源较少。药材主要来源于野生。

| 采收加工 | 夏、秋季采收，晒干。

| **功能主治** | 苦，寒。清热解毒，燥湿。用于湿热黄疸，湿热痢疾，小儿惊风，目赤肿痛，丹毒，赤游风，鹅口疮，跌打损伤。

| **用法用量** | 内服煎汤，10 ～ 15 g。虚寒证慎用。

毛茛科 Ranunculaceae 唐松草属 Thalictrum

爪哇唐松草 *Thalictrum javanicum* Bl.

| 药 材 名 |

爪哇唐松草（药用部位：根茎。别名：鹅整、羊不食）。

| 形态特征 |

草本。茎生叶为三至四回三出复叶；顶生小叶倒卵形、椭圆形或近圆形。花序近二歧状分枝，伞房状或圆锥状，有少数或多数花；花梗长 3 ~ 7（~ 10）mm；萼片 4，长 2.5 ~ 3 mm，早落；雄蕊多数，长 2 ~ 5 mm，花药长 0.6 ~ 1 mm，花丝上部倒披针形，比花药稍宽，下部丝形；心皮 8 ~ 15。瘦果狭椭圆形，长 2 ~ 3 mm，有 6 ~ 8 纵肋，宿存花柱长 0.6 ~ 1 mm，先端拳卷。花期 4 ~ 7 月。

| 生境分布 |

生于海拔约 1 500 m 的山谷沟边阴湿处。分布于广东乐昌、乳源、连州、阳山。

| 资源情况 |

野生资源较少。药材主要来源于野生。

| 采收加工 |

夏、秋季采挖，晒干。

| **功能主治** | 苦，寒。清热，燥湿，解毒。用于痢疾，关节炎，跌打损伤。

| **用法用量** | 内服煎汤，3～9g。虚寒证慎用。

东亚唐松草 Thalictrum minus L. var. hypoleucum (Sieb. et Zucc.) Miq.

| 药 材 名 | 东亚唐松草（药用部位：根茎。别名：穷汉子腿、佛爷指甲、金鸡脚下黄）。

| 形态特征 | 草本。茎下部叶为四回三出羽状复叶。圆锥花序长达 30 cm；花梗长 3 ~ 8 mm；萼片 4，淡黄绿色，脱落，狭椭圆形，长约 3.5 mm；雄蕊多数，长约 6 mm，花药狭长圆形，长约 2 mm，先端有短尖头，花丝丝形；心皮 3 ~ 5，无柄，柱头正三角状箭头形。瘦果狭椭圆球形，稍扁，长约 3.5 mm，有 8 纵肋。花期 6 ~ 7 月。

| 生境分布 | 生于山谷溪边林下。分布于广东乳源等。

| 资源情况 | 野生资源较少。药材主要来源于野生。

| 采收加工 | 夏、秋季采挖，晒干。

| **功能主治** | 苦，寒；有小毒。清热，燥湿。用于百日咳，痈疮肿毒，牙痛，湿疹。

| **用法用量** | 内服煎汤，6 ~ 9 g。

| **凭证标本号** | 440281190813006LY。

金鱼藻科 Ceratophyllaceae 金鱼藻属 Ceratophyllum

金鱼藻 *Ceratophyllum demersum* L.

| **药 材 名** | 金鱼藻（药用部位：全草。别名：灯笼丝、软草、松藻）。

| **形态特征** | 多年生沉水草本。茎具分枝。叶4～12轮生，1～2次二叉状分歧，裂片丝状或丝状条形。花小，苞片9～12，先端渐尖，条形，长1.5～2 mm，浅绿色，透明，先端有3齿，带紫色毛；雄蕊10～16；子房卵形。坚果宽椭圆形，长4～5 mm，宽约2 mm，黑色，平滑，边缘无翅，有3刺，宿存花柱顶有刺，刺长8～10 mm。花期6～7月，果期8～10月。

| **生境分布** | 生于池塘、河沟中。广东各地均有分布。

| **资源情况** | 野生资源较少。药材主要来源于野生。

| **采收加工** | 夏、秋季采收，晒干。

| **功能主治** | 淡，凉。凉血止血，利水通淋。用于吐血，血热咯血，热淋涩痛。

| **用法用量** | 内服研末吞，3 ~ 6 g。

| **凭证标本号** | 44188120150805010LY。

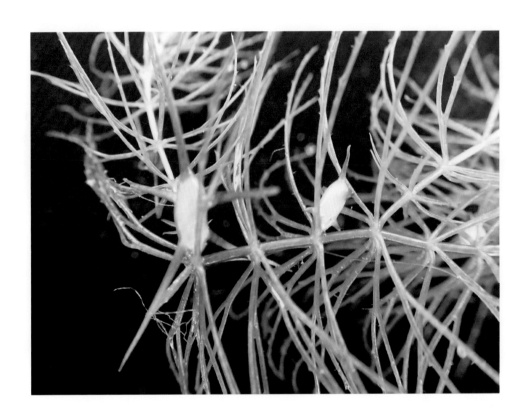

睡莲科 Nymphaeaceae 芡属 Euryale

芡实

Euryale ferox Salib. ex König et Sims

| 药 材 名 | 芡实（药用部位：种子。别名：肇实）。

| 形态特征 | 一年生草本。叶大，浮水，圆形或椭圆形，直径35～100 cm，折皱，两面有刺；叶柄粗厚，盾状着生，被白色小刺。花萼4；花瓣多数，外面亮绿色，内面紫色；雄蕊8；子房8。浆果海绵质，有刺，直径5～10 cm；种子多角形，直径约8 mm，种皮厚，紫黑色，外面覆有假种皮。花期7～8月，果期8～9月。

| 生境分布 | 生于池塘、湖泊。分布于广东高要及广州（市区）等。

| 资源情况 | 野生资源较少。药材主要来源于野生。

| 采收加工 | 秋末冬初采收成熟果实，堆积沤烂，除去果皮，取出种子，洗净，再除去硬壳，晒干。

| **药材性状** | 本品多为破粒，完整者近球形，直径 5 ~ 8 mm，红棕色。一端黄白色或白色，约占全体的 1/3，有凹点状的种脐痕，除去外皮为白色。质较硬，断面纯白色，粉质。无臭，味淡。以断面色纯白、富粉质、无碎末者为佳。 |

| **功能主治** | 甘、涩，平。归脾、肾经。益肾涩精，补脾止泻。用于脾虚腹泻，遗精，滑精，尿频，遗尿，带下。 |

| **用法用量** | 内服煎汤，6 ~ 12 g。 |

睡莲科 Nymphaeaceae 莲属 Nelumbo

莲

Nelumbo nucifera Gaertn.

| **药 材 名** | 莲子（药用部位：种子。别名：荷花、菡萏、芙蓉）。

| **形态特征** | 多年生草本。根茎肥厚，匍匐状，有长节间。叶盾状，大多高出水面；叶片圆形或近圆形，直径 30 ~ 90 cm，全缘，粉绿色。花很大，直径 10 ~ 20 cm，有清香，红色或白色；萼片 4 或 5，早落；花瓣和雄蕊多数；心皮多数，离生，嵌于一大而平顶、陀螺状花托上的凹室中。花托直径 5 ~ 10 cm；坚果近卵圆形，长 1 ~ 1.8 cm；果皮坚硬。花期 6 ~ 8 月，果期 8 ~ 10 月。

| **生境分布** | 广东无野生分布。广东各地均有栽培。

| **资源情况** | 多有栽培。药材主要来源于栽培。

| **采收加工** | 秋季果实成熟时采收莲房，取出果实，剥去果皮，晒干。

| **药材性状** | 本品呈椭圆状球形或近圆球形，长 1.2 ～ 1.8 cm，直径 0.8 ～ 1.5 cm。表面浅黄棕色至棕红色，有时粉红色，有脉纹和皱纹。一端中心呈乳头状突起，深棕色，多有裂口，其周边略下陷成 1 环状浅沟。质硬，种皮薄，难剥离，子叶大，黄白色或乳白色，肥厚，两子叶间有空隙，具绿色莲子心（幼叶和胚根）。无臭，味甘，种皮微涩。以粒大、饱满、完整、无破碎者为佳。 |

| **功能主治** | 甘、涩，平。归脾、肾、心经。补脾益胃，涩精，养心安神。用于脾虚腹泻，便溏，遗精，带下。 |

| **用法用量** | 内服煎汤，6 ～ 12 g。 |

| **凭证标本号** | 440523190730021LY。 |

| **附　注** | 未去种皮的莲子称红莲子，因产地不同及药材性状稍异，又分为湘莲子（种子较圆，主产湖南）和湖莲子（种子稍长，主产湖北和江苏）；去种皮的称白莲子，因主产福建，故又称建莲子。 |

石莲子：本品为莲的干燥成熟果实。本品呈卵圆形或椭圆形，两端略尖，长 1.5 ~ 2 cm，直径 1 ~ 1.5 cm。表面灰棕色至灰黑色，残留灰白色粉霜，在放大镜下观察，可见多数小凹点。一端有小圆孔，另一端具短小果柄，果柄旁边有圆形棕色小突起。质坚硬，不易破开，果皮厚约 1 mm，内表面红棕色，除去果皮可见种子。气无，味涩。

甘、微涩，平。归心、肾经。健脾开胃，止吐止泻。用于脾虚久痢，食欲不振。

莲子心：本品为莲的成熟种子中的干燥幼叶和胚根。本品呈小棒状，略扁，长 1 ~ 1.5 cm。幼叶 2，绿色，1 长 1 短，先端反折，两幼叶之间可见细小、直立的胚芽。胚根黄绿色，圆柱形，长 3 ~ 4 mm；质脆易断，断面有多个小孔。气微，味苦。以色绿、完整、无莲肉者为佳。

苦，寒。归心、肺、肾经。清心安神，交通心肾，涩精止血。用于温热病烦热，神昏，心热失眠，遗精，血热吐血。

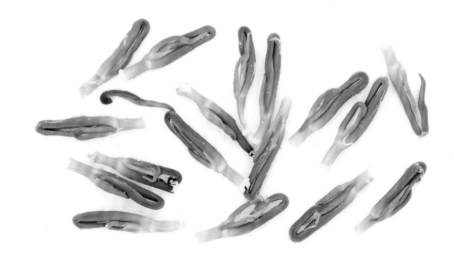

莲房：本品为莲的果实成熟时的花托。本品呈倒圆锥状或扁陀螺状，顶面平，多已撕裂，高 4.5 ~ 6 cm，直径 5 ~ 10 cm，表面灰棕色至紫棕色，具纵纹和皱纹，顶面有多数种子取出后留下的圆形孔穴，基部有长约 1 cm 的花梗残基。质疏松，破碎面海绵样，棕色。气微，味微涩。以个大、紫棕色者为佳。

苦、涩，温。归肝经。化瘀止血。用于崩漏下血，痔疮出血，产后瘀阻，恶露未尽。

莲须：本品为莲花中的雄蕊。本品呈线条状，长 2 ~ 3 cm，直径不超过 0.5 mm，由花药和花丝构成。花药黄色或褐黄色，长 1 ~ 1.5 cm，扭曲；花丝丝状，略扁，长 1.5 ~ 1.8 cm，色较深，多少扭曲。质松。初期有浓郁的清香，存放日久则香气渐减弱。味微甘、涩。以色鲜黄、气清香者为佳。

甘、涩，温。归心、肾经。清心，益肾，固精，止血。用于肾虚遗精，滑精，带下，遗尿，尿频。

莲藕：本品为莲的新鲜肥大的根茎。鲜品呈结节状的短圆柱形，原条 3 ～ 4 节，长 30 ～ 40 cm。第一节较细，第二、第三节肥大，尾节瘦长。藕节细短。表面浅红色或红棕色，间或有土棕色，光滑。折断时有胶丝状物，可拉长，横断面黄白色，具多个类三角形或类圆形孔洞。气无，味甘。

甘，寒。归肺、胃经。止渴除烦，凉血止血。用于热病烦渴，咯血，衄血，吐血，便血，尿血。

藕节：本品为莲的根状茎的干燥节部。本品呈短圆柱形，中部稍膨大，长 2 ～ 4 cm，直径约 2 cm。表面灰黄色至灰棕色，有残存的须根和须根痕，偶见暗棕红色的残存鳞叶，两端有残留的藕体，表面皱缩有纵纹。质硬，难折断，横断面淡粉红色，有多数圆形的小孔。气微，味微甘、涩。以节部黑褐色、两端白色、无须根者为佳。

甘、涩，平。归肝、肺、胃经。止血，消瘀。用于衄血，吐血，便血，尿血，血痢，崩漏。

莲花：本品为莲的干燥花瓣。本品呈匙形纸质的薄片状，先端钝尖，质柔软，多卷缩折皱，长 6 ~ 9 cm，宽 3 ~ 5 cm。表面紫红色或淡红色，有多数纵向细脉纹。基部稍厚而窄，呈紫褐色或淡白色。气微香，味微苦。

苦、甘，温。归心、肝经。活血止血，祛湿。用于跌打损伤，呕血，天疱疮。

莲梗：本品为莲的干燥叶柄或花梗，呈细长不规则圆柱形，长 30 ~ 80 cm，直径 1 ~ 1.5 cm，表面淡黄色或棕黄色，具纵沟及多数凸起的小刺。质轻，易折断，折断时有粉尘飞出，并常有白色细丝粘连，折断面淡粉白色，可见数个大小不等的孔道。

微苦，平。归肝、脾、胃经。消暑，理气宽中。用于中暑头昏，胸闷气滞。

睡莲科 Nymphaeaceae 萍蓬草属 Nuphar

萍蓬草 *Nuphar pumilum* (Hoffm.) DC.

| 药 材 名 | 萍蓬草（药用部位：根、茎。别名：水粟、黄金莲、水粟包）。

| 形态特征 | 多年生水生草本。叶纸质，阔卵形或卵形，少数椭圆形。花直径 3 ~ 4 cm；花梗长 40 ~ 50 cm，被柔毛；萼片黄色，外面中央绿色，长圆形或椭圆形，长 1 ~ 2 cm；花瓣窄楔形，长 5 ~ 7 mm，先端微凹；柱头盘常 10 浅裂，淡黄色或带红色。浆果卵形，长约 3 cm；种子长圆形，长 5 mm，褐色。花期 5 ~ 7 月，果期 7 ~ 9 月。

| 生境分布 | 生于湖泊、池塘中。广东英德及广州（市区）、深圳（市区）、珠海（市区）等有栽培。

| 资源情况 | 野生资源较少。药材主要来源于野生。

| 采收加工 | 秋季采挖，晒干。

| 功能主治 | 甘，寒。退虚热，除蒸止汗，止咳，祛瘀调经。用于劳热骨蒸，盗汗，肺结核咳嗽，神经衰弱，月经不调，刀伤。

| 用法用量 | 内服煎汤，9 ~ 15 g。

| 凭证标本号 | 黄成 163522。

小檗科 Berberidaceae 小檗属 Berberis

华东小檗
Berberis chingii Cheng subsp. *wulingensis* C. M. Hu

| 药 材 名 | 华东小檗（药用部位：根或根皮、茎或茎皮）。

| 形态特征 | 常绿灌木。茎刺粗壮。叶长圆状倒披针形或长圆状狭椭圆形，长 2 ~ 8 cm，宽 0.8 ~ 2.5 cm，中部以上每边具 2 ~ 10 刺齿或偶全缘。花 4 ~ 14 簇生；花瓣倒卵形，长约 5.5 mm，宽约 3 mm，先端缺裂，基部缢缩成爪，具 2 近靠腺体；雄蕊长约 4.5 mm；胚珠 2 ~ 3。浆果椭圆状或倒卵状椭圆形，长 6 ~ 8 mm，直径 4 ~ 5 mm，先端明显具宿存花柱，被白粉。花期 4 ~ 5 月，果期 6 ~ 9 月。

| 生境分布 | 生于山谷旷野或岩石旁。分布于广东乐昌、乳源等。

| 资源情况 | 野生资源较少。药材主要来源于野生。

| 采收加工 | 夏、秋季采收，晒干。

功能主治	苦，寒。清热解毒，泻火。用于细菌性痢疾，胃肠炎，副伤寒，消化不良，黄疸，肝硬化腹水，尿路感染，急性肾炎，扁桃体炎，口腔炎，支气管肺炎；外用于中耳炎，目赤肿痛，外伤感染。
用法用量	内服煎汤，15 ~ 20 g。外用适量，煎汤洗。
凭证标本号	高锡朋 52783。

小檗科 Berberidaceae 小檗属 Berberis

南岭小檗 *Berberis impedita* Schneid.

| 药 材 名 | 刺黄柏（药用部位：根、茎）。

| 形态特征 | 灌木。叶椭圆形、长圆形或狭椭圆形。花黄色；萼片 2 轮，外萼片椭圆状长圆形，长 3.5 ~ 4.5 mm，宽 1.8 ~ 2.5 mm，内萼片椭圆形，长 5 ~ 5.5 mm，宽 3 ~ 3.5 mm，先端圆形；花瓣倒卵形，长约 4 mm，宽约 2.5 mm，先端缺裂；雄蕊长约 3 mm，药隔先端稍膨大，具 2 细小的齿；胚珠 4 ~ 6。果柄常带红色；浆果长圆形，成熟时黑色。花期 4 ~ 5 月，果期 6 ~ 10 月。

| 生境分布 | 生于山谷疏林下和灌丛中。分布于广东乳源、英德、阳山等。

| 资源情况 | 野生资源较少。药材主要来源于野生。

| 采收加工 | 夏、秋季采收，晒干。

| **功能主治** | 苦，寒。清热燥湿，泻火解毒。用于湿热泄泻，痢疾，胃热疼痛，目赤肿痛，口疮，咽喉肿痛，急性湿疹，烫伤。

| **用法用量** | 内服煎汤，15～20 g。外用适量，煎汤洗眼。

| **凭证标本号** | 441825210313059LY。

小檗科 Berberidaceae 小檗属 Berberis

豪猪刺 *Berberis julianae* Schneid.

| 药 材 名 | 刺黄柏（药用部位：根、茎。别名：小檗、三颗针）。

| 形态特征 | 常绿灌木。叶椭圆形、披针形或倒披针形。花 10 ~ 25 簇生；花梗长 8 ~ 15 mm；花黄色；萼片 2 轮，外萼片卵形，长约 5 mm，宽约 3 mm，先端急尖；花瓣长圆状椭圆形，长约 6 mm，宽约 3 mm，先端缺裂，基部缢缩成爪，具 2 长圆形腺体；胚珠单生。浆果长圆形，蓝黑色。花期 3 月，果期 5 ~ 11 月。

| 生境分布 | 生于海拔 1 000 m 以上的山地矮林中。分布于广东饶平、乳源等山区。

| 资源情况 | 野生资源较少。药材主要来源于野生。

| 采收加工 | 夏、秋季采收，晒干。

| **功能主治** | 苦，寒。清热解毒，泻火。用于细菌性痢疾，胃肠炎，副伤寒，消化不良，黄疸，肝硬化腹水，尿路感染，急性肾炎，扁桃体炎，口腔炎，支气管肺炎；外用于中耳炎，目赤肿痛，外伤感染。 |

| **用法用量** | 内服煎汤，9～15 g。外用适量，研末调敷。 |

| **凭证标本号** | 黄志 44436。 |

小檗科 Berberidaceae 小檗属 Berberis

日本小檗 *Berberis thunbergii* DC.

| 药 材 名 |

日本小檗（药用部位：根、枝叶。别名：三颗针、三口针）。

| 形态特征 |

落叶灌木。叶倒卵形、匙形或菱状卵形。花黄色；外萼片卵状椭圆形，长 4 ~ 4.5 mm，宽 2.5 ~ 3 mm，先端近钝形，带红色，内萼片阔椭圆形，长 5 ~ 5.5 mm，宽 3.3 ~ 3.5 mm，先端钝圆；花瓣长圆状倒卵形，长 5.5 ~ 6 mm，宽 3 ~ 4 mm，先端微凹；子房含胚珠 1 ~ 2，无珠柄。浆果椭圆形，长约 8 mm，直径约 4 mm，亮鲜红色，无宿存花柱。花期 4 ~ 6 月，果期 7 ~ 10 月。

| 生境分布 |

广东无野生分布。广东乐昌、乳源有引种栽培。

| 资源情况 |

有少量栽培。药材主要来源于栽培。

| 采收加工 |

夏、秋季采收晒干。

| **功能主治** | 苦，寒。清热燥湿，泻火解毒。用于湿热泄泻，痢疾，胃热疼痛，目赤肿痛，口疮，咽喉肿痛，急性湿疹，烫伤。

| **用法用量** | 内服煎汤，15 ~ 20 g。外用适量，煎汤洗眼。

小檗科 Berberidaceae 小檗属 Berberis

庐山小檗 *Berberis virgetorum* Schneid.

| 药 材 名 | 土黄连 (药用部位: 根或根皮、茎或茎皮。别名: 长叶小檗、三颗针)。

| 形态特征 | 落叶灌木。叶长圆状菱形。花黄色; 萼片 2 轮, 外萼片长圆状卵形, 长 1.5 ~ 2 mm, 宽 1 ~ 1.2 mm, 先端急尖; 花瓣椭圆状倒卵形, 长 3 ~ 3.5 mm, 宽 1 ~ 2 mm, 先端钝, 全缘, 基部缢缩成爪, 具 2 分离长圆形腺体; 雄蕊长约 3 mm, 药隔先端不延伸, 钝形; 胚珠 单生, 无柄。浆果长圆状椭圆形, 长 8 ~ 12 mm, 直径 3 ~ 4.5 mm, 成熟时红色。花期 4 ~ 5 月, 果期 6 ~ 10 月。

| 生境分布 | 生于山谷林下。分布于广东乐昌、乳源、连山、连南、始兴、南雄、 仁化、英德、阳山、增城、信宜。

| 资源情况 | 野生资源较丰富。药材主要来源于野生。

| 采收加工 | 夏、秋季采收，晒干。

| 功能主治 | 苦，寒。清热解毒，抗菌消炎。用于消化不良，细菌性痢疾，胃肠炎，黄疸，肝硬化腹水，尿道炎，咽喉炎，扁桃体炎，口腔炎，支气管肺炎；外用于中耳炎，外伤感染，疮疡溃烂，预防流行性脑脊髓膜炎。

| 用法用量 | 内服煎汤，9 ~ 15 g。外用适量，研末调敷。

| 凭证标本号 | 441882180506009LY。

小檗科 Berberidaceae 鬼臼属 Dysosma

六角莲
Dysosma pleiantha (Hance) Woods.

| 药 材 名 | 八角莲（药用部位：根茎。别名：一把伞、山荷叶）。

| 形态特征 | 多年生草本。根茎粗壮，横走，呈圆形结节。叶盾状，近圆形。花梗长 2 ~ 4 cm，常下弯，无毛；花紫红色，下垂。浆果倒卵状长圆形或椭圆形，长约 3 cm，直径约 2 cm，成熟时紫黑色。花期 3 ~ 6 月，果期 7 ~ 9 月。

| 生境分布 | 生于山谷和山坡杂木林阴湿处。分布于广东乳源、阳山、博罗、高要、信宜、郁南等。

| 资源情况 | 野生资源较少。药材主要来源于野生。

| 采收加工 | 夏、秋季采挖，晒干。

| **功能主治** | 苦、辛，凉；有小毒。清热解毒，活血散瘀。用于蛇咬伤，跌打损伤；外用于蛇虫咬伤，痈疮疖肿，淋巴结炎，腮腺炎，乳腺癌。 |

| **用法用量** | 内服煎汤，3 ~ 9 g。外用适量，捣敷；或磨酒、醋调敷。 |

| **凭证标本号** | 粤 73-1145。 |

小檗科 Berberidaceae 鬼臼属 Dysosma

八角莲

Dysosma versipellis (Hance) M. Cheng ex Ying

| 药 材 名 | 八角莲（药用部位：根茎。别名：八角金盘、山荷叶、金魁莲）。

| 形态特征 | 多年生草本。根茎粗壮，横生。茎生叶2，盾状，近圆形。花梗纤细、下弯，被柔毛；花深红色，5～8簇生于离叶基部不远处，下垂。浆果椭圆形，长约4 cm，直径约3.5 cm；种子多数。花期3～6月，果期5～9月。

| 生境分布 | 生于山谷和山坡杂木林阴湿处。分布于广东乐昌、乳源、连州、连山、连南、南雄、始兴、仁化、英德、阳山、翁源、新丰、连平、和平、龙门、博罗、高要、阳春、信宜、郁南、封开等。

| 资源情况 | 野生资源较少。药材主要来源于野生。

| 采收加工 | 夏、秋季采挖，晒干。

| 功能主治 | 苦、辛，温；有毒。消炎解毒，散瘀止痛。用于蛇咬伤，疔疮，牙痛，痢疾，肺热咳嗽，腮腺炎，急性淋巴结炎，跌打损伤，疮疹。 |

| 用法用量 | 内服煎汤，3～9g。外用适量，捣敷；或磨酒、醋调敷。 |

| 凭证标本号 | 叶华谷等3316。 |

小檗科 Berberidaceae 淫羊藿属 Epimedium

三枝九叶草 *Epimedium sagittatum* (Sieb. et Zucc.) Maxim.

| 药 材 名 | 淫羊藿（药用部位：全草。别名：箭叶淫羊藿）。

| 形态特征 | 多年生草本。根茎粗短，结节状。三出复叶；小叶草质，卵形至卵状披针形。圆锥花序，花白色；萼片2轮；花瓣囊状，淡棕黄色，先端钝圆，长 1.5 ~ 2 mm；雄蕊长 3 ~ 5 mm，花药长 2 ~ 3 mm；雌蕊长约 3 mm，花柱长于子房。蒴果长约 1 cm，宿存花柱长约6 mm。花期 4 ~ 5 月，果期 5 ~ 7 月。

| 生境分布 | 生于溪边林下潮湿处。分布于广东乐昌、乳源、阳山、连州。

| 资源情况 | 野生资源较少。药材主要来源于野生。

| 采收加工 | 夏、秋季采集，洗净，晒干。

| 功能主治 | 辛、苦，温。补精壮阳，祛风湿，补肝肾，强筋骨。用于阳痿早泄，小便失禁，风湿关节痛，腰痛，冠心病，目眩，耳鸣，四肢麻痹，神经衰弱，慢性支气管炎，白细胞减少症，更年期高血压，慢性前列腺炎等。

| 用法用量 | 内服煎汤，9 ~ 15 g。

| 凭证标本号 | 441823200724003LY。

阔叶十大功劳 *Mahonia bealei* (Fort.) Carr.

| 药 材 名 | 土黄连（药用部位：根、茎、叶。别名：黄天竹）。

| 形态特征 | 灌木。叶狭倒卵形至长圆形，有 4 ~ 10 对小叶，叶边缘每边具 2 ~ 6 粗锯齿。花黄色；外萼片卵形，中萼片椭圆形，内萼片长圆状椭圆形；花瓣倒卵状椭圆形，长 6 ~ 7 mm，宽 3 ~ 4 mm，基部腺体明显；子房长圆状卵形，长约 3.2 mm，花柱短，胚珠 3 ~ 4。浆果卵形，长约 1.5 cm，直径 1 ~ 1.2 cm，深蓝色，被白粉。花期 9 月至翌年 1 月，果期 3 ~ 5 月。

| 生境分布 | 生于山谷林下和溪边灌丛中。分布于广东乐昌、乳源、连州、连山、连南、阳山、仁化、英德、翁源、和平、连平等。

| 资源情况 | 野生资源较丰富。药材主要来源于野生。

| **采收加工** | 根、茎，秋、冬季采挖，晒干；叶，全年均可采收，晒干。

| **功能主治** | 苦，寒。根、茎，清热解毒。用于细菌性痢疾，急性胃肠炎，病毒性肝炎，肺炎，肺结核，支气管炎，咽喉肿痛；外用于结膜炎，痈疖肿毒，烫火伤。叶，滋阴清热。用于肺结核，感冒。

| **用法用量** | 内服煎汤，15 ~ 30 g。外用适量，洗或敷。

| **凭证标本号** | 441284190805519LY。

小檗科 Berberidaceae 十大功劳属 Mahonia

小果十大功劳 *Mahonia bodinieri* Gagnep.

| 药 材 名 | 土黄连（药用部位：根、茎）。

| 形态特征 | 灌木。叶倒卵状长圆形，具小叶 8 ~ 13 对，叶缘每边具 3 ~ 10 粗大刺锯齿。花黄色；外萼片卵形，中萼片椭圆形，内萼片狭椭圆形；花瓣长圆形，长 4.5 ~ 5 mm，宽 2 ~ 2.4 mm，基部腺体不明显，先端缺裂或微凹；雄蕊长 2.2 ~ 3 mm，先端平截，偶具 3 细齿，药隔不延伸；子房长约 2 mm，花柱不明显，胚珠 2。浆果球形，紫黑色，被白霜。花期 6 ~ 9 月，果期 8 ~ 12 月。

| 生境分布 | 生于山地林中。分布于广东乳源。

| 资源情况 | 野生资源较少。药材主要来源于野生。

| 采收加工 | 夏、秋季采收，晒干。

| 功能主治 | 苦，寒。清心胃火，解毒，抗菌消炎。用于黄疸性肝炎，痢疾，赤眼，枪炮伤，烫火伤。

| 用法用量 | 内服煎汤，15 ~ 30 g。

| 附　　注 | 本种可作黄连的代用品。

| 凭证标本号 | 441827180422039LY。

小檗科 Berberidaceae 十大功劳属 Mahonia

北江十大功劳 *Mahonia fordii* Schneid.

| 药 材 名 | 土黄莲（药用部位：根、茎、叶）。

| 形态特征 | 灌木。叶长圆形至狭长圆形，具 5 ~ 9 对排列稀疏的小叶，边缘每边具 2 ~ 9 刺锯齿。总状花序 5 ~ 7 簇生；花黄色；外萼片卵形，中萼片椭圆形，内萼片倒卵状椭圆形；花瓣椭圆形；雄蕊长 2.6 mm，药隔不延伸，先端平截；子房长约 2.3 mm，胚珠 2。浆果长约 7 mm，直径约 5 mm，宿存花柱很短。花期 7 ~ 9 月，果期 10 ~ 12 月。

| 生境分布 | 生于海拔 500 ~ 600 m 的山谷溪边林中。分布于广东新丰、从化、龙门、惠阳、惠东等。

| 资源情况 | 野生资源较少。药材主要来源于野生。

| 采收加工 | 根、茎，秋、冬季采挖，晒干；叶，全年均可采收，晒干。

| **功能主治** | 苦，寒。根、茎，清热解毒。用于细菌性痢疾，急性胃肠炎，病毒性肝炎，肺炎，肺结核，支气管炎，咽喉肿痛；外用于结膜炎，痈疖肿毒，烫火伤。叶，滋阴清热。用于肺结核，感冒。

| **用法用量** | 内服煎汤，15 ～ 30 g。外用适量，洗或敷。

| **凭证标本号** | 440224181129013LY。

小檗科 Berberidaceae 十大功劳属 Mahonia

十大功劳 *Mahonia fortunei* (Lindl.) Fedde

药材名

十大功劳（药用部位：根、茎、叶。别名：细叶十大功劳）。

形态特征

灌木。叶倒卵形至倒卵状披针形，具 2 ~ 5 对小叶，边缘每边具 5 ~ 10 刺齿。总状花序 4 ~ 10 簇生；花黄色；外萼片卵形或三角状卵形，中萼片及内萼片长圆状椭圆形；花瓣长圆形；雄蕊长 2 ~ 2.5 mm，药隔不延伸，先端平截；子房长 1.1 ~ 2 mm，无花柱，胚珠 2。浆果球形，直径 4 ~ 6 mm，紫黑色，被白粉。花期 7 ~ 9 月，果期 9 ~ 11 月。

生境分布

广东无野生分布。广东乐昌及广州（市区）、深圳（市区）、珠海（市区）、韶关（市区）等有栽培。

资源情况

常见栽培。药材主要来源于栽培。

采收加工

根、茎，秋、冬季采挖，晒干；叶，全年均

可采收，晒干。

| **功能主治** | 苦，凉。固阴清热，解毒消炎。用于肺结核潮热，咯血，咳嗽，风湿热，咽喉痛，肠炎，痢疾，急性结膜炎，痈疮疖肿，湿疹，皮炎。

| **用法用量** | 内服煎汤，15 ~ 30 g。外用适量，洗或敷。

| **凭证标本号** | 叶华谷等 22282。

小檗科 Berberidaceae 十大功劳属 Mahonia

台湾十大功劳 *Mahonia japonica* (Thunb.) DC.

| 药 材 名 |

十大功劳（药用部位：根、茎、叶。别名：华南十大功劳）。

| 形态特征 |

灌木。叶长圆形，具 4 ~ 6 对无柄小叶，下部小叶边缘每边具 2 ~ 4 齿，上部小叶边缘每边具 3 ~ 7 齿。总状花序下垂，5 ~ 10 簇生；花黄色。浆果卵形，长约 8 mm，直径约 4 mm，暗紫色，略被白粉，宿存花柱极短或无。花期 12 月至翌年 4 月，果期 4 ~ 8 月。

| 生境分布 |

广东无野生分布。广东各地均有少量栽培。

| 资源情况 |

少量栽培。药材主要来源于栽培。

| 采收加工 |

秋、冬季采挖，晒干。

| 功能主治 |

苦，寒。根、茎，清热解毒。用于细菌性痢疾，急性胃肠炎，病毒性肝炎，肺炎，肺结核，支气管炎，咽喉肿痛；外用于结膜炎，痈疖肿毒，烫火伤。叶，滋阴清热。用于肺结核，感冒。

| **用法用量** | 内服煎汤，15 ～ 30 g。外用适量，洗或敷。

| **凭证标本号** | 谭策铭 99528。

海岛十大功劳 *Mahonia oiwakensis* Hayata

| 药 材 名 | 海岛十大功劳（药用部位：根、茎。别名：阿里山十大功劳）。

| 形态特征 | 灌木。叶长圆状椭圆形，具 12 ~ 20 对无柄小叶，叶缘每边具 2 ~ 9
刺锯齿。总状花序有时分枝，7 ~ 18 簇生；花金黄色；外萼片卵形
至近圆形，中萼片椭圆形至卵形，内萼片椭圆形至长圆形；花瓣长
圆形。浆果卵形，长 6 ~ 8 mm，直径 5 ~ 6 mm，蓝色或蓝黑色，
被白粉，宿存花柱长约 1 mm。花期 8 ~ 11 月，果期 11 月至翌年 5 月。

| 生境分布 | 生于常绿阔叶混交林、灌丛、岩坡。分布于广东珠江口岛屿等。

| 资源情况 | 野生资源较少。药材主要来源于野生。

| 采收加工 | 秋、冬季采挖，晒干。

| **功能主治** | 苦，寒。清心胃火，解毒，抗菌消炎。用于黄疸性肝炎，痢疾，赤眼，枪炮伤，烫火伤。 |

| **用法用量** | 内服煎汤，15 ~ 30 g。外用适量，洗或敷。 |

| **凭证标本号** | 441823201031073LY。 |

| **附　　注** | 本种可作黄连的代用品。 |

小檗科 Berberidaceae 十大功劳属 *Mahonia*

沈氏十大功劳 *Mahonia shenii* W. Y. Chun

| 药 材 名 | 黄连木（药用部位：根、茎。别名：刺黄连、刺黄莲）。

| 形态特征 | 灌木。叶卵状椭圆形，具 1 ～ 6 对小叶，全缘或近先端具 1 ～ 3 不明显锯齿。总状花序 6 ～ 10 簇生；花黄色；外萼片卵形，中萼片卵状椭圆形至椭圆形，内萼片倒卵状椭圆形；花瓣倒卵状长圆形。浆果球形或近球形，直径 6 ～ 7 mm，蓝色，被白粉，无宿存花柱。花期 4 ～ 9 月，果期 10 ～ 12 月。

| 生境分布 | 生于海拔 500 ～ 1 200 m 的山谷林下和水沟边。分布于广东乐昌、乳源、连州、连南、仁化、翁源、新丰、连平、和平、从化、龙门、平远、怀集。

| 资源情况 | 野生资源较少。药材主要来源于野生。

| 采收加工 | 秋、冬季采挖，晒干。 |

| 功能主治 | 苦，寒。清心胃火，解毒，抗菌消炎。用于黄疸性肝炎，痢疾，赤眼，枪炮伤，烫火伤。 |

| 用法用量 | 内服煎汤，15 ~ 30 g。外用适量，洗或敷。 |

| 凭证标本号 | 441823191019001LY。 |

| 附　　注 | 本种可作黄连的代用品。 |

小檗科 Berberidaceae 南天竹属 Nandina

南天竹 Nandina domestica Thunb.

药 材 名	南天竹（药用部位：根、茎、果实。别名：白天竹、天竹子、天竺子）。
形态特征	常绿小灌木。叶互生，三回羽状复叶。圆锥花序直立，长 20 ~ 35 cm；花小，白色，芳香；花瓣长圆形，长约 4.2 mm，宽约 2.5 mm，先端圆钝；雄蕊 6，长约 3.5 mm，花丝短；子房 1 室，具 1 ~ 3 胚珠。果柄长 4 ~ 8 mm；浆果球形，直径 5 ~ 8 mm，成熟时鲜红色，稀橙红色；种子扁圆形。花期 3 ~ 6 月，果期 5 ~ 11 月。
生境分布	生于石灰岩地区。分布于广东乐昌、乳源、连州、连南、翁源、新丰、连平、和平、龙门、平远。
资源情况	野生资源较丰富。药材主要来源于野生。
采收加工	根、茎，全年均可采挖，切片，晒干；果实，秋、冬季采摘，晒干。

| **功能主治** | 根、茎，苦，寒。清热除湿，通经活络。用于感冒发热，结膜炎，肺热咳嗽，湿热黄疸，急性胃肠炎，尿路感染，跌打损伤。果实，苦，平；有小毒。止咳平喘。用于咳嗽，哮喘，百日咳。 |

| **用法用量** | 根、茎，内服煎汤，9 ~ 30 g。果实，内服煎汤，9 g。 |

| **凭证标本号** | 441882180508025LY。 |

| 木通科 | Lardizabalaceae | 木通属 | *Akebia*

木通 *Akebia quinata* (Houtt.) Decne.

| **药 材 名** | 木通（药用部位：根、藤茎、果实。别名：野木瓜、八月瓜、五叶木通）。

| **形态特征** | 落叶木质藤本。掌状复叶，小叶 5。伞房花序式总状花序腋生，基部有雌花 1 ~ 2，以上 4 ~ 10 为雄花；雄花萼片通常 3，有时 4 或 5，淡紫色；雌花萼片暗紫色，偶有绿色或白色，阔椭圆形至近圆形；心皮 3 ~ 6（~ 9），离生。果实孪生或单生，长圆形或椭圆形，长 5 ~ 8 cm，直径 3 ~ 4 cm。花期 4 ~ 5 月，果期 6 ~ 8 月。

| **生境分布** | 生于山谷溪边林中。分布于乐昌、乳源、连州、英德、曲江、阳春。

| **资源情况** | 野生资源较少。药材主要来源于野生。

| **采收加工** | 根、藤茎，全年均可采收，晒干；果实，秋季采收，晒干。

| **功能主治** | 根、藤茎，苦，寒。解毒，利尿，除湿，通经，镇痛，排脓。用于尿路感染，小便不利，风湿关节痛，月经不调，红崩，带下，乳汁不下。果实，甘，温。补肾，止痛。用于胃痛，疝痛，睾丸肿痛，腰痛，遗精，月经不调，带下，子宫脱垂。 |

| **用法用量** | 根、藤茎，内服煎汤，3～9 g。果实，内服煎汤，6～15 g。 |

| **凭证标本号** | 440281200707022LY。 |

木通科 Lardizabalaceae 木通属 Akebia

白木通
Akebia trifoliata (Thunb.) Koidz. subsp. *australis* (Diels) T. Shimizu

| 药 材 名 | 白木通（药用部位：果实。别名：香蜜果、阴阳果、猪腰子）。

| 形态特征 | 木质藤本。小叶革质，卵状长圆形或卵形。总状花序长 7 ～ 9 cm，腋生或生于短枝上。雄花萼片长 2 ～ 3 mm，紫色；雄蕊 6，离生，长约 2.5 mm，红色或紫红色，干后褐色或淡褐色。雌花直径约 2 cm；萼片长 9 ～ 12 mm，宽 7 ～ 10 mm，暗紫色；心皮 5 ～ 7，紫色。果实长圆形，长 6 ～ 8 cm，直径 3 ～ 5 cm，成熟时黄褐色；种子卵形，黑褐色。花期 4 ～ 5 月，果期 6 ～ 9 月。

| 生境分布 | 生于海拔 300 ～ 1 500 m 的山谷疏林或灌丛中。分布于广东乐昌、乳源、连州、连山、连南、南雄、始兴、仁化、英德、阳山、龙门。

| 资源情况 | 野生资源较少。药材主要来源于野生。

| **采收加工** | 秋季采收，晒干。

| **功能主治** | 甘，温。疏肝，补肾，止痛。用于胃痛，疝痛，睾丸肿痛，腰痛，遗精，月经不调，带下，子宫脱垂。

| **用法用量** | 内服煎汤，6 ~ 15 g。

| **凭证标本号** | 441825210314013LY。

木通科 Lardizabalaceae 八月瓜属 *Holboellia*

五月瓜藤 *Holboellia angustifolia* Wallich

| 药 材 名 | 五月瓜藤（药用部位：根、茎。别名：五加藤、预知子、野人瓜）。

| 形态特征 | 木质藤本。掌状复叶有小叶 5 ~ 7；小叶线状长圆形、长圆状披针形至倒披针形。花雌雄同株，红色、紫红色、暗紫色、绿白色或淡黄色，数朵组成伞房状的短总状花序。果实紫色，长圆形，长 5 ~ 9 cm，先端圆而具凸头；种子椭圆形，长 5 ~ 8 mm，厚 4 ~ 5 mm，种皮褐黑色，有光泽。花期 4 ~ 5 月，果期 7 ~ 8 月。

| 生境分布 | 生于山谷溪边疏林中。分布于广东仁化、乐昌、阳山、连山。

| 资源情况 | 野生资源较少。药材主要来源于野生。

| 采收加工 | 夏、秋季采收，晒干。

功能主治	甘，温。利湿，通乳，解毒。用于胃痛，风湿痛，跌打损伤。
用法用量	内服煎汤，9 ~ 15 g。
凭证标本号	445222181216006LY。

木通科 Lardizabalaceae 野木瓜属 Stauntonia

野木瓜 Stauntonia chinensis DC.

| 药 材 名 | 野木瓜（药用部位：根、茎、叶。别名：七叶莲、牛芽标、山芭蕉）。

| 形态特征 | 木质藤本。掌状复叶，小叶 5 ~ 7，长圆形或长圆状披针形。花单性，雌雄异株，通常排成伞房式总状花序；花瓣 6，蜜腺状；雄蕊 6，花丝合生成管状，药隔先端角状凸头长约 2 mm，与花药等长；雌花萼片与雄花的相似，但稍大，心皮 3，棒状；退化雄蕊 6，微小。果实长圆形，长 7 ~ 10 cm，直径 3 ~ 5 cm，成熟时橙黄色。花期 3 ~ 4月，果期 7 ~ 10 月。

| 生境分布 | 生于山地林中。分布于广东乐昌、乳源、阳山、英德、平远、和平、惠阳、惠东、高要、斗门、信宜、封开及深圳（市区）、清远（市区）。

| 资源情况 | 野生资源较丰富。药材主要来源于野生。

| **采收加工** | 秋、冬季采收，晒干。

| **功能主治** | 甘，温。散瘀止痛，利尿消肿。用于跌打损伤，风湿性关节炎，各种神经性疼痛，水肿，小便不利，月经不调。

| **用法用量** | 内服煎汤，9 ～ 15 g。孕妇忌用。

| **凭证标本号** | 440281190627036LY。

斑叶野木瓜 *Stauntonia maculata* Merr.

| **药 材 名** | 斑叶野木瓜（药用部位：根、茎。别名：野木瓜）。

| **形态特征** | 木质藤本。掌状复叶通常有小叶 5 ～ 7；小叶披针形至长圆状披针形。总状花序数个簇生于叶腋，下垂；花雌雄同株，浅黄绿色。果实椭圆状或长圆状，长 4 ～ 6 cm，直径约 2.5 cm；种子近三角形，略扁，干时褐色。花期 3 ～ 4 月，果期 8 ～ 10 月。

| **生境分布** | 生于山谷林中。分布于广东英德、乳源、龙门、惠阳、高要及广州（市区）。

| **资源情况** | 野生资源较少。药材主要来源于野生。

| **采收加工** | 秋、冬季采收，晒干。

| **功能主治** | 微苦，平。祛风除湿，通经活络，消肿止痛。用于跌打损伤，风湿性关节炎。

| **用法用量** | 内服煎汤，9 ~ 15 g。

| **凭证标本号** | 445122160324017LY。

木通科 Lardizabalaceae 野木瓜属 Stauntonia

倒卵叶野木瓜 *Stauntonia obovata* Hemsl.

| 药 材 名 | 倒卵叶野木瓜（药用部位：根、茎、叶。别名：台湾野木瓜、阿里野木瓜）。

| 形态特征 | 木质藤本。掌状复叶通常有小叶 3 ~ 6；小叶常倒卵形，有时为长圆形、阔椭圆形或倒披针形。总状花序 2 ~ 3 簇生于叶腋；花雌雄同株，白色或浅黄绿色。果实椭圆状或卵形，长 4 ~ 5 cm；种子卵形、肾形或近三角形，干时黑褐色。花期 2 ~ 4 月，果期 9 ~ 11 月。

| 生境分布 | 生于山谷林中。分布于广东乳源、乐昌、大埔、阳春。

| 资源情况 | 野生资源较少。药材主要来源于野生。

| 采收加工 | 秋季采收，晒干。

| **功能主治** | 甘，温。舒筋活络，散瘀止痛，利尿消肿，调经。用于跌打损伤，风湿性关节炎，水肿，小便不利，月经不调。

| **用法用量** | 内服煎汤，9～15 g。

| **凭证标本号** | 李学根 202720。

木通科 Lardizabalaceae 野木瓜属 Stauntonia

尾叶那藤

Stauntonia obovatifoliola Hayata subsp. *urophylla* (Hand.-Mazz.) H. N. Qin

| 药 材 名 | 尾叶那藤（药用部位：根、茎。别名：七叶木通、山木通、五指那藤）。

| 形态特征 | 木质藤本。掌状复叶有小叶 5 ~ 7；小叶倒卵形或阔匙形。总状花序数个簇生于叶腋，每花序有花 3 ~ 5，淡黄绿色。果实长圆形或椭圆形，长 4 ~ 6 cm，直径 3 ~ 3.5 cm；种子三角形，压扁，基部稍呈心形，长约 1 cm，宽约 7 mm，种皮深褐色，有光泽。花期 4 月，果期 6 ~ 7 月。

| 生境分布 | 生于海拔 300 ~ 700 m 的沟谷林中。分布于广东乐昌、仁化、始兴、和平、龙门、平远、阳春。

| 资源情况 | 野生资源较少。药材主要来源于野生。

| 采收加工 | 夏、秋季采收，洗净，切片，晒干。

| **功能主治** | 甘，温。舒筋活络，清热利尿。用于跌打损伤，风湿性关节炎，各种神经性疼痛，水肿，小便不利，月经不调。

| **用法用量** | 内服煎汤，9 ~ 15 g。孕妇忌用。

| **凭证标本号** | 441422190122628LY。

大血藤科 Sargentodoxaceae 大血藤属 Sargentodoxa

大血藤 *Sargentodoxa cuneata* (Oliv.) Rehd. et Wils.

| 药 材 名 |

大血藤（药用部位：藤茎。别名：血通、槟榔钻、大血通）。

| 形态特征 |

落叶木质藤本。三出复叶，顶生小叶近棱状倒卵圆形，侧生小叶斜卵形。总状花序，雄花与雌花同序或异序，同序时，雄花生于基部。浆果近球形，直径约 1 cm，成熟时黑蓝色，小果柄长 0.6 ~ 1.2 cm；种子卵球形，长约 5 mm，基部截形，种皮黑色，光亮，平滑。花期 4 ~ 5 月，果期 6 ~ 9 月。

| 生境分布 |

生于山谷溪边林下。分布于广东乳源、乐昌、连州、连山、连南、仁化、始兴、新兴、高要、封开及深圳（市区）。

| 资源情况 |

野生资源较少。药材主要来源于野生。

| 采收加工 |

秋、冬季采收，除去侧枝，切段，晒干或阴干。

| 功能主治 | 微苦、涩，平。祛风除湿，活血通经，驱虫。用于阑尾炎，经闭腹痛，风湿筋骨酸痛，四肢麻木拘挛，钩虫病，蛔虫病。

| 用法用量 | 内服煎汤，9 ~ 30 g。

| 凭证标本号 | 440281190627017LY。

防己科 Menispermaceae 木防己属 Cocculus

樟叶木防己
Cocculus laurifolius DC.

| 药 材 名 | 樟叶木防己（药用部位：根。别名：衡州乌药）。

| 形态特征 | 直立灌木或小乔木。叶椭圆形、卵形或长椭圆形至披针状长椭圆形，掌状3脉。聚伞花序或聚伞圆锥花序，腋生。核果近圆球形，稍扁，长6～7mm；果核骨质，背部有不规则的小横肋状皱纹。花期春、夏季，果期秋季。

| 生境分布 | 生于山地、山谷林中。分布于广东乐昌、乳源、连州、连山、英德。

| 资源情况 | 野生资源较少。药材主要来源于野生。

| 采收加工 | 秋、冬季采挖，晒干。

| 功能主治 | 苦，微寒。散瘀消肿，祛风止痛。用于腹痛，风湿腰腿痛，跌打损伤，水肿。

| 用法用量 | 内服煎汤，9 ~ 15 g。

| 凭证标本号 | 陈少卿 2189。

防己科 Menispermaceae 木防己属 Cocculus

木防己
Cocculus orbiculatus (L.) DC.

| 药 材 名 | 木防己（药用部位：根。别名：白山番薯）。 |

| 形态特征 | 木质藤本。叶形状变异极大，线状披针形至阔卵状近圆形、狭椭圆形至近圆形或倒披针形至倒心形。聚伞花序。核果近球形，红色至紫红色，直径通常 7 ~ 8 mm；果核骨质，直径 5 ~ 6 mm，背部有小横肋状雕纹。 |

| 生境分布 | 生于山地、山谷、路旁疏林或灌丛中。广东各地均有分布。 |

| 资源情况 | 野生资源较丰富。药材主要来源于野生。 |

| 采收加工 | 秋、冬季采挖，晒干。 |

| 功能主治 | 苦、辛，寒。祛风止痛，利尿消肿，解毒，降压。用于风湿关节痛， |

肋间神经痛，急性肾炎，尿路感染，高血压，风湿性心脏病，水肿；外用于毒蛇咬伤。

| **用法用量** | 内服煎汤，6 ~ 15 g。外用适量，鲜品捣敷。

| **凭证标本号** | 441523190402025LY。

防己科 Menispermaceae 轮环藤属 Cyclea

毛叶轮环藤 Cyclea barbata Miers

| 药 材 名 | 毛叶轮环藤（药用部位：根。别名：银不换、九条牛）。

| 形态特征 | 藤本。叶三角状卵形或三角状阔卵形。花序腋生或生于老茎上，雄花序为圆锥花序式。核果斜倒卵圆形至近圆球形，红色，被柔毛；果核长约 3 mm，背部两侧各有 3 列乳头状小瘤体，围绕胎座迹的 1 列不很明显。花期秋季，果期冬季。

| 生境分布 | 生于林中、林缘或村边。分布于广东斗门、阳西、雷州、徐闻及深圳（市区）、茂名（市区）。

| 资源情况 | 野生资源较少。药材主要来源于野生。

| 采收加工 | 秋、冬季采挖，切段，晒干。

| 功能主治 | 苦，寒；有小毒。清热解毒，散瘀消肿，止痛。用于咽喉炎，牙痛，腹痛，急性扁桃体炎，胃痛，胃肠炎，疟疾，跌打损伤。

| 用法用量 | 内服煎汤，3 ~ 9 g；或研末，1.5 ~ 3 g，温水冲服。

| 凭证标本号 | 441823190723019LY。

防己科 Menispermaceae 轮环藤属 *Cyclea*

密花轮环藤 *Cyclea gracillima* Diels [*Cyclea densiflora* (Yamamoto) Y. C. Tang et Lo]

| 药 材 名 | 密花轮环藤（药用部位：根。别名：纤细轮环藤）。

| 形态特征 | 藤本。叶心状卵形至三角状卵形。雄花序圆锥花序状或总状花序状；雌花序单个腋生，通常圆锥花序式；雌花萼片和花瓣各 1，均呈阔三角形或阔卵形，长约 1 mm，背面被硬毛。核果近球形，直径 4 mm，红色，被柔毛，果核背部两侧各有 3 列疣状小突起，胎座迹不穿孔。花期 4 ~ 8 月。

| 生境分布 | 生于林中、林缘或村边。分布于广东乐昌、龙川。

| 资源情况 | 野生资源较少。药材主要来源于野生。

| 采收加工 | 秋、冬季采挖，晒干。

| 功能主治 | 苦，寒。清热解毒，利尿通淋。用于风热外感，咽喉肿痛，小便不利，排尿涩痛。

| 用法用量 | 内服煎汤，9 ~ 12 g。

| 凭证标本号 | 陈炳辉 1014。

防己科 Menispermaceae 轮环藤属 *Cyclea*

粉叶轮环藤
Cyclea hypoglauca (Schauer) Diels

| 药 材 名 | 粉叶轮环藤（药用部位：根。别名：百解藤、山豆根）。

| 形态特征 | 藤本。叶阔卵状三角形至卵形。花序腋生，雄花序为间断的穗状花序状，雄花萼片4或5；雌花序较粗壮，总状花序状，花序轴明显曲折，长达 10 cm，雌花萼片 2，近圆形，直径约 0.8 mm；花瓣 2，不等大，大的与萼片近等长；子房无毛。核果红色，无毛，果核长约 3.5 mm，背部中肋两侧各有 3 列小瘤状突起。

| 生境分布 | 生于林缘和山地灌丛。广东各地均有分布。

| 资源情况 | 野生资源较丰富。药材主要来源于野生。

| 采收加工 | 秋、冬季采挖，晒干。

| **功能主治** | 苦，寒。清热解毒，祛风止痛。用于咽喉肿痛，风热感冒，牙痛，气管炎，肠炎，痢疾，尿路感染，风湿性关节炎，毒蛇咬伤，疮疡肿毒。 |

| **用法用量** | 内服煎汤，9 ~ 30 g。 |

| **凭证标本号** | 441523200108011LY。 |

防己科 Menispermaceae 轮环藤属 Cyclea

轮环藤 Cyclea racemosa Oliv.

| 药 材 名 | 轮环藤（药用部位：根。别名：山豆根、百解藤、大蛇参）。

| 形态特征 | 藤本。叶盾状或近盾状，卵状三角形或三角状近圆形。聚伞圆锥花序狭窄，总状花序状，密花。核果扁球形，疏被刚毛，果核直径 3.5 ~ 4 mm，背部中肋两侧各有 3 行圆锥状小凸体，胎座迹明显球形。花期 4 ~ 5 月，果期 8 月。

| 生境分布 | 生于林中或灌丛中。分布于广东乐昌、乳源、连州、连山、连南、始兴。

| 资源情况 | 野生资源较丰富。药材主要来源于野生。

| 采收加工 | 秋季采挖，洗净，切片，晒干。

| **功能主治** | 苦，寒。清热解毒，理气止痛。用于胃痛，急性胃肠炎，消化不良，中暑腹痛。

| **用法用量** | 内服煎汤，9 ~ 15 g；或研末，1.5 ~ 3 g，开水送服。

| **凭证标本号** | 441523190920002LY。

防己科 Menispermaceae 轮环藤属 Cyclea

四川轮环藤 *Cyclea sutchuenensis* Gagnep.

| **药 材 名** | 四川轮环藤（药用部位：藤茎。别名：隔山消、光叶金锁匙）。

| **形态特征** | 藤本。叶披针形或卵形。花序总状花序状或穗状花序状，长达 20 cm；雄花萼片 4，仅基部合生；雌花萼片 2，1 近圆形，边缘内卷，直径约 1.8 mm，1 对折，长 2 ～ 2.1 mm；花瓣 2，微小，长不及 1 mm，贴生在萼片的基部；心皮无毛。核果红色，果核长约 7 mm，背部两侧各有 3 列小瘤状突起。花期夏季，果期秋季。

| **生境分布** | 生于林中、林缘或灌丛中。分布于广东乐昌、乳源、连州、连山、阳山、饶平、信宜。

| **资源情况** | 野生资源较少。药材主要来源于野生。

| **采收加工** | 秋、冬季采收，切段，晒干。

| **功能主治** | 苦，凉。祛风镇咳。用于小儿惊风，破伤风，咽喉炎，胃痛，胃溃疡，肠炎等。

| **用法用量** | 内服煎汤，10 ~ 20 g。

| **凭证标本号** | 441882190614013LY。

防己科 Menispermaceae 秤钩风属 Diploclisia

秤钩风 *Diploclisia affinis* (Oliv.) Diels

| **药 材 名** | 秤钩风（药用部位：根。别名：穿墙风、九层皮、土防己）。

| **形态特征** | 木质藤本。叶三角状扁圆形或菱状扁圆形，有时近菱形或阔卵形。聚伞花序腋生，有花 3 至多朵，总花梗直，长 2 ~ 4 cm；雄花萼片椭圆形至阔椭圆形，长 2.5 ~ 3 mm，外轮宽约 1.5 mm，内轮宽 2 ~ 2.5 mm；花瓣卵状菱形，长 1.5 ~ 2 mm，基部两侧反折成耳状，抱着花丝；雄蕊长 2 ~ 2.5 mm。核果红色，倒卵形，长 8 ~ 10 mm，宽约 7 mm。花期 4 ~ 5 月，果期 7 ~ 9 月。

| **生境分布** | 生于林缘或灌丛中。分布于广东乐昌、乳源、连州、从化、博罗、平远、恩平、阳春。

| **资源情况** | 野生资源较丰富。药材主要来源于野生。

采收加工	秋、冬季采挖，晒干。
功能主治	苦、辛，寒。利水消肿，祛风除湿，行气止痛。用于风湿痹痛，跌打损伤，小便淋涩，毒蛇咬伤。
用法用量	内服煎汤，15 ~ 30 g。
凭证标本号	440781190518010LY。

防己科 Menispermaceae 秤钩风属 Diploclisia

苍白秤钩风
Diploclisia glaucescens (Bl.) Diels

| 药材名 | 苍白秤钩风（药用部位：茎、叶。别名：蛇总管、土防己）。

| 形态特征 | 木质藤本。叶三角状扁圆形，有时阔卵状三角形。聚伞花序复作圆锥花序式排列，着生于无叶老枝上，常簇生；雄花萼片卵状长圆形，小的长 1.5 ~ 2 mm，大的长约 2.5 mm，花瓣长约 1.5 mm，雄蕊长约 2 mm；雌花子房半卵球形，柱头向外伸展成唇形。核果红色，被白粉，倒卵状长圆形，长 15 ~ 20 mm，宽 7 ~ 9 mm。花期 4 ~ 5 月，果期 6 ~ 8 月。

| 生境分布 | 生于林缘或灌丛中。分布于广东惠阳、惠东、博罗、高要、台山、恩平、阳春、徐闻及深圳（市区）。

| 资源情况 | 野生资源较丰富。药材主要来源于野生。

| **采收加工** | 秋季采收，晒干。

| **功能主治** | 苦，寒。清热利湿，消肿解毒。用于毒蛇咬伤，风湿骨痛，胆囊炎，尿路感染。

| **用法用量** | 内服煎汤，9 ～ 15 g。外用适量，鲜叶捣敷。

| **凭证标本号** | 440783191102002LY。

防己科 Menispermaceae 天仙藤属 Fibraurea

天仙藤 *Fibraurea recisa* Pierre

| 药 材 名 |

天仙藤（药用部位：根。别名：黄藤、藤黄连）。

| 形态特征 |

木质大藤本。叶长圆状卵形，有时阔卵形或阔卵状近圆形；掌状脉 3 ~ 5。圆锥花序生于无叶老枝或老茎上。核果长圆状椭圆形，很少近倒卵形，长 1.8 ~ 3 cm，黄色，外果皮干时皱缩。花期春、夏季，果期秋季。

| 生境分布 |

生于山谷林中。分布于广东高要、阳春、阳东、阳西、高州、雷州、徐闻及广州（市区）、珠海（市区）、茂名（市区）、湛江（市区）。

| 资源情况 |

野生资源较丰富。药材主要来源于野生。

| 采收加工 |

全年均可采挖，除去地上茎及须根，洗净，切片，晒干。

| **功能主治** | 苦，寒；有小毒。清热解毒，利小便。用于预防流行性脑脊髓膜炎，发热头痛，急性扁桃体炎，咽喉炎，结膜炎，痢疾，黄疸；外用于疮疖，烫火伤。

| **用法用量** | 内服煎汤，6 ~ 12 g。外用适量，磨汁涂。

| **凭证标本号** | 罗献瑞 475。

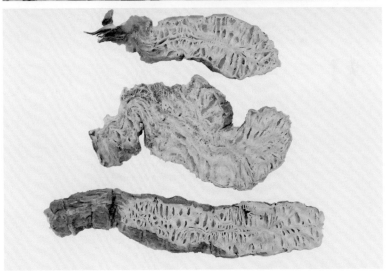

防己科 Menispermaceae 夜花藤属 Hypserpa

夜花藤 *Hypserpa nitida* Miers.

| 药 材 名 | 夜花藤（药用部位：全株。别名：细红藤）。

| 形态特征 | 木质藤本。叶卵形、卵状椭圆形至长椭圆形。雄花序通常仅有花数朵；雌花序与雄花序相似或仅有花1～2；雌花萼片和花瓣与雄花的相似；无退化雄蕊；心皮常2，子房半球形或近椭圆形，长0.8～1 mm，无毛。核果成熟时黄色或橙红色，近球形，稍扁，果核阔倒卵圆形，长5～6 mm。花果期夏季。

| 生境分布 | 生于山谷密林或山坡灌丛中。分布于广东乐昌、翁源、新丰、龙门、博罗、惠东、丰顺、大埔、台山、斗门、新会、高要、德庆、恩平、阳春、阳西及深圳（市区）。

| 资源情况 | 野生资源较丰富。药材主要来源于野生。

| **采收加工** | 秋、冬季采收，晒干。

| **功能主治** | 微苦，凉。凉血止血，消炎利尿。用于咯血，吐血，便血，外伤出血。

| **用法用量** | 内服煎汤，9 ~ 15 g。外用适量，研末敷。

| **凭证标本号** | 441523190516001LY。

| **附　　注** | 本种药材配雅红隆（锡生藤）研末外用，止血效果好。

防己科 Menispermaceae 粉绿藤属 Pachygone

粉绿藤 *Pachygone sinica* Diels

| 药 材 名 | 粉绿藤（药用部位：根、茎。别名：华粉绿藤、广西粉绿藤）。

| 形态特征 | 木质藤本。叶卵形，较少阔卵形或披针形。花序为总状花序或极狭窄的圆锥花序；雄花萼片2轮，每轮3，花瓣6，肉质；雌花萼片和花瓣与雄花的相似，但通常较小，不育雄蕊6，心皮3，较少4。核果扁球形，果核脆壳质，横椭圆状肾形，宽1.3 ~ 1.4 cm，高约1 cm，表面有皱纹。花期9 ~ 10月，果期2月。

| 生境分布 | 生于山地林中。分布于广东乐昌、连山、翁源、新丰、龙门、怀集及云浮（市区）。

| 资源情况 | 野生资源较少。药材主要来源于野生。

| 采收加工 | 秋、冬季采收，晒干。 |

| 功能主治 | 苦，寒。祛风除湿，止痛。用于风湿筋骨疼痛。 |

| 用法用量 | 内服煎汤，9 ~ 12 g。 |

| 凭证标本号 | 刘英光 3011。 |

细圆藤 *Pericampylus glaucus* (Lam.) Merr.

| 药 材 名 | 细圆藤（药用部位：全株。别名：小广藤、土藤、广藤）。

| 形态特征 | 木质藤本。叶三角状卵形至三角状近圆形，稀卵状椭圆形。聚伞花序伞房状；雄花萼片背面多少被毛，花瓣 6，楔形或匙形，长 0.5 ～ 0.7 mm，边缘内卷，雄蕊 6；雌花萼片和花瓣与雄花的相似，退化雄蕊 6，子房长 0.5 ～ 0.7 mm，柱头 2 裂。核果红色或紫色，果核直径 5 ～ 6 mm。花期 4 ～ 6 月，果期 9 ～ 10 月。

| 生境分布 | 生于疏林中或灌丛中。广东各地均有分布。

| 资源情况 | 野生资源较丰富。药材主要来源于野生。

| 采收加工 | 秋、冬季采收，切段，晒干。

| **功能主治** | 苦、辛，凉。通经络，除风湿，镇痉。用于小儿惊风，破伤风，跌打损伤。

| **用法用量** | 内服煎汤，3 ~ 15 g；或浸酒服。

| **凭证标本号** | 441523190516001LY。

防己科 Menispermaceae 风龙属 Sinomenium

风龙 *Sinomenium acutum* (Thunb.) Rehd. et Wils.

| 药 材 名 | 风龙（药用部位：藤茎。别名：青风藤、青藤、土藤）。

| 形态特征 | 木质大藤本。叶心状圆形至阔卵形。圆锥花序长可达 30 cm，通常不超过 20 cm，苞片线状披针形；雄花小苞片 2，紧贴花萼，萼片背面被柔毛，外轮长圆形至狭长圆形，长 2 ～ 2.5 mm，内轮近卵形，与外轮近等长，花瓣稍肉质，长 0.7 ～ 1 mm，雄蕊长 1.6 ～ 2 mm；雌花退化雄蕊丝状，心皮无毛。核果红色至暗紫色，直径 5 ～ 6 mm 或稍过之。花期夏季，果期秋末。

| 生境分布 | 生于石灰岩石缝中及光照充足处。分布于广东乐昌、乳源、连州、阳山。

| 资源情况 | 野生资源较少。药材主要来源于野生。

| **采收加工** | 秋末冬初采割，扎把或切成长段，晒干。

| **功能主治** | 辛、苦，温。祛风湿，通经络。用于风湿性关节炎，关节肿痛，肌肤麻木，瘙痒。

| **用法用量** | 内服煎汤，6～9g。

| **凭证标本号** | 高锡朋 52779。

防己科 Menispermaceae 千金藤属 *Stephania*

金线吊乌龟 *Stephania cepharantha* Hayata

| **药 材 名** | 金线吊乌龟（药用部位：块根。别名：白药子、独脚乌桕）。

| **形态特征** | 藤本。块根硕大，露于地面。叶三角状扁圆形至近圆形。雌雄花序同形，均为头状花序，具盘状花托，雌花序总梗粗壮，单个腋生；雄花萼片6，稀8，花瓣3或4，稀6；雌花萼片1，偶有2～3（～5）。核果阔倒卵圆形，长约6.5 mm，成熟时红色，果核背部两侧各有10～12小横肋状雕纹，胎座迹常不穿孔。花期4～5月，果期6～7月。

| **生境分布** | 生于山谷、村边、田野及灌丛中。除雷州半岛外，广东各地均有分布。

| **资源情况** | 野生资源较少。药材主要来源于野生。

| **采收加工** | 秋、冬季采挖，切片，晒干或烘干。

| **功能主治** | 苦，寒。清热解毒，凉血止血，散瘀消肿。用于急性肝炎，细菌性痢疾，急性阑尾炎，胃痛，内出血，跌打损伤，毒蛇咬伤；外用于流行性腮腺炎，淋巴结炎，神经性皮炎。

| **用法用量** | 内服煎汤，9 ~ 15 g。外用适量，捣烂或磨汁涂敷。

| **凭证标本号** | 440783190718017LY。

防己科 Menispermaceae 千金藤属 *Stephania*

血散薯 *Stephania dielsiana* Y. C. Wu

| 药 材 名 | 血散薯（药用部位：块根。别名：独脚乌桕、山乌龟、石蟾薯）。

| 形态特征 | 藤本。块根硕大，露于地面。叶三角状近圆形。复伞形聚伞花序腋生或生于腋生、常具小型叶的短枝上；雄花萼片 6，花瓣 3，肉质，贝壳状，长约 1.2 mm，常紫色或带橙黄色；雌花序近头状，小聚伞花序几无梗，雌花萼片 1，花瓣 2，均较雄花的小。核果红色，倒卵圆形，甚扁，长约 7 mm，果核背部两侧各有 2 列钩状小刺，每列18 ~ 20，胎座迹穿孔。花期夏初。

| 生境分布 | 生于林中、林缘或溪边多石砾处。分布于广东乳源、连州、连山、连南、英德、阳山、始兴、新丰、和平、龙门、高要、德庆、广宁、封开及云浮（市区）。

| **资源情况** | 野生资源较少。药材主要来源于野生。

| **采收加工** | 秋、冬季采挖，切片，晒干。

| **功能主治** | 苦，凉。清热解毒，散瘀止痛。用于上呼吸道感染，咽喉炎，胃痛，急性胃肠炎，细菌性痢疾，疟疾，风湿疼痛，外伤疼痛；外用于跌打损伤，毒蛇咬伤，疮疡肿毒。

| **用法用量** | 内服煎汤，9 ~ 15 g。外用适量，鲜品捣敷。

| **凭证标本号** | 441284190722732LY。

防己科 Menispermaceae 千金藤属 Stephania

海南地不容
Stephania hainanensis Lo et Y. Tsoong

| 药 材 名 | 海南地不容（药用部位：块根。别名：海南地不容）。

| 形态特征 | 藤本。叶三角状圆形，长和宽均 10 ~ 16 cm。雄花序为复伞形聚伞花序；雌花序紧密，呈头状，雌花花被左右对称，萼片 1，近卵形，长约 0.4 mm，花瓣 2，肉质，阔卵形至贝壳状，比萼片稍大。核果红色，阔倒卵圆形，果柄稍肉质，果核长约 1 cm，宽约 8 mm，背部有 4 行钩刺状雕纹，每行约 20，胎座迹穿孔。花期 3 ~ 5 月。

| 生境分布 | 广东无野生分布。广东湛江（市区）、广州（市区）有栽培。

| 资源情况 | 有少量栽培。药材主要来源于栽培。

| 采收加工 | 秋、冬季采挖，切片，晒干。

| **功能主治** | 苦，寒。健胃止痛，消肿解毒。用于复合性胃和十二指肠溃疡，跌打肿痛，神经痛，牙痛，急性胃肠炎，细菌性痢疾，上呼吸道感染。 |

| **用法用量** | 内服煎汤，3 ~ 9 g。 |

| **凭证标本号** | 罗献瑞 1244。 |

防己科 Menispermaceae 千金藤属 Stephania

千金藤 *Stephania japonica* (Thunb.) Miers

药 材 名

千金藤（药用部位：块根。别名：山乌龟、青藤）。

形态特征

藤本。叶纸质或坚纸质，通常三角状近圆形或三角状阔卵形。复伞形聚伞花序腋生，通常有伞梗 4 ~ 8；雄花萼片 6 或 8，花瓣 3 或 4，黄色，聚药雄蕊长 0.5 ~ 1 mm，伸出或不伸出；雌花萼片和花瓣各 3 ~ 4，心皮卵状。果实倒卵形至近圆形，长约 8 mm，成熟时红色，果核背部有 2 行小横肋状雕纹，每行 8 ~ 10，小横肋常断裂，胎座迹不穿孔或偶有 1 小孔。

生境分布

生于林中、林缘或溪边多石砾处。分布于广东蕉岭及广州（市区）。

资源情况

野生资源较少。药材主要来源于野生。

采收加工

全年均可采挖，洗净，切片，晒干。

| **功能主治** | 苦、辛，寒。清热解毒，祛风止痛，利水消肿。用于咽喉肿痛，疮疖肿毒，毒蛇咬伤，风湿痹痛，胃痛，脚气水肿。 |

| **用法用量** | 内服煎汤，9～15 g。外用适量，鲜品捣敷。 |

防己科 Menispermaceae 千金藤属 Stephania

粪箕笃
Stephania longa Lour.

| 药材名 | 粪箕笃（药用部位：全株。别名：千金藤、田鸡草）。

| 形态特征 | 藤本。叶三角状卵形。复伞形聚伞花序腋生；雄花萼片 8，楔形或倒卵形，长约 1 mm，背面被乳头状短毛，花瓣 4，有时 3，绿黄色，常近圆形，长约 0.4 mm；雌花萼片和花瓣均 4，稀 3，长约 0.6 mm，子房无毛，柱头裂片平叉。核果红色，长 5 ~ 6 mm，果核背部有 2 行小横肋，每行 9 ~ 10，小横肋中段稍低平，胎座迹穿孔。花期春末夏初，果期秋季。

| 生境分布 | 生于山谷、灌丛、旷野。分布于广东翁源、斗门、南澳、台山、徐闻、高州、信宜、怀集、高要、博罗、惠东、海丰、阳西、阳春、英德、饶平及广州（市区）、深圳（市区）、河源（市区）。

| **资源情况** | 野生资源较丰富。药材主要来源于野生。 |

| **采收加工** | 秋、冬季采收,晒干。 |

| **功能主治** | 微苦、涩,平。清热解毒,利尿消肿。用于肾盂肾炎,膀胱炎,慢性肾小球肾炎,肠炎,痢疾,毒蛇咬伤;外用于痈疖疮疡,化脓性中耳炎。 |

| **用法用量** | 内服煎汤,15 ~ 30 g。外用适量,鲜叶捣敷;或绞汁液滴耳。孕妇忌用。 |

| **凭证标本号** | 445224190503101LY。 |

防己科 Menispermaceae 千金藤属 Stephania

粉防己

Stephania tetrandra S. Moore

| 药 材 名 | 粉防己（药用部位：块根。别名：山乌龟、蟾蜍薯、石蟾蜍）。

| 形态特征 | 藤本。叶阔三角形，有时三角状近圆形。头状花序，在腋生、长而下垂的枝条上呈总状排列；雄花萼片 4 或 5，常倒卵状椭圆形，花瓣 5，肉质；雌花萼片和花瓣与雄花的相似。核果成熟时近球形，红色；果核直径约 5.5 mm，背部鸡冠状隆起，两侧各有约 15 小横肋状雕纹。花期夏季，果期秋季。

| 生境分布 | 生于山谷疏林、灌丛、旷野。分布于广东乐昌、南雄、英德、始兴、翁源、和平、新兴、阳西及广州（市区）。

| 资源情况 | 野生资源较丰富。药材主要来源于野生。

| 采收加工 | 秋、冬季采挖，切片，晒干。

| 药材性状 | 本品呈不规则圆柱形、半圆柱形或块状，多弯曲，长 5 ～ 10 cm，直径 1 ～ 5 cm。表面淡灰黄色，在弯曲处常有深陷横沟而呈结节状的瘤块样。体重，质坚实，断面平坦，灰白色，富粉性，有排列较稀疏的放射状纹理。气微，味苦。

| 功能主治 | 苦、辛，寒；有小毒。归膀胱、肺经。利水消肿，祛风除湿，行气止痛。用于水肿，小便不利，风湿性关节炎，高血压；外用于毒蛇咬伤，疮痈疖肿。

| 用法用量 | 内服煎汤，4.5 ～ 9 g。外用适量，鲜品捣敷。

| 凭证标本号 | 440281200710023LY。

防己科 Menispermaceae 青牛胆属 Tinospora

波叶青牛胆 *Tinospora crispa* (L.) Hook. f. et Thoms.

| 药 材 名 |

波叶青牛胆（药用部位：藤茎、叶。别名：青牛胆、绿藤、红苞藤）。

| 形态特征 |

藤本。叶阔卵状心形至心状近圆形，长、宽均 6 ~ 13 cm。总状花序先叶抽出，常 2 ~ 3 簇生，不分枝或偶有 1 短分枝，雄花序长 5 ~ 10 cm 或更长，纤细；雄花萼片绿色，无毛，外轮小，近卵形，长约 1 mm，内轮大，近倒卵形或椭圆形，长约 3 mm；花瓣 3，黄色，倒卵状匙形，长 2 ~ 2.5 mm；雄蕊 6，与花瓣近等长。雌花和雌花序均未见。

| 生境分布 |

广东无野生分布。广东广州（市区）有引种栽培。

| 资源情况 |

有少量栽培。药材主要来源于栽培。

| 采收加工 |

全年均可采收，多鲜用，或切段，晒干。

| **功能主治** | 苦，寒。利水消肿，除风止痛，舒筋活血。用于水肿，风湿关节疼痛，跌打损伤，腰痛，蚂蟥入鼻。 |

| **用法用量** | 内服煎汤，10 ～ 20 g。外用适量，鲜品捣烂，酒炒热敷；或鲜叶捣汁，滴鼻。 |

| **凭证标本号** | 罗献瑞 1806。 |

防己科 Menispermaceae 青牛胆属 *Tinospora*

青牛胆 *Tinospora sagittata* (Oliv.) Gagnep.

| 药 材 名 | 金果榄（药用部位：块根、叶）。

| 形态特征 | 藤本。叶披针状箭形，有时披针状戟形，稀卵状或椭圆状箭形。花序腋生，常数个或多个簇生，聚伞花序或分枝成疏花的圆锥状花序；雄花萼片 6，花瓣 6，肉质，常有爪，瓣片近圆形或阔倒卵形，稀近菱形，基部边缘常反折，长 1.4 ~ 2 mm，雄蕊 6；雌花萼片与雄花相似，花瓣楔形，长约 0.4 mm，心皮 3，近无毛。核果红色，近球形；果核近半球形，宽 6 ~ 8 mm。花期 4 月，果期秋季。

| 生境分布 | 生于山谷、路旁、疏林中。分布于广东乐昌、乳源、连州、信宜、阳春及深圳（市区）。

| 资源情况 | 野生资源较丰富。药材主要来源于野生。

| **采收加工** | 夏、秋季采收，晒干。

| **功能主治** | 苦，寒。清热解毒，消炎止痛，清利咽喉。用于急性咽喉炎，扁桃体炎，口腔炎，急性胃肠炎，胃痛，细菌性痢疾，疮疖痈疽，淋巴结结核；外用于毒蛇咬伤。

| **用法用量** | 内服煎汤，3 ~ 9 g。外用适量，磨汁涂。

| **凭证标本号** | 粤 73-286。

防己科 Menispermaceae 青牛胆属 Tinospora

中华青牛胆 *Tinospora sinensis* (Lour.) Merr.

| 药 材 名 |

宽筋藤（药用部位：藤茎。别名：舒筋藤）。

| 形态特征 |

藤本。叶阔卵状近圆形，稀阔卵形。总状花序先叶抽出，雄花序长 1 ~ 4 cm，雄花萼片 6，排成 2 轮，外轮小，长圆形或近椭圆形，长 1 ~ 1.5 mm，内轮阔卵形，长达 5 mm，宽约 3 mm，花瓣 6，近菱形，爪长约 1 mm，瓣片长约 2 mm，雄蕊 6，花丝长约 4 mm；雌花序单生，雌花萼片和花瓣与雄花同，心皮 3。核果红色，近球形；果核半卵球形，长达 10 mm，背面有棱脊和许多小疣状突起。花期 4 月，果期 5 ~ 6 月。

| 生境分布 |

生于村落附近的疏林中或篱笆上。广东各地均有分布。

| 资源情况 |

野生资源较丰富。药材主要来源于野生。

| 采收加工 |

全年均可采收，切成斜片或短段，晒干。

| **功能主治** | 苦，凉。归肝经。舒筋活络，祛风除湿。用于风湿痹痛，坐骨神经痛，腰肌劳损，跌打扭伤。

| **用法用量** | 内服煎汤，15 ~ 30 g。

| **凭证标本号** | 440781190318016LY。

马兜铃科 Aristolochiaceae 马兜铃属 Aristolochia

长叶马兜铃 *Aristolochia championii* Merr. et Chun

| **药 材 名** | 长叶马兜铃（药用部位：根。别名：百解薯、三筒管）。

| **形态特征** | 藤本。块根纺锤形，直径 3 ~ 5 cm。叶披针形、椭圆状披针形或线状披针形。花单生或 2 ~ 5 排成总状花序，生于老茎；花被管中部急遽弯曲，下部长 5 ~ 7 cm，直径 1.5 cm，弯曲处至檐部稍狭而较短，外面黄绿色，被褐棕色长柔毛，有红棕色脉纹。蒴果椭圆状，长 6 ~ 8 cm，直径约 3 cm，灰黄色至暗褐色，成熟时 6 瓣开裂。花期 6 ~ 7 月，果期 9 ~ 11 月。

| **生境分布** | 生于海拔 500 ~ 700 m 的山谷林中。分布于广东信宜。

| **资源情况** | 野生资源较少。药材主要来源于野生。

| 采收加工 | 秋季采挖，洗净，切片，晒干。

| 功能主治 | 苦，寒。清热解毒。用于急性胃肠炎，细菌性痢疾，疮疖肿毒。

| 用法用量 | 内服煎汤，9 ~ 15 g。

| 凭证标本号 | 高锡朋 51458。

马兜铃科 Aristolochiaceae 马兜铃属 Aristolochia

马兜铃
Aristolochia debilis Sieb. et Zucc.

| **药 材 名** | 马兜铃（药用部位：根、果实。别名：青木香、天仙藤）。 |

| **形态特征** | 藤本。叶卵状三角形、长圆状卵形或戟形。花单生或2聚生于叶腋；开花后期近先端常稍弯，花被长3～5.5 cm，基部膨大成球形，向上收狭成1长管，管长2～2.5 cm，直径2～3 mm，管口扩大成漏斗状，黄绿色，口部有紫斑。蒴果近球形，先端圆形而微凹，长约6 cm，直径约4 cm，具6棱，成熟时黄绿色，由基部向上沿室间6瓣开裂；种子扁平，钝三角形，长、宽均约4 mm，边缘具白色膜质宽翅。花期7～8月，果期9～10月。 |

| **生境分布** | 生于山谷溪边林下或灌丛中。分布于广东乐昌、仁化、从化等。 |

| **资源情况** | 野生资源较少。药材主要来源于野生。 |

| 采收加工 | 根，全年均可采收，洗净，晒干；果实，9 ~ 10 月果实成熟时采摘，晒干。

| 功能主治 | 根，辛、苦，寒。行气止痛，解毒消肿，降压。用于胃痛，高血压，风湿性关节炎，跌打损伤，咽喉肿痛，流行性腮腺炎；外用于牙痛，湿疹，毒蛇咬伤。果实，苦、辛，温。清热降气，止咳平喘。用于慢性支气管炎，肺热咳喘，百日咳。

| 用法用量 | 内服煎汤，3 ~ 9 g。外用适量，鲜品捣敷。

| 凭证标本号 | 邓良 7552。

| 附 注 | 马兜铃酸、含马兜铃酸的植物被列为 1 类致癌物，应慎用。

马兜铃科 Aristolochiaceae 马兜铃属 Aristolochia

广防己

Aristolochia fangchi Y. C. Wu ex L. D. Chow et S. M. Hwang

| 药 材 名 | 广防己（药用部位：根、果实。别名：木防己、藤防己）。

| 形态特征 | 木质藤本。叶长圆形或卵状长圆形，稀卵状披针形。花单生或 3 ~ 4 排成总状花序；花被管中部急遽弯曲，下部长 4 ~ 5 cm，直径 1 ~ 1.5 cm，弯曲处至檐部较下部短而狭，紫红色，外面密被褐色茸毛。蒴果圆柱形，长 5 ~ 10 cm，直径 3 ~ 5 cm，具 6 棱。花期 3 ~ 5 月，果期 7 ~ 9 月。

| 生境分布 | 生于海拔 500 ~ 1 000 m 的山谷林中或灌丛中。分布于广东高要、封开、博罗、阳西、阳春、连山及广州（市区）。

| 资源情况 | 野生资源较少。药材主要来源于野生。

| **采收加工** | 秋季采收，洗净，晒干。 |

| **功能主治** | 苦、辛，寒。祛风清热，利尿消肿。用于风湿性关节炎，高血压，肾炎性水肿，膀胱炎，小便不利。 |

| **用法用量** | 内服煎汤，6 ~ 15 g。 |

| **凭证标本号** | 441825190502014LY。 |

马兜铃科 Aristolochiaceae 马兜铃属 Aristolochia

通城虎 *Aristolochia fordiana* Hemsl.

| 药 材 名 | 通城虎（药用部位：根。别名：五虎通城、定心草）。

| 形态特征 | 藤本。叶卵状心形或卵状三角形。总状花序；花被管基部膨大成球形，直径约 3.5 mm，向上急遽收狭成 1 长管，管直径约 2 mm，管口扩大成漏斗状；檐部一侧极短，边缘有时向下翻，另一侧延伸成舌片。蒴果长圆形或倒卵形，长 3 ~ 4 cm，直径 1.5 ~ 2 cm，褐色，成熟时由基部向上 6 瓣开裂，果柄亦随之开裂。花期 3 ~ 4 月，果期 5 ~ 7 月。

| 生境分布 | 生于山谷林下灌丛或山地石壁下。分布于广东博罗、德庆、罗定、郁南、阳春、封开。

| 资源情况 | 野生资源较少。药材主要来源于野生。

| 采收加工 | 夏、秋季采挖，洗净，切片，晒干。

| 功能主治 | 苦、辛，温；有小毒。解毒消肿，祛风镇痛，开窍。用于胃痛，风湿骨痛，跌打损伤，毒蛇咬伤。

| 用法用量 | 内服煎汤，0.6 ~ 3 g。外用适量，鲜品捣敷。

| 凭证标本号 | 441226160829016LY。

马兜铃科 Aristolochiaceae 马兜铃属 Aristolochia

蜂窠马兜铃
Aristolochia foveolata Merr.

| 药 材 名 | 蜂窠马兜铃（药用部位：根、叶。别名：戟叶马兜铃、十八风晒）。

| 形态特征 | 藤本。叶戟形或卵状披针形。花单生或 2 聚生，稀多花排成总状

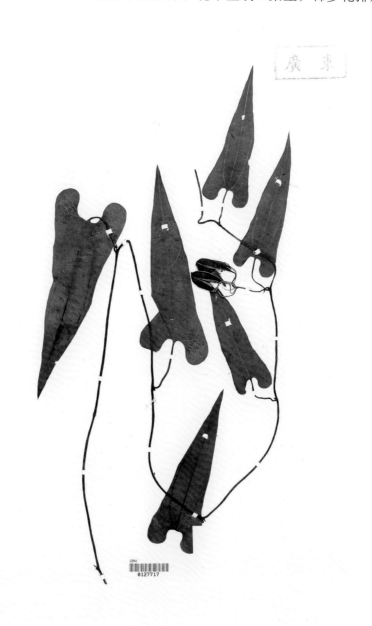

花序；花被基部膨大成球形，向上急遽收狭成管，管口扩大成漏斗状；檐部一侧极短，另一侧延伸成舌片。蒴果长圆形或倒卵形，先端圆形，基部渐狭，长 2 ～ 2.5 cm，直径约 1.5 cm，无毛，具 6 棱，成熟时褐色，由基部向上 6 瓣开裂。花期 4 ～ 6 月，果期 7 ～ 10 月。

| **生境分布** | 生于海拔 400 ～ 600 m 的山地路旁、灌丛中。分布于广东从化。

| **资源情况** | 野生资源较少。药材主要来源于野生。

| **采收加工** | 夏、秋季采收，晒干。

| **功能主治** | 苦、辛，温。

| **用法用量** | 煎汤用于猪瘟病。

| **凭证标本号** | 邓良 8898。

马兜铃科 Aristolochiaceae 马兜铃属 Aristolochia

广西马兜铃
Aristolochia kwangsiensis Chun et How ex C. F. Liang

| 药 材 名 | 广西马兜铃（药用部位：块根。别名：萝卜防己、大叶马兜铃）。

| 形态特征 | 木质大藤本。叶卵状心形或圆形。总状花序腋生；花梗密被污黄色或淡棕色长硬毛；花被管中部急遽弯曲，下部长 2 ~ 3.5 cm，直径 0.5 ~ 1 cm，弯曲处至檐部与下部近等长而较狭；檐部盘状，近圆状三角形，上面蓝紫色；喉部近圆形，黄色；花药长圆形。蒴果长圆柱形，长 8 ~ 10 cm，直径约 2 cm，具 6 棱。花期 4 ~ 5 月，果期 8 ~ 9 月。

| 生境分布 | 生于海拔 600 ~ 800 m 的山脚疏林下。分布于广东梅县。

| 资源情况 | 野生资源较少。药材主要来源于野生。

| 采收加工 | 全年均可采挖，除去须根，洗净，切片，晒干。 |

| 功能主治 | 苦，寒；有小毒。清热解毒，止血止痛。用于急性胃肠炎，复合性胃和十二指肠溃疡，咽喉炎，肺结核，跌打损伤；外用于外伤出血，痈疮肿毒。 |

| 用法用量 | 内服煎汤，干粉 1.5 ~ 3 g。外用适量，干粉撒；或鲜品捣敷。 |

| 凭证标本号 | 441421190323727LY。 |

马兜铃科 Aristolochiaceae 马兜铃属 Aristolochia

柔叶马兜铃 *Aristolochia mollis* Dunn

| 药 材 名 | 柔叶马兜铃（药用部位：根、茎。别名：香里藤、青香藤、金狮藤）。

| 形态特征 | 藤本。叶卵形、卵状心形、卵状披针形或戟状耳形。花单生，稀 2 聚生于叶腋，常向下弯垂；花被管中部急遽弯曲，下部长圆柱形，长 2 ~ 2.5 cm，直径 3 ~ 8 mm，弯曲处至檐部较下部狭而稍短，外面黄绿色，有纵脉 10，密被白色长柔毛，内面无毛；檐部盘状，近圆形。蒴果长圆状或卵形，长 3 ~ 7 cm，近无毛，成熟时暗褐色。花期 4 ~ 5 月，果期 6 ~ 8 月。

| 生境分布 | 生于山坡灌丛中。分布于广东乐昌、紫金及汕头（市区）。

| 资源情况 | 野生资源较少。药材主要来源于野生。

| **采收加工** | 全年均可采收，鲜用或晒干。

| **功能主治** | 苦、辛，微温。清热解毒，收敛镇痛。用于中暑腹痛，胃痛，腹痛下痢，风湿关节痛，毒蛇咬伤，高血压，皮肤湿疹。

| **用法用量** | 内服煎汤，3 ～ 9 g。外用适量，鲜品捣敷。

马兜铃科 Aristolochiaceae 马兜铃属 Aristolochia

耳叶马兜铃
Aristolochia tagala Champ.

| 药 材 名 | 耳叶马兜铃（药用部位：根。别名：卵叶马兜铃、黑面防己、麻疯龙）。

| 形态特征 | 藤本。叶卵状心形或长圆状卵形。总状花序；花被基部收狭成柄状，与子房连接处稍扩大，具关节，其上膨大成球形，直径 5 ~ 8 mm，向上急遽收狭成 1 长管，管口扩大成漏斗状，一侧极短，另一侧延伸成舌片。蒴果倒卵状球形至长圆状倒卵形，长 3.5 ~ 5 cm，直径 2 ~ 3.5 cm。花期 5 ~ 8 月，果期 10 ~ 12 月。

| 生境分布 | 生于山谷林中阴湿处。分布于广东高要、斗门、高州、徐闻及广州（市区）、茂名（市区）。

| 资源情况 | 野生资源较少。药材主要来源于野生。

| **采收加工** | 夏、秋季采挖，晒干。

| **功能主治** | 苦、辛，凉。利水，除湿，止痛，消炎。用于尿路感染，水肿，风湿性关节炎，胃溃疡。

| **用法用量** | 内服煎汤，9 ~ 15 g。

| **凭证标本号** | 440923140818015LY。

马兜铃科 Aristolochiaceae 马兜铃属 Aristolochia

海边马兜铃 *Aristolochia thwaitesii* Hook. f.

| 药 材 名 |

海边马兜铃（药用部位：块根。别名：石蟾
蜍、印度马兜铃）。

| 形 态 特 征 |

直立亚灌木。叶匙形、狭长倒披针形或长圆
状倒披针形。总状花序生于茎基部节上，多
花；花被管中部急遽弯曲，直径 5 ~ 10 mm，
弯曲处至檐部与下部近等长但稍狭，外面黄
绿色，明显具纵脉，密被褐色长柔毛，内面
深紫色，被腺体状茸毛，管的最上部再弯
曲并渐扩大，呈圆筒状。蒴果卵球形，长
3 ~ 5 cm，直径 2 ~ 2.5 cm，先端尖，具 6 棱，
密被褐色茸毛。花期 3 ~ 5 月，果期 8 ~ 9 月。

| 生 境 分 布 |

生于山地灌丛中。分布于广东南部沿海岛
屿。

| 资 源 情 况 |

野生资源较少。药材主要来源于野生。

| 采 收 加 工 |

全年均可采挖，晒干。

| **功能主治** | 消炎解毒。用于咽喉痛。

| **用法用量** | 内服煎汤，6 ~ 9 g。外用适量，捣敷。

| **凭证标本号** | 粤 73-3088。

马兜铃科 Aristolochiaceae 马兜铃属 Aristolochia

管花马兜铃
Aristolochia tubiflora Dunn.

| 药 材 名 | 管花马兜铃（药用部位：根、藤茎。别名：逼血雷）。

| 形态特征 | 藤本。叶卵状心形或卵状三角形，极少近肾形。花单生或 2 聚生于叶腋；花被基部膨大成球形，直径约 5 mm，向上急遽收狭成 1 长管，宽 2 ~ 4 mm，管口扩大成漏斗状。蒴果长圆形，长约 2.5 cm，直径约 1.5 cm，具 6 棱。花期 4 ~ 8 月，果期 10 ~ 12 月。

| 生境分布 | 生于山地疏林中或沟边阴湿处。分布于广东乐昌、乳源、连州、连山、英德、和平、惠阳。

| 资源情况 | 野生资源较少。药材主要来源于野生。

| 采收加工 | 冬季采收，洗净，切段，晒干。

| **功能主治** | 根，苦，寒。清热解毒，止喘。用于痧气，腹痛，胃痛，积食腹胀，毒蛇咬伤。藤茎，降肺气，活筋络。用于筋络疼痛。 |

| **用法用量** | 根，内服研末冲，1 g。外用适量，鲜品捣敷。藤茎，内服煎汤，3 ~ 6 g。 |

| **凭证标本号** | 曾飞燕 382。 |

马兜铃科 Aristolochiaceae 马兜铃属 Aristolochia

变色马兜铃 *Aristolochia versicolor* S. M. Hwang

| 药 材 名 | 白金古榄（药用部位：块根。别名：青藤香、过石珠）。

| 形态特征 | 木质藤本。块根圆锥形或长圆形，直径 10 ~ 20 cm。叶长椭圆形或椭圆状披针形。花单生或 2 聚生；花被管中部急遽弯曲，从弯曲处至檐部较下部短而彼此互相贴生，黄绿色，有纵脉纹，外面密被丝质长柔毛，内面无毛；檐部盘状，近圆形。蒴果椭圆状，长 5 ~ 8 cm，直径 1.5 ~ 2 cm，淡绿色，具 6 棱，成熟时暗褐色，自先端向下开裂。花期 4 ~ 6 月，果期 8 ~ 10 月。

| 生境分布 | 生于海拔 500 ~ 800 m 的山坡灌丛、山谷石砾间和林缘较阴湿处。分布于广东阳山、博罗、惠东及广州（市区）。

| **资源情况** | 野生资源较少。药材主要来源于野生。

| **采收加工** | 全年均可采挖，洗净，切段，晒干。

| **功能主治** | 苦，寒。祛风，利尿，清热解毒，止痛。用于咽喉炎，腮腺炎，肠炎等。

| **用法用量** | 内服煎汤，9 ～ 15 g。

| **凭证标本号** | 黄淑美 190961。

马兜铃科 Aristolochiaceae 马兜铃属 Aristolochia

香港马兜铃
Aristolochia westlandii Hemsl.

| 药 材 名 |

白金果榄（药用部位：块根）。

| 形态特征 |

木质藤本。叶狭长圆状披针形或狭长圆形。总状花序生于小枝下部叶腋或老茎近基部；花有腐肉臭味，外面密被褐色、丝质长柔毛；花被管中部急遽弯曲，下部长达 5 cm，直径 1.5 ～ 2 cm，弯曲处至檐部较下部短而粗，常彼此贴生，黄色而有紫色纵脉；檐部盘状，倒心形，直径 8 ～ 13 cm，上面黄白色而有紫色斑块，愈近中部斑块愈明显，具网状脉纹，边缘不明显 3 浅裂或仅先端凹入。花期 3 ～ 4 月。

| 生境分布 |

生于海拔 100 ～ 500 m 的山坡灌丛中。分布于广东珠江口沿海岛屿。

| 资源情况 |

野生资源较少。药材主要来源于野生。

| 采收加工 |

夏、秋季采挖，洗净，晒干。

| 功能主治 | 苦，寒。清热解毒。用于肠炎腹泻，细菌性痢疾，腮腺炎；外用于乳腺炎，接触性皮炎，疥疮。

| 用法用量 | 内服煎汤，9 ~ 15 g；或研末，每次 3 g，每日 3 ~ 4 次，开水冲服。外用适量，干粉调醋搽。

马兜铃科 Aristolochiaceae 细辛属 Asarum

尾花细辛 *Asarum caudigerum* Hance

| 药 材 名 | 尾花细辛（药用部位：全草。别名：圆叶细辛、土细辛）。

| 形态特征 | 多年生草本。叶片阔卵形、三角状卵形或卵状心形，长 4 ~ 10 cm，宽 3.5 ~ 10 cm，先端急尖至长渐尖，基部耳状或心形。花被绿色，被紫红色圆点状短毛丛；花被裂片直立，下部靠合如管，直径 8 ~ 10 mm，喉部稍缢缩，内壁有柔毛和纵纹，上部卵状长圆形，先端骤窄成细长尾尖，尾长可达 1.2 cm，外面被柔毛。果实近球状。花期 4 ~ 5 月。

| 生境分布 | 生于山谷溪边林下阴湿处。分布于广东乐昌、乳源、连州、阳山、仁化、曲江、英德、始兴、龙门、高州。

| 资源情况 | 野生资源较丰富。药材主要来源于野生。

| 采收加工 | 春、秋季采收，鲜用或晒干。

| 功能主治 | 辛，温。活血通经，祛风止咳，清热解毒。用于麻疹，跌打损伤，丹毒，毒蛇咬伤，风寒感冒，痰多咳喘，头痛，牙痛，口舌生疮。

| 用法用量 | 内服煎汤，3 ~ 6 g。

| 凭证标本号 | 441825190501020LY。

馬兜铃科 Aristolochiaceae 细辛属 Asarum

杜衡

Asarum forbesii Maxim.

| 药 材 名 | 杜衡（药用部位：全草。别名：水马蹄、马辛、土细辛）。

| 形态特征 | 多年生草本。叶片阔心形至肾状心形，长和宽均为 3 ~ 8 cm。花暗紫色，花梗长 1 ~ 2 cm；花被管钟状或圆筒状，长 1 ~ 1.5 cm，直径 8 ~ 10 mm，喉部不缢缩，喉孔直径 4 ~ 6 mm，膜环极窄，宽不足 1 mm，内壁具明显格状网眼，花被裂片直立，卵形，长 5 ~ 7 mm，宽和长近相等；子房半下位，花柱离生，先端 2 浅裂，柱头卵状，侧生。花期 4 ~ 5 月。

| 生境分布 | 广东无野生分布。广东乐昌及广州（市区）有栽培。

| 资源情况 | 有少量栽培。药材主要来源于栽培。

| **采收加工** | 全年均可采收，鲜用或阴干。 |

| **功能主治** | 辛，温；有小毒。归心、肺、肾经。祛风散寒，止痛，活血。用于风寒头痛，牙痛，喘咳，中暑腹痛，痢疾，急性胃肠炎，风湿关节疼痛，跌打损伤，毒蛇咬伤。 |

| **用法用量** | 内服煎汤，1.5 ~ 3 g。外用适量，鲜品捣敷。 |

| **凭证标本号** | 罗献瑞 1324。 |

马兜铃科 Aristolochiaceae 细辛属 *Asarum*

地花细辛 *Asarum geophilum* Hemsl.

药 材 名	地花细辛（药用部位：全草。别名：花叶细辛、铺地细辛、大块瓦）。
形态特征	多年生草本。叶圆心形、卵状心形或宽卵形。花紫色；花梗长5～15 mm，常向下弯垂，有毛；花被与子房合生部分呈球状或卵状，花被管短，长约5 mm，直径6～10 mm，花被裂片卵圆形，浅绿色，表面密生紫色点状毛丛，边缘金黄色，长约8 mm，宽10～12 mm，两面有毛；子房下位，具6棱，被毛，花柱合生，短于雄蕊，先端6裂，柱头顶生，向外下延成线形。果实卵状，棕黄色，直径约12 mm，具宿存花被。花期4～6月。
生境分布	生于山谷溪边林下阴湿处。分布于广东乐昌、高要、阳春。

| **资源情况** | 野生资源较少。药材主要来源于野生。 |

| **采收加工** | 夏、秋季采收，晒干。 |

| **功能主治** | 辛，温。归心、肺、肾经。通经活血，祛风止咳，清热解毒。用于麻疹，跌打损伤，丹毒，毒蛇咬伤，风寒感冒，痰多咳喘，头痛，牙痛，口舌生疮。 |

| **用法用量** | 内服煎汤，3 ~ 5 g。 |

| **凭证标本号** | 罗献瑞 1107。 |

马兜铃科 Aristolochiaceae 细辛属 *Asarum*

金耳环
Asarum insigne Diels [*Asarum longepedunculatum* O. C. Schimdt]

| 药 材 名 | 金耳环（药用部位：全草。别名：土细辛、一块瓦）。

| 形态特征 | 多年生草本。叶片长卵形、卵形或三角状卵形。花紫色，直径 3.5 ~ 5.5 cm；花被管钟状，长 1.5 ~ 2.5 cm，直径约 1.5 cm，中部以上扩展成 1 环突，然后缢缩，喉孔窄三角形，无膜环，花被裂片宽卵形至肾状卵形，长 1.5 ~ 2.5 cm，宽 2 ~ 3.5 cm，中部至基部有 1 半圆形垫状斑块，斑块直径约 1 cm，白色；药隔伸出，锥状或宽舌状，或中央稍下凹；子房下位，外有 6 棱，花柱 6，先端 2 裂，裂片长约 1 mm，柱头侧生。花期 3 ~ 4 月。

| 生境分布 | 生于山谷溪边林下阴湿处。分布于广东乐昌、英德、阳山、博罗、阳西及广州（市区）。

| 资源情况 | 野生资源较少。药材主要来源于野生。

| 采收加工 | 全年均可采收，鲜用或晒干。

| 功能主治 | 辛、微苦，温；有小毒。息风开窍，祛风散寒，解毒镇痛，消肿，平喘止咳。用于小儿抽搐，风寒感冒，支气管哮喘，胃痛，牙痛，跌打损伤，毒蛇咬伤。

| 用法用量 | 内服煎汤，3 ~ 5 g。

| 凭证标本号 | 441823201031076LY。

马兜铃科 Aristolochiaceae 细辛属 Asarum

祈阳细辛

Asarum magnificum Tsiang ex C. Y. Cheng et C. S. Yang

| 药 材 名 | 祈阳细辛（药用部位：全草。别名：大叶细辛、大花细辛、山慈菇）。

| 形态特征 | 多年生草本。叶三角状阔卵形或卵状椭圆形。花绿紫色；花梗长约 1.5 cm；花被管漏斗状，长 3 ～ 5 cm，直径 1.5 cm，喉部不缢缩，花被裂片三角状卵形，长约 3 cm，宽 2.5 ～ 3 cm，先端及边缘紫绿色，中部以下紫色，基部有三角形乳突区，乳突扁平，向下延伸至管部成疏离的纵列，至花被管基部呈纵行脊状折皱；药隔锥尖；子房下位，花柱离生，先端 2 裂，柱头侧生。花期 3 ～ 5 月。

| 生境分布 | 生于山谷溪边林下阴湿处。分布于广东乐昌、连州、阳山。

| 资源情况 | 野生资源较少。药材主要来源于野生。

| 采收加工 | 夏、秋季采收，晒干。

| 功能主治 | 辛，温。祛风散寒，解毒，止痛。用于麻疹，跌打损伤，丹毒，毒蛇咬伤，风寒感冒，痰多咳喘，头痛，牙痛，口舌生疮。

| 用法用量 | 内服煎汤，3 ~ 5 g。

| 凭证标本号 | 罗献瑞 577。

马兜铃科 Aristolochiaceae 细辛属 Asarum

山慈菇
Asarum sagittarioides C. F. Liang

| 药 材 名 | 山慈菇（药用部位：全草。别名：土细辛）。

| 形态特征 | 多年生草本。叶阔卵形或近三角状卵形。花单生，每花枝常具2花，紫绿色，直径2.5～3 cm；花被管圆筒状，长1.5～2.5 cm，直径7～12 mm，喉部缢缩，膜环宽约2 mm，内壁有纵行脊皱，花被裂片卵状肾形，基部有乳突折皱区；药隔伸出，锥尖或短舌状；子房半下位，花柱离生，先端2裂，柱头侧生。果实卵圆状，直径10～15 mm。花期11月至翌年3月。

| 生境分布 | 生于山谷溪边林下阴湿处。分布于广东乐昌、高要、阳西、阳春、信宜、高州、封开。

| **资源情况** | 野生资源较少。药材主要来源于野生。 |

| **采收加工** | 夏、秋季采收，晒干。 |

| **功能主治** | 辛，温。祛风散寒，解毒，止痛。用于跌打损伤，毒蛇咬伤。 |

| **用法用量** | 内服煎汤，3 ~ 5 g。 |

| **凭证标本号** | 440983191004044LY。 |

马兜铃科 Aristolochiaceae 细辛属 *Asarum*

五岭细辛 *Asarum wulingense* C. F. Liang

| 药 材 名 | 五岭细辛（药用部位：全草。别名：山慈菇、倒插花）。

| 形态特征 | 多年生草本。叶长卵形或卵状椭圆形，稀三角状卵形。花绿紫色；花梗长约 2 cm，常向下弯垂，被黄色柔毛；花被管圆筒状，长约 2.5 cm，直径约 1.2 cm，基部常稍窄缩，外面被黄色柔毛，喉部缢缩或稍缢缩，花被裂片三角状卵形，长、宽均约 1.5 cm，基部有乳突折皱区；药隔伸出，舌状；子房下位，花柱离生，先端二叉分裂，柱头侧生。花期 12 月至翌年 4 月。

| 生境分布 | 生于山谷溪边林下阴湿处。分布于广东乐昌、乳源、连州、曲江、阳山、连山。

资源情况	野生资源较少。药材主要来源于野生。
采收加工	夏、秋季采收，晒干。
功能主治	辛，温；有小毒。祛风止痛。用于跌打损伤，毒蛇咬伤。
用法用量	内服煎汤，3 ~ 5 g。
凭证标本号	441823210204005LY。

猪笼草科 Nepenthaceae 猪笼草属 Nepenthes

猪笼草 *Nepenthes mirabilis* (Lour.) Druce

| 药 材 名 |

猪笼草（药用部位：全草。别名：猪仔笼、担水桶、雷公瓶）。

| 形态特征 |

草本。基生叶披针形，基部半抱茎，无柄或近无柄；卷须短于叶片；瓶状体大小不一，狭卵形或近圆柱形，长 2 ~ 6 cm，直径 0.6 ~ 2 cm。总状花序长 20 ~ 50 cm，被长柔毛，与叶对生或顶生；雄花序比雌花序长，花红色或紫红色，花梗长 0.5 ~ 1.5 cm，花被片椭圆形或长圆形，少扭转；雌花的花被片 4 ~ 5 mm，子房椭圆形，具短柄或近无柄，密被淡黄色柔毛和星状毛。蒴果。花期 4 ~ 11 月，果期 8 ~ 12 月。

| 生境分布 |

生于近海光照充足的沼泽地。分布于广东斗门、台山、阳春、阳西、电白及中山（市区）、阳江（市区）。

| 资源情况 |

野生资源较少。药材主要来源于野生。

| **采收加工** | 夏、秋季采收，晒干。

| **功能主治** | 苦、淡，凉。清热止咳，利尿，降压。用于肺燥咯血，百日咳，风热咳嗽，尿路结石，糖尿病，高血压。

| **用法用量** | 内服煎汤，15 ~ 30 g。孕妇慎用。

| **凭证标本号** | 440785180325132LY。

胡椒科 Piperaceae 草胡椒属 Peperomia

石蝉草

Peperomia blanda (Jacq.) Kunth [*Peperomia dindygulensis* Miq.]

| 药 材 名 | 石蝉草（药用部位：全草。别名：台湾草胡椒、粗茎草胡椒、火伤草）。

| 形态特征 | 多年生肉质草本。叶对生或 3 ~ 4 轮生，膜质或薄纸质，有腺点，椭圆形、倒卵形或倒卵状菱形，下部的有时近圆形。穗状花序腋生和顶生，单生或 2 ~ 3 丛生，长 5 ~ 8 cm，直径 1.3 ~ 2 mm；雄蕊与苞片同着生于子房基部，花药长椭圆形，有短花丝；子房倒卵形，先端钝，柱头顶生，被短柔毛。浆果球形，先端稍尖，直径 0.5 ~ 0.7 mm。花期 4 ~ 7 月及 10 ~ 12 月。

| 生境分布 | 生于山谷林中石上。分布于广东博罗、惠东、大埔、阳春、阳西、高州、信宜及河源（市区）。

| **资源情况** | 野生资源较丰富。药材主要来源于野生。

| **采收加工** | 夏、秋季采收，晒干。

| **功能主治** | 辛、淡，凉。清热化痰，利水消肿，祛瘀散结。用于支气管炎，哮喘，肺结核，肾炎性水肿，胃癌，肝癌，肺癌，食管癌，乳腺癌；外用于跌打损伤，烫火伤，痈肿疮疖。

| **用法用量** | 内服煎汤，9 ~ 30 g；或浸酒。外用适量，鲜品捣敷。

| **凭证标本号** | 441523190918056LY。

胡椒科 Piperaceae 草胡椒属 Peperomia

草胡椒 *Peperomia pellucida* (L.) Kunth

| 药 材 名 | 草胡椒（药用部位：全草）。

| 形态特征 | 一年生肉质草本，高 20 ~ 40 cm。叶互生，膜质，半透明，阔卵形或卵状三角形，长和宽近相等，均为 1 ~ 3.5 cm，先端短尖或钝，基部心形。穗状花序顶生和与叶对生，细弱，长 2 ~ 6 cm，无毛；花疏生；苞片近圆形，直径约 0.5 mm，中央有细短柄，盾状；花药近圆形，有短花丝；子房椭圆形，柱头顶生，被短柔毛。浆果球形，先端尖，直径约 0.5 mm。花期 4 ~ 7 月。

| 生境分布 | 生于潮湿的岩石上。分布于广东乐昌、博罗、高要及广州（市区）、深圳（市区）。

| **资源情况** | 野生资源较少。药材主要来源于野生。

| **采收加工** | 夏、秋季采收，晒干。

| **功能主治** | 辛、苦，凉。散瘀止痛，清热燥湿。用于跌打损伤，烫火伤。

| **用法用量** | 内服煎汤，6 ~ 9 g。

| **凭证标本号** | 445224190726005LY。

胡椒科 Piperaceae 草胡椒属 Peperomia

豆瓣绿 *Peperomia tetraphylla* (Forst. f.) Hook. et Arn.

| 药 材 名 | 豆瓣绿（药用部位：全草。别名：胡椒草、圆叶瓜子菜）。

| 形态特征 | 肉质丛生草本。叶密集，大小近相等，3 或 4 轮生，带肉质，有透明腺点，阔椭圆形或近圆形。穗状花序单生、顶生和腋生，长 2 ~ 4.5 cm；总花梗被疏毛或近无毛，花序轴密被毛；苞片近圆形，有短柄，盾状；花药近椭圆形，花丝短；子房卵形，着生于花序轴的凹陷处，柱头顶生，近头状，被短柔毛。浆果近卵形，长近 1 mm，先端尖。花期 2 ~ 4 月及 9 ~ 12 月。

| 生境分布 | 生于潮湿的岩石上。分布于广东翁源、新丰、博罗、高州、信宜。

| 资源情况 | 野生资源较少。药材主要来源于野生。

| **采收加工** | 夏、秋季采收，晒干。 |

| **功能主治** | 微辛，平。散瘀接骨，消积，健胃，止咳。用于跌打骨折，刀伤出血，疔疮，无名肿毒，小儿疳积，子宫脱垂，痨咳。 |

| **用法用量** | 内服煎汤，15 ~ 20 g。 |

| **凭证标本号** | 叶华谷 7809。 |

胡椒科 Piperaceae 胡椒属 Piper

小叶爬崖香 *Piper arboricola* C. DC.

| 药 材 名 |

小叶爬崖香（药用部位：全株。别名：虎爪莲）。

| 形态特征 |

藤本。小枝的叶长椭圆形、长圆形或卵状披针形，长 7 ~ 11 cm，宽 3 ~ 4.5 cm，先端短渐尖，基部偏斜或半心形。花单性，雌雄异株，聚集成与叶对生的穗状花序；雄花序纤细，长 5.5 ~ 13 cm，直径 2 ~ 3 mm；雌花序长 4 ~ 5.5 cm，苞片与花序轴均被毛，子房近球形，离生，柱头 4，线形。浆果倒卵形，离生，直径约 2 mm。花期 3 ~ 7 月。

| 生境分布 |

生于山谷、疏林中。分布于广东乐昌、连山、连南、阳山、英德、翁源、新丰、连平、和平、龙门、从化、饶平、高要、怀集、阳春、信宜、高州。

| 资源情况 |

野生资源较丰富。药材主要来源于野生。

| 采收加工 |

夏、秋季采收，晒干。

| **功能主治** | 辛，温。祛风消肿，通经活血。用于风湿关节痛，跌打肿痛，胃寒痛，蛇虫咬伤，痛经，闭经。 |

| **用法用量** | 内服煎汤，15 ～ 20 g。 |

| **凭证标本号** | 441825190502007LY。 |

胡椒科 Piperaceae 胡椒属 Piper

华南胡椒 *Piper austrosinense* Y. C. Tseng

| 药 材 名 | 华南胡椒（药用部位：全株）。

| 形态特征 | 藤本。花枝下部叶阔卵形或卵形，长 8.5 ~ 11 cm，宽 6 ~ 7 cm，先端短尖，基部通常心形，两侧相等，上部叶卵形、狭卵形或卵状披针形，长 6 ~ 11 cm，宽 1.5 ~ 4.5 cm，先端渐尖。花单性，雌雄异株，聚集成与叶对生的穗状花序；雄花序圆柱形；雌花序白色，长 1 ~ 1.5 cm，直径约 3 mm，总花梗与花序近等长，苞片圆形，盾状，腹面中央和花序轴均被白色密毛，子房基部嵌生于花序轴中，柱头 3 ~ 4，被绒毛。浆果球形，直径约 3 mm。花期 4 ~ 6 月。

| 生境分布 | 生于林中，攀缘于树上或石上。分布于广东连山、新丰、大埔、高要、新兴、台山、恩平、阳春、封开、信宜及河源（市区）、深圳（市区）。

| **资源情况** | 野生资源较丰富。药材主要来源于野生。

| **采收加工** | 夏、秋季采收，晒干。

| **功能主治** | 辛、苦，微温。祛风湿，通经络。用于风湿病，风寒骨痛，腰膝无力，肌肉萎缩。

| **用法用量** | 内服煎汤，15 ~ 20 g。

| **凭证标本号** | 440224181114020LY。

胡椒科 Piperaceae 胡椒属 Piper

蒌叶
Piper betle L.

| 药 材 名 | 蒌叶（药用部位：全株。别名：青蒟）。

| 形态特征 | 藤本。叶阔卵形至卵状长圆形，上部的有时为椭圆形，长 7 ~ 15 cm，宽 5 ~ 11 cm，先端渐尖，基部心形、浅心形或上部的有时钝圆。花单性，雌雄异株，聚集成与叶对生的穗状花序；雄花序开花时几与叶片等长，雄蕊 2；雌花序长 3 ~ 5 cm，于果期延长，直径约 10 mm。浆果先端稍凸，有绒毛，下部与花序轴合生成一柱状、肉质、带红色的果穗。花期 5 ~ 7 月。

| 生境分布 | 广东无野生分布。广东南部及沿海岛屿有栽培。

| 资源情况 | 有少量栽培。药材主要来源于栽培。

| **采收加工** | 夏、秋季采收，晒干。 |

| **功能主治** | 辛、微甘，温。祛风散寒，行气化痰，消肿止痒。用于风寒咳嗽，支气管哮喘，风湿骨痛，胃寒痛，妊娠水肿；外用于皮肤湿疹，足癣。 |

| **用法用量** | 内服煎汤，3～9g。外用适量，煎汤洗或浸泡。 |

| **凭证标本号** | 曾宪锋 ZXF3457。 |

胡椒科 Piperaceae 胡椒属 Piper

海南蒟 *Piper hainanense* Hemsl.

| 药 材 名 |

海南蒟（药用部位：全株。别名：山胡椒）。

| 形态特征 |

藤本。叶卵状披针形或椭圆形，长 7 ~ 12 cm，宽 3 ~ 5 cm。花单性，雌雄异株，聚集成与叶对生的穗状花序；雄花序长 7 ~ 12 cm，苞片倒卵形至倒卵状长圆形；雌花序长 8 ~ 15 cm，子房倒卵形，无柄。浆果纺锤形，表面有疣状突起，长约 5 mm，直径约 3.5 mm。花期 3 ~ 5 月。

| 生境分布 |

生于林中，攀缘于树上或石上。分布于广东廉江、高州、雷州、徐闻。

| 资源情况 |

野生资源较少。药材主要来源于野生。

| 采收加工 |

夏、秋季采收，晒干。

| 功能主治 |

辛，温。祛风镇痛，健胃。用于胃寒痛，消化不良，腹胀，风湿关节痛；外用于慢性溃疡，湿疹。

| **用法用量** | 内服煎汤，9～15 g。外用适量，煎汤洗。

| **凭证标本号** | 蒋英 2258。

胡椒科 Piperaceae 胡椒属 Piper

山蒟
Piper hancei Maxim. [*Piper mathewii* Dunn]

| 药 材 名 | 石楠藤（药用部位：全株。别名：海风藤）。

| 形态特征 | 藤本。叶卵状披针形或椭圆形，稀披针形，长 6 ~ 12 cm，宽 2.5 ~ 4.5 cm。花单性，雌雄异株，聚集成与叶对生的穗状花序；雄花序长 6 ~ 10 cm，直径约 2 mm，总花梗与叶柄等长或较之略长，花序轴被毛，苞片近圆形，直径约 0.8 mm，近无柄或具短柄，盾状，向轴面和柄上被柔毛，雄蕊 2，花丝短；雌花序长约 3 cm，于果期延长，子房近球形。浆果球形，黄色，直径 2.5 ~ 3 mm。花期 3 ~ 8 月。

| 生境分布 | 生于山谷溪边林中，攀缘于树上或石上。广东各地均有分布。

| **资源情况** | 野生资源较丰富。药材主要来源于野生。 |

| **采收加工** | 夏、秋季采收，晒干。 |

| **功能主治** | 辛、苦，微温。祛风湿，通经络。用于风湿病，风寒骨痛，腰膝无力，肌肉萎缩，咳嗽气喘。 |

| **用法用量** | 内服煎汤，15 ~ 20 g。 |

| **凭证标本号** | 441825190807020LY。 |

胡椒科 Piperaceae 胡椒属 Piper

毛蒟

Piper hongkongense C. de Candolle. [*Piper puberulum* (Benth.) Maxim.]

药材名

毛蒟（药用部位：全株。别名：香港蒟）。

形态特征

藤本。叶卵状披针形或卵形，长 5 ~ 11 cm，宽 2 ~ 6 cm，先端短尖或渐尖，基部浅心形或半心形。花单性，雌雄异株，聚集成与叶对生的穗状花序；雄花序纤细，雄蕊通常 3，花药肾形，2 裂，花丝极短；雌花序长 4 ~ 6 cm，花序轴被疏柔毛；苞片圆形，有时基部略狭，盾状，无毛；子房近球形，柱头4。浆果球形，直径约 2 mm。花期 3 ~ 5 月。

生境分布

生于山谷溪边林中，攀缘于树上或石上。分布于广东阳山、博罗、高要、郁南及深圳（市区）。

资源情况

野生资源较丰富。药材主要来源于野生。

采收加工

夏、秋季采收，晒干。

| 功能主治 | 辛，温。祛风寒，强腰膝，补虚。用于风寒湿痹，腰膝无力，跌打损伤，胃腹疼痛，产后血瘀腹痛，风湿腰腿痛。 |

| 用法用量 | 内服煎汤，6～9 g；或研末，1.5～3 g。外用适量，煎汤洗。 |

| 凭证标本号 | 441226160414020LY。 |

胡椒科 Piperaceae 胡椒属 Piper

风藤

Piper kadsura (Choisy) Ohwi

| 药 材 名 |

风藤（药用部位：茎藤。别名：著藤、大风藤）。

| 形态特征 |

藤本。叶片卵形或狭卵形，长 5 ～ 8.5 cm，宽 2.5 ～ 4.5 cm，先端渐尖或骤尖，基部圆形，全缘，质稍厚，表面暗绿色，背面淡绿色。花小，单性，雌雄异株；穗状花序顶生或与叶片对生，长 2 ～ 8 cm，通常下垂；每花有 1 盾状苞片，无花被；雄蕊 3，稀为 2，花药 2 室；雌蕊 1，子房上位，1 室。浆果近圆球形，直径 3 ～ 4 mm，成熟时红色。花期 5 ～ 6 月，果期 8 ～ 9 月。

| 生境分布 |

生于山谷溪边林中，攀缘于树上或石上。分布于广东台山。

| 资源情况 |

野生资源较少。药材主要来源于野生。

| 采收加工 |

8 ～ 10 月采收，除去杂质，晒干。

| 药材性状 | 本品呈扁圆柱形，微弯曲，长 15 ~ 60 cm，直径 0.3 ~ 2 cm。表面灰褐色或褐色，粗糙，有纵向棱状纹理及明显的节，节间长 3 ~ 12 cm，节部膨大，节上生不定根。体轻，质脆，易折断，断面不平坦，皮部窄，木部宽，灰黄色，导管孔多数，射线灰白色，放射状排列，皮部与木部交界处常有裂隙，中心有灰褐色髓。气清香，味微苦、辛。以身干、质硬、均匀、体轻、气香浓者为佳。

| 功能主治 | 辛、苦，微温。归肝经。祛风湿，通经络，止痹痛。用于风寒湿痹，肢节疼痛，筋脉拘挛，展伸不利。

| 用法用量 | 内服煎汤，6 ~ 12 g。

| 凭证标本号 | 440224190609057LY。

胡椒科 Piperaceae 胡椒属 Piper

大叶蒟 *Piper laetispicum* C. DC.

药材名

大叶蒟（药用部位：全株。别名：小肠风、野胡椒、山胡椒）。

形态特征

藤本。叶长圆形或卵状长圆形，稀椭圆形，长 12 ～ 17 cm，宽 4 ～ 9 cm，先端短渐尖，基部两侧不等，斜心形。花单性，雌雄异株，聚集成与叶对生的穗状花序；雄花序长约 10 cm，雄蕊 2；雌花序长和宽与雄花序的相同，在果期延长并显著增粗，长达 15 cm，直径 15 ～ 22 mm，花序轴密被粗毛，子房卵形，柱头 4，先端短尖。浆果近球形，直径约 5 mm，果柄与果实近等长。花期 8 ～ 12 月。

生境分布

生于山谷溪边林中，攀缘于树上或石上。分布于广东高州。

资源情况

野生资源较少。药材主要来源于野生。

采收加工

夏、秋季采收，晒干。

功能主治	辛，温。祛风消肿，通经活血，温中散寒。用于风湿病，跌打损伤，毒蛇咬伤，牙痛，胃痛，流行性感冒，痛经等。
用法用量	内服煎汤，15 ～ 20 g。
凭证标本号	邓良 2076。

胡椒科 Piperaceae 胡椒属 *Piper*

荜茇
Piper longum L.

| 药 材 名 | 荜拔（药用部位：果穗）。

| 形态特征 | 藤本。下部的叶卵圆形或几为肾形，向上渐次为卵形至卵状长圆形，长 6 ～ 12 cm，宽 3 ～ 12 cm，先端短尖至渐尖，基部阔心形，有时具重叠的 2 耳，全缘。花无花被，单性，雌雄异株，密集成与叶对生的穗状花序，雄花序长 4 ～ 5 cm，雌花序长 1.5 ～ 2.5 cm；苞片近圆形，具短柄，盾状着生，直径 1 ～ 1.5 mm；雄蕊 2，花丝极短；柱头 3，先端尖。浆果下部嵌于花序轴中，上部圆，先端有脐状突起。花期 7 ～ 10 月。

| 生境分布 | 广东无野生分布。广东湛江（市区）有栽培。

| **资源情况** | 有少量栽培。药材主要来源于栽培。

| **采收加工** | 9 月果穗由绿黄色变黑色时采收，除去杂质，晒干。

| **药材性状** | 本品呈圆柱形，稍弯曲，由多数小浆果半嵌于花序轴上而成，长 1.5 ~ 3.5 cm，直径 0.3 ~ 0.5 cm，黑褐色或棕色，基部有时残存果穗柄；质硬而脆，易折断，断面不整齐，颗粒状。浆果球形，直径约 1 mm。有特异香气，味辛、辣。以条长、饱满、坚实、色黑褐、气味香浓者为佳。

| **功能主治** | 辛，温。温中，散寒，止痛。用于胸腹冷痛，呕吐，腹泻，牙痛。

| **用法用量** | 内服煎汤，1.5 ~ 3 g。外用适量，研末塞龋齿孔中。

| **凭证标本号** | 441226161224014LY。

胡椒科 Piperaceae 胡椒属 Piper

胡椒 *Piper nigrum* L.

| 药 材 名 | 胡椒（药用部位：果实）。

| 形态特征 | 藤本。叶阔卵形至卵状长圆形，长10~15 cm，宽5~8 cm，先端短尖，基部圆，常稍偏斜，全缘，两面均无毛。花无花被，杂性，通常雌雄同株，密集成与叶对生而与叶片近等长的穗状花序；总花梗与叶柄近等长；苞片匙状长圆形，长3~3.5 mm，先端阔而圆，与花序轴分离，呈浅杯状，中部以下与花序轴合生；雄蕊2，花丝极短；柱头3~4，偶有5。浆果球形，无毛，直径3~4 mm，成熟时红色，未成熟的干后黑色。花期6~10月。

| 生境分布 | 广东无野生分布。广东台山、高州、徐闻及茂名（市区）有栽培。

| 资源情况 | 有少量栽培。药材主要来源于栽培。

| **采收加工** | 夏、秋季间剪下成熟果穗，除去果皮，晒干，称白胡椒；收集近成熟果实，直接晒干或焙干，称黑胡椒。 |

| **药材性状** | 本品白胡椒为圆球形，直径 3 ~ 4 mm，灰白色，平滑，先端略压扁或有时微凹入，有纵脉纹 10 ~ 16；外皮薄而稍坚硬，破开后大部分为黄棕色或黄白色的坚硬外胚乳，胚和少量内胚乳位于先端。以颗粒均匀、饱满、去除果皮、色白、辛辣味强烈者为佳。黑胡椒果皮明显网状皱缩，灰黑色，易剥离。一般认为黑胡椒质次，较少入药。 |

| **功能主治** | 辛，热。归胃、大肠经。温中散寒，理气止痛。用于胃寒呕吐，腹痛腹泻，慢性支气管炎，哮喘；外用于疟疾。 |

| **用法用量** | 内服煎汤，1.5 ~ 4.5 g；或入散剂，1 ~ 1.5 g。 |

| **凭证标本号** | 445224190330013LY。 |

胡椒科 Piperaceae 胡椒属 *Piper*

假蒟
Piper sarmentosum Roxb.

| 药 材 名 | 假蒟（药用部位：全草。别名：马蹄蒌、臭蒌）。

| 形态特征 | 草本。小枝近直立。下部的叶阔卵形或近圆形，长 7 ～ 14 cm，宽 6 ～ 13 cm，先端短尖，基部心形或稀平截，两侧近相等，腹面无毛。花单性，雌雄异株，聚集成穗状花序；雄花序长 1.5 ～ 2 cm，直径 2 ～ 3 mm，雄蕊 2；雌花序长 6 ～ 8 mm，于果期稍延长，总花梗与雄花序的相同，花序轴无毛，苞片近圆形，盾状，直径 1 ～ 1.3 mm，柱头 4，稀 3 或 5，被微柔毛。浆果近球形。花期 4 ～ 11 月。

| 生境分布 | 生于疏林中或村旁。分布于广东英德、翁源、博罗、陆丰、南海、斗门、台山、高要、新兴、恩平、罗定、阳春、阳西、郁南、高州、徐闻及广州（市区）、中山（市区）、云浮（市区）、清远（市区）、深圳（市区）。

| **资源情况** | 野生资源较丰富。药材主要来源于野生。

| **采收加工** | 夏、秋季采收,晒干。

| **功能主治** | 辛,温。归胃、大肠经。祛风利湿,消肿止痛。用于胃腹寒痛,风寒咳嗽,水肿,疟疾,牙痛,风湿骨痛,跌打损伤。

| **用法用量** | 内服煎汤,15 ~ 30 g。

| **凭证标本号** | 440783191006025LY。

三白草科 Saururaceae 裸蒴属 Gymnotheca

裸蒴
Gymnotheca chinensis Decne.

| **药 材 名** | 裸蒴（药用部位：全草。别名：白侧耳根、还魂草、狗笠耳）。

| **形态特征** | 草本。叶片肾状心形，长 3 ~ 6.5 cm，宽 4 ~ 7.5 cm，先端阔短尖或圆，基部具 2 耳，全缘或有不明显的细圆齿；叶脉 5 ~ 7；叶柄基部扩大抱茎，叶鞘长为叶柄的 1/3。花序单生，长 3.5 ~ 6.5 cm；总花梗与花序等长或较之略短；花序轴压扁，两侧具阔棱或几成翅状；苞片倒披针形，长约 3 mm，有时最下的 1 略大而近舌状；花药长圆形，纵裂，花丝与花药近等长或较之稍长，基部较宽；子房长倒卵形，花柱线形，外卷。花期 4 ~ 11 月。

| **生境分布** | 生于水沟和山溪旁及阴湿疏林下。分布于广东乳源、乐昌。

| **资源情况** | 野生资源较少。药材主要来源于野生。

采收加工	夏、秋季采收，洗净，鲜用或晒干。消食利水，活血，解毒。
功能主治	辛，温。祛风活血，消肿解毒。用于跌打损伤，风湿病，乳腺炎，慢性痢疾。
用法用量	内服煎汤，10 ~ 15 g。
凭证标本号	蔡杰、涂铁要 12CS5493。

三白草科 Saururaceae 蕺菜属 Houttuynia

鱼腥草
Houttuynia cordata Thunb.

| 药 材 名 | 鱼腥草（药用部位：全草。别名：蕺菜、狗帖耳）。

| 形态特征 | 多年生草本。叶卵形或阔卵形，长 4 ~ 10 cm，宽 2.5 ~ 6 cm，先端短渐尖，基部心形；叶柄基部扩大，略抱茎。花序长约 2 cm，宽 5 ~ 6 mm；总花梗长 1.5 ~ 3 cm，无毛；总苞片长圆形或倒卵形，长 10 ~ 15 mm，宽 5 ~ 7 mm，先端钝圆；雄蕊长于子房，花丝长为花药的 3 倍。蒴果长 2 ~ 3 mm，先端有宿存的花柱。花期 4 ~ 7 月。

| 生境分布 | 生于低湿沼泽地、沟边、溪旁或林缘路旁。广东各地均有分布。

| 资源情况 | 野生资源较丰富。药材主要来源于野生。

| 采收加工 | 夏、秋季采收，晒干。

| **药材性状** | 本品全长15 ~ 50 cm。茎扁圆柱形,稍扭曲,直径2 ~ 3 mm,红棕色,有直棱数条,节明显,下部节上有残存须根;质脆,易折断,断面黄棕色。叶互生,叶片常皱卷,展开后呈心形,长3 ~ 7 cm或过之,宽3 ~ 6 cm或过之,全缘,上面暗黄绿色至暗红棕色,密生腺点,下面灰绿色或灰棕色,质脆,易碎;托叶与叶柄基部合生成鞘状。穗状花序顶生,黄棕色。搓碎有鱼腥气,味微涩。以叶多、色灰绿、有花穗、鱼腥气浓者为佳。 |

| **功能主治** | 酸、辛,凉;有小毒。归肺经。清热解毒,利水消肿。用于扁桃体炎,肺脓肿,肺炎,气管炎,尿路感染,肾炎性水肿,肠炎,痢疾,乳腺炎,蜂窝织炎,中耳炎;外用于痈疖肿毒,毒蛇咬伤。 |

| **用法用量** | 内服煎汤,15 ~ 30 g。外用适量,鲜品捣敷。 |

| **凭证标本号** | 441825190708004LY。 |

三白草科 Saururaceae 三白草属 Saururus

三白草 *Saururus chinensis* (Lour.) Baill.

药 材 名	三白草（药用部位：全草或根茎。别名：塘边藕、白面姑、白舌骨）。
形态特征	草本。叶阔卵形或卵状披针形，长 4 ~ 15 cm，宽 2 ~ 10 cm，先端渐尖或短渐尖，基部心形；基出脉 5，网脉明显；叶柄长 1 ~ 3 cm，基部与托叶合生成鞘状，略抱茎。总状花序长 10 ~ 20 cm，花序轴密被短柔毛，总花梗无毛；花小，生于苞片腋内；雄蕊 6，花丝略长于花药；雌蕊由 4 完全发育的心皮组成，花柱向外卷曲。果实分裂为 4，近球形。花期 4 ~ 6 月。
生境分布	生于低湿沟边、塘边或溪边。广东各地均有分布。
资源情况	野生资源较丰富。药材主要来源于野生。

| 采收加工 | 夏、秋季采收，晒干。

| 药材性状 | 本品茎呈圆柱形，有纵沟4，1较宽广；断面黄棕色至棕褐色，纤维性，中空。单叶互生，叶片卵形或卵状披针形，长 4 ~ 15 cm，宽 2 ~ 10 cm，先端渐尖，基部心形，全缘，基出脉5；叶柄较长，有纵皱纹。总状花序于枝顶与叶对生，花小，棕褐色。蒴果近球形。气微，味淡。

| 功能主治 | 甘、辛，寒。清热解毒，利水消肿。用于尿路感染及结石，肾炎性水肿，白带；外用于疔疮脓肿，皮肤湿疹，毒蛇咬伤。

| 用法用量 | 内服煎汤，15 ~ 30 g。外用适量，鲜品捣敷。

| 凭证标本号 | 441523190402018LY。

金粟兰科 Chloranthaceae 金粟兰属 Chloranthus

丝穗金粟兰 Chloranthus fortunei (A. Gray) Solms-Laub.

| 药 材 名 | 丝穗金粟兰（药用部位：全草。别名：四块瓦）。

| 形态特征 | 草本。叶对生，通常4叶生于茎上部，宽椭圆形、长椭圆形或倒卵形。穗状花序单一，由茎顶抽出；花白色，有香气；雄蕊3，药隔基部合生，着生于子房上部外侧，中央药隔具一2室的花药，两侧药隔各具一1室的花药，药隔伸长成丝状，直立或斜上，长1~1.9 cm，药室在药隔的基部；子房倒卵形，无花柱。核果球形，淡黄绿色，有纵条纹，长约3 mm，近无柄。花期4~5月，果期5~6月。

| 生境分布 | 生于海拔170~340 m的山谷、林下潮湿处。分布于广东乐昌、乳源、连州、英德。

| **资源情况** | 野生资源较少。药材主要来源于野生。

| **采收加工** | 夏、秋季采收，晒干。

| **功能主治** | 苦，微温；有毒。祛风止痛，消肿解毒，通窍。用于风湿，跌打损伤，毒蛇咬伤，风寒咳嗽，慢性胃肠炎，疮疖肿痛。

| **用法用量** | 内服煎汤，6 ~ 9 g。

| **凭证标本号** | 441882180411022LY。

宽叶金粟兰 *Chloranthus henryi* Hemsl.

| 药材名 | 宽叶金粟兰（药用部位：全草。别名：长梗金粟兰）。

| 形态特征 | 草本。叶对生，通常4叶生于茎上部，宽椭圆形、卵状椭圆形或倒卵形，长9～18 cm，宽5～9 cm。穗状花序顶生，通常二歧或总状分枝，连总花梗长10～16 cm，总花梗长5～8 cm；苞片宽卵状三角形或近半圆形；花白色；雄蕊3，基部几分离，仅内侧稍相连，中央药隔长3 mm，有一2室的花药；子房卵形，无花柱，柱头近头状。核果球形，长约3 mm，具短柄。花期4～6月，果期7～8月。

| 生境分布 | 生于海拔230～1 300 m的山谷、溪边、林下潮湿处。分布于广东乐昌、乳源、连州、连山、仁化、连南、英德、平远、大埔。

| 资源情况 | 野生资源较丰富。药材主要来源于野生。

| 采收加工 | 夏、秋季采收，晒干。

| 功能主治 | 辛，温；有小毒。祛风镇痛，舒筋活血，消肿止痛，杀虫。用于腹痛，牙痛，风湿关节痛，毒蛇咬伤，跌打损伤，痛经；外用于黄癣，疔疮，毒蛇咬伤。

| 用法用量 | 内服煎汤，6～9 g。慎用。

| 凭证标本号 | 441825190801014LY。

金粟兰科 Chloranthaceae 金粟兰属 Chloranthus

多穗金粟兰 *Chloranthus multistachys* Péi

| 药 材 名 | 多穗金粟兰（药用部位：全草。别名：四块瓦、大四块瓦、白毛七）。

| 形态特征 | 草本。叶对生，通常4，椭圆形至宽椭圆形、卵状椭圆形或宽卵形。穗状花序多条；花小，白色，排列稀疏；雄蕊1～3，着生于子房上部外侧；若为1雄蕊，则花药卵形，2室；若为2～3雄蕊，则中央花药2室；子房卵形，无花柱，柱头平截。核果球形，绿色，长2.5～3 mm，具长1～2 mm的柄，表面有小腺点。花期5～7月，果期8～10月。

| 生境分布 | 生于山谷灌丛或疏林潮湿处。分布于广东乐昌、乳源、连州、连山、连南、阳山、仁化、始兴、南雄、翁源、新丰、连平、和平、阳春及深圳（市区）。

| 资源情况 | 野生资源较丰富。药材主要来源于野生。

| 采收加工 | 夏、秋季采收，晒干。

| 功能主治 | 苦，温；有小毒。活血散瘀，接骨续筋，消肿解毒，止痒。用于跌打损伤，骨折，痈疮肿毒，毒蛇咬伤，皮肤瘙痒。

| 用法用量 | 内服煎汤，6～10 g。

| 凭证标本号 | 叶华谷 5277。

金粟兰科 Chloranthaceae 金粟兰属 Chloranthus

及已

Chloranthus serratus (Thunb.) Roem. et Schult.

| 药 材 名 | 及已（药用部位：全草。别名：四大天王、四块瓦）。

| 形态特征 | 草本。叶对生，4～6生于茎上部，纸质，椭圆形、倒卵形或卵状披针形，偶有卵状椭圆形或长圆形。穗状花序顶生，偶有腋生，单一或2～3分枝；总花梗长1～3.5 cm；苞片三角形或近半圆形，通常先端数齿裂；花白色；雄蕊3，药隔下部合生，着生于子房上部外侧，中央药隔有一2室的花药，两侧药隔各有一1室的花药；子房卵形，无花柱，柱头粗短。核果近球形或梨形，绿色。花期4～5月，果期6～8月。

| 生境分布 | 生于海拔200～350 m的山谷林下或林下潮湿处。分布于广东连山、连州、英德、连平、博罗、平远及河源（市区）。

| **资源情况** | 野生资源较丰富。药材主要来源于野生。 |

| **采收加工** | 全年均可采收，除去泥沙，晒干。 |

| **功能主治** | 辛，温；有毒。舒筋活络，祛风止痛，消肿解毒。用于跌打损伤，风湿腰腿痛，疗疮肿毒，毒蛇咬伤。 |

| **用法用量** | 内服煎汤，3 ~ 6 g。外用适量，鲜品捣敷。 |

| **凭证标本号** | 441825190503007LY。 |

金粟兰科 Chloranthaceae 金粟兰属 Chloranthus

四川金粟兰

Chloranthus sessilifolius K. F. Wu

| 药 材 名 | 四川金粟兰（药用部位：全草。别名：四块瓦、红毛七、四大天王）。

| 形态特征 | 草本。叶对生，4叶生于茎顶，呈轮生状，倒卵形或菱形，长12～20 cm，宽7～12 cm，基部楔形，背面淡绿色；鳞状叶三角形，膜质，长7～13 mm。穗状花序自茎顶抽出，有2～4下垂的分枝，具长10～15 cm的总花梗；花白色；雄蕊3，基部分离，着生于子房外侧上部，中央雄蕊具一2室的花药，侧生雄蕊各具一1室的花药；子房卵形，长约2 mm，无花柱，柱头平截，边缘有齿突。核果近球形。花期3～4月，果期6～7月。

| 生境分布 | 生于山谷溪边林下。分布于广东乐昌、乳源、连州、连山、曲江、英德、大埔。

| **资源情况** | 野生资源较少。药材主要来源于野生。

| **采收加工** | 夏、秋季采收，晒干。

| **功能主治** | 辛，温。调经活血，祛风除湿，散瘀止痛。用于风寒咳嗽，风湿麻木，疼痛，月经不调，跌打损伤等。

| **用法用量** | 内服煎汤，5 ～ 15 g。

| **凭证标本号** | 441882180412036LY。

金粟兰科 Chloranthaceae 金粟兰属 Chloranthus

金粟兰
Chloranthus spicatus (Thunb.) Makino

| 药 材 名 | 金粟兰（药用部位：全株。别名：珠兰、鱼子兰）。

| 形态特征 | 亚灌木。叶对生，椭圆形或倒卵状椭圆形，长 5 ~ 11 cm，宽 2.5 ~ 5.5 cm，先端急尖或钝，基部楔形，边缘具圆齿状锯齿，齿端有 1 腺体。穗状花序排列成圆锥花序状，通常顶生，少有腋生；苞片三角形；花小，黄绿色，极芳香；雄蕊 3，药隔合生成 1 卵状体，上部不整齐 3 裂，中央裂片较大，有时末端又 3 浅裂，有一 2 室的花药，两侧裂片较小，各有一 1 室的花药；子房倒卵形。花期 4 ~ 7 月，果期 8 ~ 9 月。

| 生境分布 | 生于海拔 150 ~ 900 m 的山谷溪边或山坡林中潮湿处。分布于广东高州、高要、博罗及中山（市区）、广州（市区）。

| 资源情况 | 野生资源较少。药材主要来源于野生。

| 采收加工 | 夏、秋季采收，晒干。

| 功能主治 | 微苦、辛、涩，温。祛风湿，接筋骨。用于感冒，风湿关节疼痛，跌打损伤。

| 用法用量 | 内服煎汤，15 ~ 30 g。

| 凭证标本号 | 441825190707014LY。

金粟兰科 Chloranthaceae 草珊瑚属 Sarcandra

草珊瑚

Sarcandra glabra (Thunb.) Nakai

| 药 材 名 | 草珊瑚（药用部位：全株。别名：肿节风、接骨莲、九节茶）。

| 形态特征 | 亚灌木。茎与枝均有膨大的节。叶椭圆形、卵形至卵状披针形，长
6 ~ 17 cm，宽 2 ~ 6 cm，先端渐尖，基部尖或楔形，边缘具粗锐
锯齿。穗状花序顶生，通常分枝，多少成圆锥花序状，连总花梗长
1.5 ~ 4 cm；苞片三角形；花黄绿色；雄蕊 1；子房球形或卵形，无花
柱，柱头近头状。核果球形，直径 3 ~ 4 mm，成熟时亮红色。花期
6 月，果期 8 ~ 10 月。

| 生境分布 | 生于海拔 1 500 m 以下的山坡、山谷林下。广东各地均有分布。

| 资源情况 | 野生资源较丰富。药材主要来源于野生。

| **采收加工** | 夏、秋季采收，晒干。

| **功能主治** | 苦，平；有小毒。清热解毒，通经接骨。用于流行性感冒，流行性乙型脑炎，咽喉炎，麻疹肺炎，小儿肺炎，大叶性肺炎，细菌性痢疾，急性阑尾炎，疮疡肿毒，骨折，跌打损伤，风湿关节痛，恶性肿瘤。

| **用法用量** | 内服煎汤，9 ~ 15 g。

| **凭证标本号** | 441523200105016LY。

金粟兰科 Chloranthaceae 草珊瑚属 Sarcandra

海南草珊瑚 *Sarcandra hainanensis* (Pei) Swamy et Bailey

| 药 材 名 | 海南草珊瑚（药用部位：全株。别名：山耳青）。

| 形态特征 | 亚灌木。叶椭圆形、宽椭圆形至长圆形，长 8 ~ 20 cm，宽 3 ~ 8 cm，先端急尖至短渐尖，基部宽楔形，边缘除近基部外有钝锯齿。穗状花序顶生，分枝少，对生，多少成圆锥花序状；苞片三角形或卵圆形；雄蕊 1；子房卵形，无花柱，柱头具小点。核果卵形，长约 4 mm，幼时绿色，成熟时橙红色。花期 10 月至翌年 5 月，果期 3 ~ 8 月。

| 生境分布 | 生于山谷溪边林中。分布于广东连州、阳山、翁源、新丰、连平、和平、龙门、惠东、增城、高要及深圳（市区）。

| 资源情况 | 野生资源较少。药材主要来源于野生。

| **采收加工** | 夏、秋季采收，晒干。 |

| **功能主治** | 辛、苦，温。消肿止痛。用于风湿，跌打损伤，接骨，关节痛。 |

| **用法用量** | 内服煎汤，9～15 g。 |

| **凭证标本号** | 刘心祈 2048。 |

罂粟科 Papaveraceae 血水草属 *Eomecon*

血水草
Eomecon chionantha Hance

| 药 材 名 | 血水草（药用部位：全草。别名：水黄连、广扁线、黄水芋）。

| 形态特征 | 草本。叶全部基生；叶片心形或心状肾形，稀心状箭形。花葶灰绿色略带紫红色，花排列成聚伞状伞房花序；萼片长 0.5 ~ 1 cm，无毛；花瓣倒卵形，长 1 ~ 2.5 cm，宽 0.7 ~ 1.8 cm，白色；花丝长 5 ~ 7 mm，花药黄色，长约 3 mm；子房卵形或狭卵形，长 0.5 ~ 1 cm，无毛，花柱长 3 ~ 5 mm，柱头 2 裂，下延于花柱上。蒴果狭椭圆形，长约 2 cm，宽约 0.5 cm。花期 3 ~ 6 月，果期 6 ~ 10 月。

| 生境分布 | 生于林下、灌丛下、溪边或路旁。分布于广东乐昌、乳源、连州、连山、连南、阳山。

| 资源情况 | 野生资源较丰富。药材主要来源于野生。

| 采收加工 | 夏、秋季采收，晒干。

| 功能主治 | 苦，寒；有小毒。归肝、肾经。清热解毒，活血止痛，止血。用于结膜炎；外用于毒蛇咬伤，疔疮疖肿，疥癣，湿疹。

| 用法用量 | 内服煎汤，15 ~ 50 g。外用适量，鲜品捣敷；或干品研末敷。

| 凭证标本号 | 441825210313017LY。

罂粟科 Papaveraceae 博落回属 *Macleaya*

博落回 *Macleaya cordata* (Willd.) R. Br. [*Bocconia cordata* Willd.]

药材名

博落回（药用部位：全草。别名：勃勒回、菠萝、捆仙绳）。

形态特征

草本。叶片宽卵形或近圆形，长 5 ~ 27 cm，宽 5 ~ 25 cm，先端急尖、渐尖、钝或圆形。大型圆锥花序多花，长 15 ~ 40 cm，顶生和腋生；萼片倒卵状长圆形，长约 1 cm，舟状，黄白色；花瓣无；雄蕊 24 ~ 30，花丝丝状，长约 5 mm，花药条形，与花丝等长；子房倒卵形至狭倒卵形，长 2 ~ 4 mm，先端圆，基部渐狭，花柱长约 1 mm，柱头 2 裂，下延于花柱上。蒴果狭倒卵形或倒披针形，长 1.3 ~ 3 cm。花果期 6 ~ 11 月。

生境分布

生于海拔 250 ~ 700 m 的山谷、灌丛、路旁。分布于广东乐昌、乳源、连山、连南、连州、南雄、始兴、仁化、曲江、阳山、怀集、罗定。

资源情况

野生资源较丰富。药材主要来源于野生。

| **采收加工** | 夏、秋季采收，晒干。

| **功能主治** | 苦，寒；有大毒。杀虫，祛风解毒，散瘀消肿。用于跌打损伤，风湿关节痛，痈疖肿毒，下肢溃疡，滴虫性阴道炎，湿疹，烫火伤。

| **用法用量** | 外用适量，鲜品捣敷；或干品研末撒敷；或煎汤冲洗；或研末调搽。本品有毒，不内服。

| **凭证标本号** | 440281190627005LY。

罂粟科 Papaveraceae 罂粟属 Papaver

虞美人 *Papaver rhoeas* L.

| 药 材 名 |

虞美人（药用部位：全草。别名：赛牡丹、丽春花）。

| 形态特征 |

草本。叶披针形或狭卵形，羽状分裂。花单生于茎和分枝先端；花蕾长圆状倒卵形，下垂；萼片2，宽椭圆形，长1～1.8 cm，绿色，外面被刚毛；花瓣4，圆形、横向宽椭圆形或宽倒卵形，长2.5～4.5 cm，全缘，稀圆齿状或先端缺刻状，紫红色，基部通常具深紫色斑点；雄蕊多数，花丝丝状，长约8 mm，深紫红色；子房倒卵形。种子多数，肾状长圆形，长约1 mm。花果期3～8月。

| 生境分布 |

生于村边、路边。广东广州（市区）有栽培或逸为野生。

| 资源情况 |

野生资源较少。有少量栽培。药材主要来源于野生。

| 采收加工 |

夏、秋季采收，晒干。

| **功能主治** | 有毒。镇咳，止泻。用于咳嗽，腹痛，痢疾。

| **用法用量** | 内服煎汤，3 ~ 9 g。

| **凭证标本号** | 叶华谷 6988。

罂粟科 Papaveraceae 罂粟属 Papaver

罂粟
Papaver somniferum L.

| 药 材 名 |

罂粟壳（药用部位：果壳。别名：鸦片、米壳、粟壳）。

| 形态特征 |

草本。叶片卵形或长卵形，先端渐尖至钝，基部心形，边缘为不规则的波状锯齿，两面无毛，具白粉；叶柄抱茎。花单生；花蕾卵圆状长圆形或宽卵形；萼片2，宽卵形，绿色，边缘膜质；花瓣4，近圆形或近扇形，长4～7cm，宽3～11cm，边缘浅波状或各式分裂，白色、粉红色、红色、紫色或杂色；雄蕊多数；子房球形。蒴果球形或长圆状椭圆形，长4～7cm，直径4～5cm，无毛，成熟时褐色。花果期3～11月。

| 生境分布 |

广东无野生分布。国家严格管理，由政府指定有关部门才可栽培。

| 资源情况 |

栽培资源稀少。药材主要来源于栽培。

| 采收加工 |

果实成熟时，采收果壳，晒干。

| 药材性状 | 本品呈椭圆形或瓶状卵形，多已破碎成片状，直径 4 ~ 5 cm，长 4 ~ 7 cm。外表面黄白色、浅棕色至淡黄色，平滑，略有光泽，无割痕或有纵向或横向割痕；先端有 6 ~ 14 放射状排列成圆盘状的残留柱头；基部有短柄。内表面淡黄色，微有光泽；有纵向排列的假隔膜，棕黄色，上面密布略凸起的棕褐色小点。体轻，质脆。气微清香，味微苦。

| 功能主治 | 酸、涩，微寒。归肺、肝经。敛肺，止咳，涩肠，止痛。用于久咳，久泻，脱肛，心腹筋骨诸痛。

| 用法用量 | 内服煎汤，2.4 ~ 6 g。有外邪郁热者不宜用。

| 凭证标本号 | 高锡朋 54203。

紫堇科 Fumariaceae 黄堇属 Corydalis

台湾黄堇 Corydalis balansae Prain

| **药 材 名** | 台湾黄堇（药用部位：全草。别名：北越紫堇、北越黄堇、台湾紫堇）。

| **形态特征** | 草本。叶2回羽状全裂，一回羽片3～5对，具短柄，二回羽片常1～2对，近无柄。总状花序；花黄色至黄白色；萼片卵圆形；外花瓣勺状，具龙骨状突起，先端较狭，微凹至近平截，鸡冠状突起仅限于龙骨状突起之上，不伸达先端；上花瓣长1.5～2 cm；距短囊状，约占花瓣全长的1/4。蒴果线状长圆形，长约3 cm，宽3 mm，斜伸或多少下垂，具1列种子。

| **生境分布** | 生于海拔300～900 m的山谷、灌丛阴湿处石上。分布于广东乐昌、乳源、连州、连山、连南、英德、新丰、连平、和平、博罗、惠阳、平远、蕉岭、大埔、高要及湛江（市区）、清远（市区）、广州（市区）。

| **资源情况** | 野生资源较丰富。药材主要来源于野生。 |

| **采收加工** | 春、夏季采收，鲜用。 |

| **功能主治** | 苦，凉。清热解毒，消肿止痛。用于痈疮肿毒，顽癣，跌打损伤。 |

| **用法用量** | 外用适量，鲜品捣敷。 |

| **凭证标本号** | 441823190314007LY。 |

紫堇科 Fumariaceae 黄堇属 Corydalis

小花黄堇 Corydalis racemosa (Thunb.) Pers.

| 药 材 名 | 小花黄堇（药用部位：全草。别名：断肠草、白断肠草、黄堇）。

| 形态特征 | 草本。叶 2 回羽状全裂，一回羽片 3 ~ 4 对，具短柄，二回羽片 1 ~ 2 对，卵圆形至宽卵圆形。总状花序；花黄色至淡黄色。蒴果线形，具 1 列种子；种子黑亮，近肾形，具短刺状突起，种阜三角形。

| 生境分布 | 生于海拔 600 m 以下的山谷、灌丛阴湿处或旷野。分布于广东乳源、连州、连山、始兴、龙门、博罗、大埔、高要及清远（市区）、广州（市区）。

| 资源情况 | 野生资源较丰富。药材主要来源于野生。

| 采收加工 | 春、夏季采收，晒干。

功能主治	微苦，凉。清热利尿，止痢，止血。用于暑热腹泻，痢疾，肺结核咯血，高热惊风，目赤肿痛，流火，毒蛇咬伤，疮疖肿毒。
用法用量	内服煎汤，6 ~ 9 g；或鲜品适量，捣汁。外用适量，鲜品捣敷。
凭证标本号	440783190716011LY。

紫堇科 Fumariaceae 黄堇属 Corydalis

地锦苗

Corydalis sheareri S. Moore

| 药 材 名 | 地锦苗（药用部位：全草或根。别名：护心胆、芹菜、断肠草）。

| 形态特征 | 草本。叶片三角形或卵状三角形，2 回羽状全裂。总状花序；萼片鳞片状，近圆形，具缺刻状流苏；花瓣紫红色，平伸，上花瓣长 2 ~ 2.5 cm，花瓣片舟状卵形。蒴果狭圆柱形，长 2 ~ 3 cm，直径 1.5 ~ 2 mm。花果期 3 ~ 6 月。

| 生境分布 | 生于海拔 200 ~ 600 m 的山地林下、沟旁。分布于广东乐昌、乳源、连山、仁化、曲江、英德、龙门、增城。

| 资源情况 | 野生资源较丰富。药材主要来源于野生。

| **采收加工** | 春、夏季采收，全草鲜用，根晒干。

| **功能主治** | 苦，寒；有小毒。清热解毒，消肿止痛。用于蛇虫咬伤，湿热胃痛，腹痛泄泻，跌打肿痛，疮痈疖肿。

| **用法用量** | 全草，外用适量，鲜品捣敷。根，内服煎汤，3～6 g。

| **凭证标本号** | 441825190412044LY。

白花菜科 Capparidaceae 山柑属 Capparis

膜叶槌果藤

Capparis acutifolia Sweet [*Capparis membranacea* Gardn. et Champ.]

药 材 名	独行千里（药用部位：根、叶。别名：尖叶槌果藤）。
形态特征	攀缘灌木。叶长圆形至披针形，长7 ~ 15 cm，宽2 ~ 4 cm，先端渐尖。花萼片长5 ~ 7 mm，宽3 ~ 4 mm，外轮两面无毛，有时顶部边缘有淡黄色茸毛，内轮略小，边缘被有淡黄色茸毛；花瓣长圆形，长约10 mm，宽约3 mm，无毛，边缘与顶部常有茸毛。果实成熟后红色，近球形或椭圆形。
生境分布	生于低海拔林中。分布于广东乐昌、始兴、英德、新丰、龙门、和平、紫金、博罗、从化、高要、新兴、恩平、阳春、阳西、信宜、封开及清远（市区）、云浮（市区）。

| 资源情况 | 野生资源较少。药材主要来源于野生。

| 采收加工 | 夏、秋季采收，晒干。

| 功能主治 | 苦、涩，温；有毒。活血散瘀，解痉止痛。根，用于风湿关节痛，筋骨不舒，咽喉肿痛，牙痛，腹痛，闭经；外用于疮疖肿毒，跌打损伤。叶，外用于跌打损伤。

| 用法用量 | 内服煎汤，1.5 ~ 3 g。外用适量，煎汤洗；或研末涂；或鲜叶捣敷。

| 凭证标本号 | 441224180401007LY。

白花菜科 Capparidaceae 山柑属 Capparis

广州槌果藤 *Capparis cantoniensis* Lour.

| 药 材 名 | 广州槌果藤（药用部位：根、果实。别名：屈头鸡、山柑子）。

| 形态特征 | 攀缘灌木，具硬刺。叶长圆形或长圆状披针形，有时卵形。圆锥花序由数个至多个伞形花序组成，伞形花序有花数个至 11；花蕾球形，直径 3 ～ 4 mm；花梗较细，长 7 ～ 12 mm；花白色，有香味。果实球形至椭圆形，直径 10 ～ 15 mm，果皮薄，革质，平滑；种子 1 至数个，球形或近椭圆形，长 6 ～ 7 mm。花果期不明显，几乎全年。

| 生境分布 | 生于低海拔林中。分布于广东乐昌、翁源、大埔、南海、顺德、怀集、郁南、罗定及广州（市区）、清远（市区）、深圳（市区）。

| 资源情况 | 野生资源较丰富。药材主要来源于野生。

| **采收加工** | 夏、秋季采收，晒干。

| **功能主治** | 苦，寒。清热解毒，镇痛，宣肺止咳。用于喉痛，心气痛。

| **用法用量** | 内服煎汤，根 15 ~ 30 g，果实 1 ~ 2 枚；或配猪肉炖服。

| **凭证标本号** | 441523190514020LY。

白花菜科 Capparidaceae 山柑属 Capparis

纤枝槌果藤 *Capparis membranifolia Kurz*

| 药 材 名 | 纤枝槌果藤（药用部位：根。别名：老虎木、雷公橘）。

| 形态特征 | 攀缘灌木。叶长椭圆状披针形，长 4 ~ 13 cm，宽 2 ~ 6 cm。花蕾球形；花 2 ~ 5 排成一短纵列，腋上生，花梗长 1 ~ 1.8 cm；萼片近相等，阔卵形，先端急尖，长 5 ~ 6 mm，宽约 3 mm，内外均被短绒毛，后变无毛，边缘有纤毛；花瓣白色，倒卵形，长 7 ~ 10 mm，宽 2.5 ~ 3 mm；子房卵形，长约 1 mm，1 室。果实球形，直径 8 ~ 15 mm，成熟时黑色或紫黑色。花期 1 ~ 4 月，果期 5 ~ 8 月。

| 生境分布 | 生于低海拔林中。分布于广东英德、龙门、封开及云浮（市区）。

| 资源情况 | 野生资源较少。药材主要来源于野生。

| 采收加工 | 夏、秋季采挖，晒干。 |

| 功能主治 | 微酸、涩，温；有小毒。消肿止痛，强筋壮骨。用于跌打扭伤疼痛。 |

| 用法用量 | 内服浸酒（根 30 ～ 60 g，酒 500 g，浸 7 日），15 ～ 30 g。外用适量，浸酒搽。 |

| 凭证标本号 | 黄成 164214。 |

白花菜科 Capparidaceae 山柑属 Capparis

小刺槌果藤 *Capparis micracantha* DC.

| 药 材 名 | 小刺槌果藤（药用部位：根。别名：海南槌果藤、牛眼睛）。

| 形态特征 | 攀缘灌木。叶长圆状椭圆形或长圆状披针形，有时卵状披针形。花萼卵形至长圆形；花瓣白色，长圆形或倒披针形；雄蕊 20 ～ 40，花丝长 25 ～ 30 mm；雌蕊柄长 2 ～ 3.5 cm；子房卵球形至椭圆形，长约 3 mm。果实球形至椭圆形，表面有 4 略不明显至明显的纵沟槽，长 3 ～ 7 cm，直径 3 ～ 4 cm，干后常呈黄褐色，果皮厚约 3 mm，橘红色。花期 3 ～ 5 月，果期 7 ～ 8 月。

| 生境分布 | 生于低海拔疏林中。分布于广东台山、高州、吴川。

| 资源情况 | 野生资源较少。药材主要来源于野生。

| 采收加工 | 夏、秋季采挖，晒干。

| 功能主治 | 消肿止痛。用于痛风，风湿性关节炎。

| 用法用量 | 内服煎汤，9 ~ 15 g。

| 凭证标本号 | 440923161208007LY。

白花菜科 Capparidaceae 山柑属 Capparis

屈头鸡 *Capparis versicolor* Griff.

| 药 材 名 |

屈头鸡（药用部位：果实、根。别名：圆头鸡、保亭槌果藤、山木通）。

| 形态特征 |

攀缘灌木。叶椭圆形或长圆状椭圆形，长 3.5 ~ 8 cm，宽 1.5 ~ 3.5 cm。亚伞形花序，花芳香，白色或粉红色；萼片外轮内凹成舟形或近圆形，内轮椭圆形；花瓣近圆形至倒卵形，长 12 ~ 17 mm，宽 7 ~ 14 mm；雄蕊 50 ~ 70，花丝长约 2.5 cm，花药长圆形，长约 2 mm；雌蕊柄长 3 ~ 5 cm，丝状，无毛；子房椭圆形。果实球形，直径 3 ~ 5 cm，成熟时黑色，表面粗糙；果皮干后坚硬，厚 2 ~ 3 mm；花梗及雌蕊柄果时木化增粗，直径 3 ~ 5 mm。花期 4 ~ 7 月，果期 8 月至翌年 2 月。

| 生境分布 |

生于海拔 200 ~ 800 m 的林中。分布于广东英德、龙门、高要、罗定、封开及清远（市区）、广州（市区）、云浮（市区）。

| 资源情况 |

野生资源较少。药材主要来源于野生。

| **采收加工** | 果实，秋季采收，晒干；根，全年均可采挖，晒干。

| **功能主治** | 果实，甘、微苦，平；有毒。止咳平喘。用于咳嗽，胸痛，哮喘。根，散瘀，消肿止痛。外用于跌打损伤，骨折。

| **用法用量** | 果实，内服煎汤，1 ~ 2 枚，不可过量，以防中毒。根，外用适量，鲜品捣敷。

| **凭证标本号** | 441284191201645LY。

白花菜科 Capparidaceae 白花菜属 Cleome

白花菜

Cleome gynandra L.

| 药 材 名 | 白花菜（药用部位：全草。别名：臭菜、臭花菜、羊角菜）。

| 形态特征 | 一年生草本。叶为 3 ~ 7 小叶的掌状复叶。总状花序；萼片披针形、椭圆形或卵形；花瓣白色，少有淡黄色或淡紫色。果实圆柱形，斜举，长 3 ~ 8 cm，中部直径 3 ~ 4 mm，雌雄蕊柄与雌蕊柄果实时长度近相等，长 5 ~ 20 mm。花果期 7 ~ 10 月。

| 生境分布 | 生于旷野荒地上。分布于广东英德、翁源、博罗、斗门、高要、阳春、高州、徐闻、雷州及广州（市区）、深圳（市区）。

| 资源情况 | 野生资源较少。药材主要来源于野生。

| **采收加工** | 夏、秋季采收，晒干。

| **功能主治** | 苦、辛，温。祛风散寒，活血止痛。用于风湿疼痛，腰痛，跌打损伤，痔疮。

| **用法用量** | 内服煎汤，9 ~ 15 g。外用适量，捣敷；或煎汤洗。

| **凭证标本号** | 440923161204055LY。

| **附　注** | 本种的种子有小毒。

白花菜科 Capparidaceae 白花菜属 Cleome

醉蝶花
Cleome spinosa Jacq.

| 药 材 名 |

醉蝶花（药用部位：全草。别名：紫龙须）。

| 形态特征 |

一年生草本，有特殊臭味。叶为 5 ~ 7 小叶的掌状复叶。总状花序；萼片 4，长约 6 mm，长圆状椭圆形，先端渐尖，外被腺毛；花瓣粉红色，少见白色。果实圆柱形，长 5.5 ~ 6.5 cm，中部直径约 4 mm，两端稍钝，表面近平坦或微呈念珠状，有细而密且不甚清晰的脉纹。花期初夏，果期夏末秋初。

| 生境分布 |

广东无野生分布。广东各地城镇常有栽培。

| 资源情况 |

有少量栽培。药材主要来源于栽培。

| 采收加工 |

夏、秋季采收，晒干。

| 功能主治 |

辛、涩，平；有小毒。杀虫止痒。用于疮疡溃烂。

| 用法用量 |　外用适量，煎汤洗。

| 凭证标本号 |　叶育石 5085。

| 附　　注 |　本种的果实用于试治肝癌。

白花菜科 Capparidaceae 白花菜属 Cleome

臭矢菜 *Cleome viscosa* L.

| 药 材 名 | 臭矢菜（药用部位：全草。别名：羊角草、黄花菜）。

| 形态特征 | 一年生直立草本。叶为 3 ～ 5（～ 7）小叶的掌状复叶。花单生于茎上部逐渐变小与简化的叶腋内，但近先端则成总状或伞房状花序；萼片分离；花瓣淡黄色或橘黄色，无毛，有数条明显的纵行脉，倒卵形或匙形，长 7 ～ 12 mm，宽 3 ～ 5 mm，基部楔形至多少有爪，先端圆形。果实直立，圆柱形。

| 生境分布 | 生于旷野荒地上。分布于广东连州、海丰、高要、斗门、台山、阳春、阳西、封开及广州（市区）、深圳（市区）。

| 资源情况 | 野生资源较少。药材主要来源于野生。

| **采收加工** | 夏、秋季采收，晒干。

| **功能主治** | 苦、辛，温；有毒。散瘀消肿，去腐生肌。外用于跌打肿痛，劳伤腰痛。

| **用法用量** | 外用适量，鲜品捣烂，酒炒敷；或煎汤洗；或研末撒。

| **凭证标本号** | 440781190826026LY。

白花菜科 Capparidaceae 鱼木属 Crateva

鱼木
Crateva formosensis (Jacobs) B. S. Sun

| 药 材 名 | 鱼木（药用部位：根、茎、叶。别名：树头菜、台湾鱼木）。

| 形态特征 | 小乔木。叶掌状三出复叶。花序顶生，花枝长 10 ~ 15 cm，花序长约 3 cm，花 10 ~ 15；花梗长 2.5 ~ 4 cm；花不完全了解；雌蕊柄长 3.2 ~ 4.5 cm。果实球形至椭圆形，长 3 ~ 5 cm，直径 3 ~ 4 cm，红色。花期 6 ~ 7 月，果期 10 ~ 11 月。

| 生境分布 | 生于疏林或旷野。分布于广东乳源、高要。

| 资源情况 | 野生资源较少。药材主要来源于野生。

| 采收加工 | 全年均可采收，晒干。

| **功能主治** | 根、茎，用于痢疾，胃病，风湿，月内风。叶，消炎。用于肠炎，痢疾，感冒。 |

| **用法用量** | 内服煎汤，9 ~ 15 g。 |

辣木科 Moringaceae 辣木属 Moringa

辣木
Moringa oleifera Lam.

| **药 材 名** | 辣木（药用部位：根）。 |

| **形态特征** | 乔木。叶常为三回羽状复叶。花序广展，长 10 ~ 30 cm；苞片小，线形；花具梗，白色，芳香，直径约 2 cm；萼片线状披针形，有短柔毛；花瓣匙形；雄蕊和退化雄蕊基部被毛；子房被毛。蒴果细长，长 20 ~ 50 cm，直径 1 ~ 3 cm，下垂，3 瓣裂，每瓣有肋纹 3；种子近球形，直径约 8 mm，有 3 棱，每棱有膜质的翅。花期全年，果期 6 ~ 12 月。 |

| **生境分布** | 广东无野生分布。广东各地有零星栽培。 |

| **资源情况** | 有少量栽培。药材主要来源于栽培。 |

| **采收加工** | 夏、秋季采挖，切片，晒干。 |

| **功能主治** | 辛，微温。利湿，健脾。用于胃气胀，咽喉炎，高血压，糖尿病，高脂血症。 |

| **用法用量** | 内服煎汤，15 ～ 20 g。 |

| **凭证标本号** | 陈少卿 8123。 |

十字花科 Cruciferae 芸薹属 Brassica

油菜 *Brassica campestris* L.

| 药 材 名 | 油菜（药用部位：种子。别名：芸薹子、油菜籽）。

| 形态特征 | 草本。基生叶大头羽裂，顶裂片圆形或卵形，边缘有不整齐弯缺牙齿，侧裂片1至数对，卵形。总状花序在花期呈伞房状，以后伸长；花鲜黄色，直径 7 ~ 10 mm；萼片长圆形，长 3 ~ 5 mm，直立开展，先端圆形，边缘透明，稍被毛；花瓣倒卵形，长 7 ~ 9 mm，先端近微缺，基部有爪。长角果线形，长 3 ~ 8 cm，直径 2 ~ 4 mm，果瓣有中脉及网纹；果柄长 5 ~ 15 mm。花期 3 ~ 4 月，果期 5 月。

| 生境分布 | 广东无野生分布。广东各地均有栽培。

| 资源情况 | 各地有栽培。药材主要来源于栽培。

| 采收加工 | 春末夏初果实成熟时采收，晒干。

| 功能主治 | 甘、辛，温。行气祛瘀，消肿散结。用于痛经，产后瘀血腹痛，恶露不净；外用于痈疖肿毒。

| 用法用量 | 内服煎汤，3 ~ 9 g。外用适量，捣烂，鸡蛋清调敷。

| 凭证标本号 | 曹照忠、王军 4412。

十字花科 Cruciferae 芸薹属 Brassica

芥兰头 *Brassica caulorapa* (DC.) Pasq.

| 药 材 名 |

芥兰头（药用部位：茎。甘蓝、球茎甘蓝、擘蓝）。

| 形态特征 |

草本。茎短，在离地面 2 ～ 4 cm 处膨大成 1 实心长圆球体或扁球体，绿色，其上生叶。叶片宽卵形至长圆形，长 13.5 ～ 20 cm，基部在两侧各有 1 裂片，或仅在一侧有 1 裂片，边缘有不规则裂齿；叶柄长 6.5 ～ 20 cm，常有少数小裂片；茎生叶长圆形至线状长圆形，边缘具浅波状齿。总状花序顶生；花直径 1.5 ～ 2.5 cm。花及长角果和甘蓝的相似，但喙常很短，且基部膨大。花期 4 月，果期 6 月。

| 生境分布 |

广东无野生分布。广东各地均有栽培。

| 资源情况 |

各地有栽培。药材主要来源于栽培。

| 采收加工 |

冬、春季采收，鲜用。

| **功能主治** | 甘，平。用于十二指肠溃疡。

| **用法用量** | 内服适量，煮食。

十字花科 Cruciferae 芸薹属 Brassica

小白菜 *Brassica chinensis* L.

| 药 材 名 | 小白菜（药用部位：叶。别名：青菜、油菜、小油菜）。

| 形态特征 | 草本。基生叶倒卵形或宽倒卵形，长 20 ～ 30 cm，深绿色，有光泽，基部渐狭成宽柄。总状花序顶生，呈圆锥状；花浅黄色；花瓣长圆形，长约 5 mm，先端圆钝，有脉纹，具宽爪。长角果线形，长 2 ～ 6 cm，宽 3 ～ 4 mm，坚硬，无毛，果瓣有明显中脉及网结侧脉；喙先端细，基部宽，长 8 ～ 12 mm；果柄长 8 ～ 30 mm。花期 3 ～ 4 月，果期 4 ～ 5 月。

| 生境分布 | 广东无野生分布。广东各地均有栽培。

| 资源情况 | 各地有栽培。药材主要来源于栽培。

| 采收加工 | 冬、春季采收，鲜用。

| 功能主治 | 甘，凉。解毒除烦，生津止渴，清肺消痰，通利肠胃。用于肺热咳嗽，消渴，便秘，食积，丹毒，漆疮。

| 用法用量 | 内服适量，煮食；或捣汁饮。

| 凭证标本号 | 左景烈 21453。

十字花科 Cruciferae 芸薹属 Brassica

芥菜

Brassica juncea (L.) Czern.

| **药 材 名** | 芥菜子（药用部位：种子。别名：青菜子）。

| **形态特征** | 草本。基生叶宽卵形至倒卵形，长 15 ~ 35 cm，先端圆钝，基部楔形，大头羽裂，具 2 ~ 3 对裂片。总状花序顶生，花后延长；花黄色，直径 7 ~ 10 mm；萼片淡黄色，长圆状椭圆形，长 4 ~ 5 mm，直立开展；花瓣倒卵形，长 8 ~ 10 mm，爪长 4 ~ 5 mm。长角果线形，长 3 ~ 5.5 cm，宽 2 ~ 3.5 mm，果瓣具 1 突出中脉；喙长 6 ~ 12 mm；果柄长 5 ~ 15 mm；种子球形，直径 1 ~ 2 mm，紫褐色。花期 3 ~ 5 月，果期 5 ~ 6 月。

| **生境分布** | 广东无野生分布。广东各地均有栽培。

| **资源情况** | 各地有栽培。药材主要来源于栽培。

| 采收加工 | 春季采收成熟果实，分离出种子，晒干。

| 药材性状 | 本品呈球形、卵球形，直径 1 ~ 2 mm。表面黄色至棕黄色，少数呈暗红棕色，有光泽。研碎后加水浸湿，则产生辛烈的特异臭味。

| 功能主治 | 辛，温。归肺经。利气豁痰，散寒，消肿止痛。用于支气管哮喘，慢性支气管炎，胸胁胀满，寒性脓肿；外用于神经性疼痛，扭伤，挫伤。

| 用法用量 | 内服煎汤，3 ~ 9 g。外用适量，研末醋调敷。

| 凭证标本号 | 陈少卿 7130。

十字花科 Cruciferae 芸薹属 Brassica

芜菁甘蓝 *Brassica napobrassica* (L.) Mill.

| **药 材 名** | 水芥子（药用部位：种子。别名：洋大头菜）。

| **形态特征** | 草本。块根卵球形或纺锤形，肥厚，无辣味，一半在地上为青紫色。

基生叶倒卵形。总状花序；花直径 1.5 ~ 2 cm；花梗长 5 ~ 10 mm；萼片线形，长 4 ~ 5 mm；花瓣浅黄色，倒卵形，长约 1 cm，爪长 3 ~ 5 mm。长角果线形，长 3 ~ 3.5 cm，喙长 3 ~ 5 mm；果柄较粗，开展，长 6 ~ 10 mm。种子卵形，长约 1 mm，黑棕色。花果期 5 ~ 6 月。

| 生境分布 | 广东无野生分布。广东各地均有栽培。

| 资源情况 | 各地有栽培。药材主要来源于栽培。

| 采收加工 | 春季采收成熟果实，分离出种子，晒干。

| 功能主治 | 辛、甘、苦，温。泻湿热，散热毒。用于黄疸，便秘，目疾，乳痈，小儿头疮，无名肿毒，骨疽不愈。

| 用法用量 | 内服煎汤，6 ~ 9 g，研末调水服；或炼蜜为丸，吞服。

十字花科 | Cruciferae 芸薹属 Brassica

塌棵菜 *Brassica narinosa* L. H. Bailey

| 药 材 名 | 塌棵菜（药用部位：全草。别名：瓢儿菜、塌古菜、乌塌菜）。

| 形态特征 | 草本。茎丛生，上部有分枝。基生叶莲座状，圆卵形或倒卵形。总状花序顶生；花淡黄色；萼片长圆形，长 3 ~ 4 mm，先端圆钝；花瓣倒卵形或近圆形，长 5 ~ 7 mm，多脉纹，有短爪。长角果长圆形，长 2 ~ 4 cm，宽 4 ~ 5 mm，扁平，果瓣具明显中脉及网状侧脉；喙宽且粗，长 4 ~ 8 mm；果柄粗壮，长 1 ~ 1.5 cm，伸展或上部弯曲。花期 3 ~ 4 月，果期 5 月。

| 生境分布 | 广东无野生分布。广东各地均有栽培。

| **资源情况** | 各地有栽培。药材主要来源于栽培。

| **采收加工** | 冬、春季采收，鲜用。

| **功能主治** | 甘，凉。滑肠，疏肝，利五脏。用于消渴，便秘，食积。

| **用法用量** | 内服适量，煮食。

十字花科 Cruciferae 芸薹属 Brassica

椰菜
Brassica oleracea L. var. *capitata* L.

| 药 材 名 | 椰菜（药用部位：全草。别名：包菜、卷心菜）。

| 形态特征 | 草本，被粉霜，矮且粗壮。一年生茎肉质，不分枝，绿色或灰绿色。基生叶多数，质厚，层层包裹成球状体，扁球形，直径 10 ~ 30 cm，乳白色或淡绿色。总状花序；花淡黄色；萼片直立，线状长圆形，长 5 ~ 7 mm；花瓣宽椭圆状倒卵形或近圆形，长 13 ~ 15 mm，脉纹明显，先端微缺，基部骤变窄成爪，爪长 5 ~ 7 mm。长角果圆柱形，长 6 ~ 9 cm，宽 4 ~ 5 mm。花期 4 月，果期 5 月。

| 生境分布 | 广东无野生分布。广东各地均有栽培。

资源情况	各地有栽培。药材主要来源于栽培。
采收加工	冬、春季采收，鲜用。
功能主治	甘，平。清热，止痛。用于复合性胃和十二指肠溃疡疼痛。
用法用量	内服捣汁，200 ~ 300 ml，略加温，饭前饮服，每日 2 次，连服 10 日为一疗程。
凭证标本号	石国良 11189。

十字花科 Cruciferae 芸薹属 Brassica

白菜
Brassica pekinensis (Lour.) Skeels

| 药 材 名 | 白菜（药用部位：全草。别名：小白菜、大白菜、黄芽白）。

| 形态特征 | 草本。基生叶多数，大形，倒卵状长圆形至宽倒卵形，长 30 ~ 60 cm，宽不及长的一半，先端圆钝，边缘皱缩、波状，有时具不明显的齿；叶柄白色，扁平，长 5 ~ 9 cm，宽 2 ~ 8 cm，边缘有具缺刻的宽薄翅。花鲜黄色。长角果较粗短，长 3 ~ 6 cm，宽约 3 mm，两侧压扁，直立；种子球形，直径 1 ~ 1.5 mm，棕色。花期 5 月，果期 6 月。

| 生境分布 | 广东无野生分布。广东各地均有栽培。

| 资源情况 | 各地有栽培。药材主要来源于栽培。

| 采收加工 | 冬、春季采收,鲜用。

| 功能主治 | 甘,凉。通肠利胃,消食下气,利小便。用于两肋浮肿,发热疼痛。

| 用法用量 | 内服适量,煮食。

| 凭证标本号 | 440923161204053LY。

十字花科 Cruciferae 芸薹属 Brassica

芜菁
Brassica rapa L.

| **药 材 名** | 芜菁（药用部位：叶、块根。别名：蔓青、变萝、圆根）。

| **形态特征** | 草本。块根肉质，球形、扁圆形或长圆形，外皮白色、黄色或红色，

肉质根白色或黄色，无辣味。基生叶大头羽裂或为复叶。总状花序顶生；花直径 4 ~ 5 mm；花梗长 10 ~ 15 mm；萼片长圆形，长 4 ~ 6 mm；花瓣鲜黄色，倒披针形，长 4 ~ 8 mm，有短爪。长角果线形，长 3.5 ~ 8 cm，果瓣具 1 明显中脉；喙长 10 ~ 20 mm；果柄长达 3 cm。花期 3 ~ 4 月，果期 5 ~ 6 月。

| **生境分布** | 广东无野生分布。广东各地均有栽培。

| **资源情况** | 各地有栽培。药材主要来源于栽培。

| **采收加工** | 冬、春季采收，鲜用。

| **功能主治** | 甘、辛、苦，温。消食下气，止痛，解毒消肿。用于宿食不化，心腹冷痛，咳嗽，疔毒痈肿。

| **用法用量** | 内服适量，煮食；或捣汁饮。

| **凭证标本号** | 侯宽昭 74667。

十字花科 Cruciferae 荠属 Capsella

荠

Capsella bursa-pastoris (L.) Medic.

药材名

荠菜（药用部位：全草。别名：菱角菜、地菜、鸡翼菜）。

形态特征

一年生或二年生草本。基生叶丛生，呈莲座状，大头羽状分裂，长达 12 cm，宽达 2.5 cm。总状花序；花瓣白色，卵形，长 2 ~ 3 mm，有短爪。短角果倒三角形或倒心状三角形，长 5 ~ 8 mm，宽 4 ~ 7 mm，扁平，无毛，先端微凹，裂瓣具网脉；宿存花柱长约 0.5 mm；果柄长 5 ~ 15 mm；种子 2 行，长椭圆形，长约 1 mm，浅褐色。花果期 4 ~ 6 月。

生境分布

生于山坡、田边和路旁。分布于广东乐昌、乳源、连州、连山、连南、南雄、始兴、仁化、英德、阳山、翁源、新丰、连平、和平、龙门、紫金、惠东、五华、兴宁、平远、蕉岭、梅县、大埔、饶平、丰顺、陆丰、斗门、高要、恩平及河源（市区）、深圳（市区）。

资源情况

野生资源较丰富。药材主要来源于野生。

| 采收加工 | 春末夏初采收，晒干。

| 功能主治 | 甘、淡，平。利尿止血，清热解毒。用于肾结石尿血，产后子宫出血，月经过多，肺结核咯血，高血压，感冒发热，肾炎性水肿，尿路结石，乳糜尿，肠炎。

| 用法用量 | 内服煎汤，15 ～ 60 g。

| 凭证标本号 | 441224180330004LY。

十字花科 Cruciferae 碎米荠属 Cardamine

弯曲碎米荠 *Cardamine flexuosa* With.

| 药 材 名 | 弯曲碎米荠（药用部位：全草。别名：曲枝碎米荠、雀儿菜、碎米荠）。

| 形态特征 | 草本。茎自基部多分枝。基生叶有小叶 3 ～ 7 对，顶生小叶卵形、倒卵形或长圆形。总状花序多数，生于枝顶，花小，花梗纤细，长 2 ～ 4 mm；萼片长椭圆形，长约 2.5 mm，边缘膜质；花瓣白色，倒卵状楔形，长约 3.5 mm；雌蕊柱状，花柱极短，柱头扁球状。长角果线形，扁平，长 12 ～ 20 mm，宽约 1 mm，与果序轴近平行排列，果序轴左右弯曲，果柄直立开展，长 3 ～ 9 mm。花期 3 ～ 5 月，果期 4 ～ 6 月。

| 生境分布 | 生于路旁、田边、草地。分布于广东乐昌、乳源、连州、连山、连南、翁源、新丰、连平、和平、龙门、博罗、平远、封开及广州（市区）。

| 资源情况 | 野生资源较丰富。药材主要来源于野生。

| 采收加工 | 夏、秋季采收，晒干。

| 功能主治 | 苦、甘，微寒。清热解毒，活血止痛。用于咽喉肿痛，扁桃体炎，感冒头痛，气管炎，慢性肝炎，风湿关节痛，蛇虫咬伤。

| 用法用量 | 内服煎汤，30 ~ 60 g；或制成各种剂型。

| 凭证标本号 | 440281190423011LY。

| 附　　注 | 本种全草对食管癌、贲门癌、肝癌、乳腺癌、直肠癌等可缓解症状，延长生存率。

碎米荠 *Cardamine hirsuta* L.

| 药 材 名 | 碎米荠（药用部位：全草）。

| 形态特征 | 草本。基生叶有小叶 2 ~ 5 对，顶生小叶肾形或肾圆形，长 4 ~ 10 mm，宽 5 ~ 13 mm，边缘有 3 ~ 5 圆齿；小叶柄明显。总状花序生于枝顶，花小，直径约 3 mm；萼片绿色或淡紫色，长椭圆形，长约 2 mm，边缘膜质，外面有疏毛；花瓣白色，倒卵形，长 3 ~ 5 mm，先端钝，向基部渐狭；花丝稍扩大；雌蕊柱状，花柱极短，柱头扁球形。长角果线形，稍扁，无毛，长达 30 mm；果柄纤细，直立开展，长 4 ~ 12 mm。花期 2 ~ 4 月，果期 4 ~ 6 月。

| 生境分布 | 生于海拔 1 000 m 以下的山坡、荒地、路旁等湿地。广东各地均有分布。

| 资源情况 | 野生资源较丰富。药材主要来源于野生。

| 采收加工 | 春、夏季采收，晒干。

| 功能主治 | 甘，凉。祛风，解热毒，清热利湿。用于尿道炎，膀胱炎，痢疾，白带；外用于疔疮。

| 用法用量 | 内服煎汤，15 ～ 39 g。外用适量，鲜品捣敷。

| 凭证标本号 | 441523200108002LY。

十字花科 Cruciferae 碎米荠属 Cardamine

堇叶碎米荠 *Cardamine violifolia* O. E. Schulz [*Cardamine circaeoides* Hook. f. et Thoms.]

| 药 材 名 |

堇叶碎米荠（药用部位：全草）。

| 形态特征 |

草本。单叶，基生叶有长柄，叶柄基部稍扩大；叶片心形或近圆形，长 15 ~ 50 mm，宽 20 ~ 65 mm，先端圆或微凹，有细小短尖头，基部心形。总状花序，花梗长约 1 cm；花萼长椭圆形，长约 3 mm；花瓣白色，有香气，倒卵状楔形，长约 5 mm；花丝稍扩大，花药长卵形；雌蕊柱状，花柱不明显，柱头扁球形。长角果线形，长 15 ~ 28 mm；种子椭圆形，长约 1 mm。花期 2 ~ 4 月，果期 4 ~ 6 月。

| 生境分布 |

生于海拔 500 m 的山谷、水旁、林下湿润处。分布于广东仁化、乐昌。

| 资源情况 |

野生资源较少。药材主要来源于野生。

| 采收加工 |

春、夏季采集，洗净，晒干。

| 功能主治 | 清热利湿，利小便，止痛。用于黄水疮，筋骨疼痛等。

| 用法用量 | 内服煎汤，15 ～ 20 g。

十字花科 Cruciferae 臭荠属 Coronopus

臭荠 *Coronopus didymus* (L.) J. E. Smith

| 药 材 名 |

臭荠（药用部位：全草。别名：臭滨芥）。

| 形态特征 |

草本。全体有臭味。叶为 1 ~ 2 回羽状全裂，裂片 3 ~ 5 对，线形或窄长圆形，长 4 ~ 8 mm，宽 0.5 ~ 1 mm，先端急尖，基部楔形，全缘，两面无毛；叶柄长 5 ~ 8 mm。花极小，直径约 1 mm；萼片具白色膜质边缘；花瓣白色，长圆形，比萼片稍长，或无花瓣；雄蕊通常 2。短角果肾形，长约 1.5 mm，宽 2 ~ 2.5 mm，2 裂，果瓣半球形，表面有粗糙皱纹，成熟时分离成 2 瓣。花期 3 月，果期 4 ~ 5 月。

| 生境分布 |

生于路边、荒地。广东各地均有分布。

| 资源情况 |

野生资源较丰富。药材主要来源于野生。

| 采收加工 |

春、夏季采收，晒干。

| **功能主治** | 辛、微苦，平。清热明目，利尿通淋。用于火眼，热淋涩痛。

| **用法用量** | 内服煎汤，10 ~ 30 g。

| **凭证标本号** | 曾宪锋 ZXF2052。

十字花科 Cruciferae 菘蓝属 Isatis

菘蓝
Isatis indigotica Fortune

| 药 材 名 |

板蓝根（药用部位：根。别名：北板蓝根）。

| 形 态 特 征 |

草本。主根直径 5 ~ 10 mm，灰黄色。基生叶莲座状，长圆形至宽倒披针形，长 5 ~ 15 cm，宽 1.5 ~ 4 cm，先端钝或尖，基部渐狭，全缘或稍具波状齿，具柄；基生叶长椭圆形或长圆状披针形。萼片宽卵形或宽披针形，长 2 ~ 2.5 mm；花瓣黄白色，宽楔形，长 3 ~ 4 mm，先端近平截，具短爪。短角果近长圆形，扁平，无毛，边缘有翅；果柄细长，微下垂。花期 4 ~ 5 月，果期 5 ~ 6 月。

| 生境分布 |

广东无野生分布。广东广州（市区）有栽培。

| 资源情况 |

有少量栽培。药材主要来源于栽培。

| 采收加工 |

秋末冬初采挖，除去叶片，抖净泥土，理直，晒至七八成干，捆成小把，晒至足干。

药材性状	本品呈细长圆柱形，常微弯，长 10 ~ 20 cm，直径 0.5 ~ 1 cm，根头部膨大，其上着生暗绿色、轮状排列的叶柄残基和许多疣状突起。表面灰黄色或浅棕色，有纵皱纹及横生皮孔，并有支根或支根痕。质坚实而脆，具粉性，易折断，断面略平坦，皮部浅棕色，木部黄色。以根条长、粗大、色白、粉性足者为佳。
功能主治	苦，寒。清热解毒，凉血利咽。用于流行性乙型脑炎，腮腺炎，上呼吸道感染，肺炎，急性肝炎，热病发癫，丹毒，疔疮肿毒，蛇咬伤。
用法用量	内服煎汤，10 ~ 30 g。

十字花科 Cruciferae 独行菜属 Lepidium

独行菜 *Lepidium apetalum* Willd.

| 药 材 名 | 北葶苈子（药用部位：种子。别名：苦葶苈子、葶苈子）。 |

| 形态特征 | 草本。基生叶窄匙形，1回羽状浅裂或深裂，长3～5 cm，常脱落；叶柄长1～2 cm；茎生叶线形，有疏齿或全缘。花极小，排成顶生的总状花序，果时延长达5 cm；萼片早落，卵形，长约0.8 mm，外面有柔毛；花瓣不存在或退化成丝状；雄蕊2或4。短角果近圆形或椭圆形，长2～3 mm，扁平，先端微缺，上部有窄翅；种子卵状椭圆形，长1～1.5 mm，平滑，棕红色。花果期5～7月。 |

| 生境分布 | 生于路旁或山谷。分布于广东珠江口岛屿。 |

| 资源情况 | 野生资源较少。药材主要来源于野生。 |

| 采收加工 |

夏季初果实成熟时采收，晒干。

| 药材性状 |

本品呈扁卵形，长 1 ~ 1.5 mm，棕色或红棕色，微有光泽，具纵沟 2，其中 1 较明显，一端钝圆，另一端微凹，种脐位于凹入处。无臭，味微辛、辣，黏性较强。

| 功能主治 |

辛、苦，寒。祛痰定喘，泻肺利水。用于喘咳痰多，胸胁满闷，水肿，小便不利。

| 用法用量 |

内服煎汤，3 ~ 9 g。

| 凭证标本号 |

442000180418050LY。

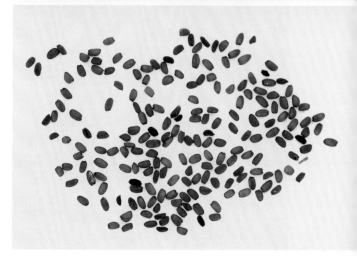

十字花科 Cruciferae 独行菜属 Lepidium

北美独行菜 *Lepidium virginicum* L.

| 药 材 名 | 北美独行菜（药用部位：种子。别名：辣菜、美洲独行菜、葶苈子）。 |

| 形态特征 | 草本。基生叶倒披针形，长 1 ~ 5 cm，羽状分裂或大头羽裂，裂片大小不等，卵形或长圆形；茎生叶倒披针形或线形，长 1.5 ~ 5 cm，宽 2 ~ 10 mm，先端急尖。总状花序顶生；萼片椭圆形，长约 1 mm；花瓣白色，倒卵形，与萼片等长或较之稍长；雄蕊 2 或 4。短角果近圆形，长 2 ~ 3 mm，宽 1 ~ 2 mm，扁平，有窄翅，先端微缺，花柱极短；果柄长 2 ~ 3 mm。花期 4 ~ 5 月，果期 6 ~ 7 月。 |

| 生境分布 | 生于田边或荒地上。广东各地均有分布。 |

| 资源情况 | 野生资源较丰富。药材主要来源于野生。 |

| 采收加工 | 夏季采收，晒干。

| 功能主治 | 辛，寒。泻肺行水，祛痰消肿，止咳定喘。用于喘急咳逆，面目浮肿，肺痈，渗出性肠膜炎。

| 用法用量 | 内服煎汤，6 ~ 10 g。

| 凭证标本号 | 440281190702004LY。

十字花科 Cruciferae 紫罗兰属 Matthiola

紫罗兰 *Matthiola incana* (L.) R. Br.

| 药 材 名 | 紫罗兰（药材来源：种子油）。

| 形态特征 | 草本。叶长圆形至倒披针形或匙形。总状花序，花多数，较大，花序轴果期伸长；萼片直立，长椭圆形；花瓣紫红色、淡红色或白色，近卵形，长约 12 mm，先端浅 2 裂或微凹，边缘波状，下部具长爪；花丝向基部逐渐扩大；子房圆柱形，柱头微 2 裂。长角果圆柱形，长 7 ~ 8 cm，直径约 3 mm，果瓣中脉明显，先端浅裂；果柄粗壮，长 10 ~ 15 mm。花期 4 ~ 5 月。

| 生境分布 | 广东无野生分布。广东广州（市区）、深圳（市区）、中山（市区）有栽培。

| 资源情况 | 有少量栽培。药材主要来源于栽培。

| 采收加工 | 种子成熟时采收，榨油，精制种子油。

| 功能主治 | 用于动脉硬化，慢性炎症，冠心病，糖尿病，牛皮癣，恶性肿瘤。

十字花科 Cruciferae 豆瓣菜属 Nasturtium

西洋菜 *Nasturtium officinale* R. Br.

| **药 材 名** | 西洋菜（药用部位：全草。别名：豆瓣菜、凉菜、水田芥）。

| **形态特征** | 草本。茎匍匐或浮水生，多分枝，节上生不定根。奇数羽状复叶，小叶片 3 ~ 7，宽卵形、长圆形或近圆形。总状花序，花多数；萼片长卵形，长 2 ~ 3 mm，宽约 1 mm，边缘膜质，基部略呈囊状；花瓣白色，倒卵形或宽卵形，具脉纹，长 3 ~ 4 mm，宽 1 ~ 1.5 mm，先端圆，基部渐狭成细爪。长角果圆柱形而扁，长 15 ~ 20 mm，宽 1.5 ~ 2 mm。花期 4 ~ 5 月，果期 6 ~ 7 月。

| **生境分布** | 广东各地均有栽培。广东乐昌有时逸出为野生。

| **资源情况** | 常见栽培。药材主要来源于栽培。

| **采收加工** | 冬、春季采收，鲜用或晒干。

| **功能主治** | 甘，凉。清热利尿，润燥止咳。用于气管炎，肺热咳嗽，皮肤瘙痒，坏血病等。

| **用法用量** | 内服适量，煎汤或煮食。

| **凭证标本号** | 44078320042 6007LY。

十字花科 Cruciferae 萝卜属 Raphanus

萝卜

Raphanus sativus L.

| **药 材 名** | 莱菔子（药用部位：种子）。

| **形态特征** | 草本。直根肉质，长圆形、球形或圆锥形，外皮绿色、白色或红色。基生叶和下部茎生叶大头羽状半裂，长 8 ~ 30 cm，宽 3 ~ 5 cm，顶裂片卵形，侧裂片 4 ~ 6 对，长圆形。总状花序；花白色或粉红色，直径 1.5 ~ 2 cm；花瓣倒卵形，长 1 ~ 1.5 cm，具紫纹，下部有长 5 mm 的爪。长角果圆柱形，长 3 ~ 6 cm，宽 10 ~ 12 mm，在相邻种子间处缢缩，并形成海绵质横隔。花期 4 ~ 5 月，果期 5 ~ 6 月。

| **生境分布** | 广东无野生分布。广东各地均有栽培。

| **资源情况** | 常见栽培。药材主要来源于栽培。

| 采收加工 | 春季种子成熟时采收，晒干。

| 药材性状 | 本品呈卵圆形或椭圆形，稍扁，微有棱角，长 2.5 ～ 4 mm，宽 2 ～ 3 mm，黄棕色或灰棕色；一端有深棕色圆形种脐，一端有数条纵沟；种皮薄而脆。质稍硬，破开后可见黄白色折叠的子叶 2，有油性。无臭，味淡、微苦、辛。以颗粒饱满者为佳。

| 功能主治 | 甘、辛，平。下气定喘，化痰消食。用于胸腹胀满，食积气滞作痛，痰喘咳嗽，下痢后重。

| 用法用量 | 内服煎汤，4.5 ～ 9 g。

| 凭证标本号 | 441422190330183LY。

十字花科 Cruciferae 蔊菜属 Rorippa

广州蔊菜
Rorippa cantoniensis (Lour.) Ohwi

药 材 名	广州蔊菜（药用部位：全草。别名：微子蔊菜、广东葶苈）。
形态特征	草本。基生叶具柄,基部扩大贴茎,叶片羽状深裂或浅裂,长4～7 cm,宽1～2 cm。总状花序,花黄色,近无梗,每花生于叶状苞片腋部；萼片4,宽披针形；花瓣4,倒卵形,基部渐狭成爪,稍长于萼片；雄蕊6,近等长,花丝线形。短角果圆柱形,长6～8 mm,宽1.5～2 mm,柱头短,头状。花期3～4月,果期4～6月。
生境分布	生于田边、河边、山沟、路旁湿地。分布于广东翁源、高要、阳春及清远（市区）、广州（市区）、深圳（市区）。
资源情况	野生资源较丰富。药材主要来源于野生。

| **采收加工** | 春、夏季采收，晒干。 |

| **功能主治** | 甘、淡，凉。清热，镇咳。用于感冒发热，肺炎，肺热咳嗽，咯血，咽喉肿痛。 |

| **用法用量** | 内服煎汤，20 ～ 30 g。 |

| **凭证标本号** | 441823200102009LY。 |

无瓣蔊菜 *Rorippa dubia* (Pers.) Hara

| 药 材 名 | 无瓣蔊菜（药用部位：全草。别名：野菜子、铁菜子、野油菜）。

| 形态特征 | 草本。单叶互生，纸质，基生叶与茎下部叶倒卵形或倒卵状披针形，长 3 ~ 8 cm，宽 1.5 ~ 3.5 cm，多数呈大头羽状分裂。总状花序，花小，多数，具细花梗；萼片 4，直立，披针形至线形，长约 3 mm，宽约 1 mm，边缘膜质；无花瓣；雄蕊 6，2 较短。长角果线形，长 2 ~ 3.5 cm，宽约 1 mm，细而直；果柄纤细，斜升或近水平开展。花期 4 ~ 6 月，果期 6 ~ 8 月。

| 生境分布 | 生于河边、路旁、田边湿地。分布于广东乳源、连州、仁化、高要、罗定、阳春及广州（市区）、云浮（市区）、深圳（市区）。

| **资源情况** | 野生资源较丰富。药材主要来源于野生。

| **采收加工** | 春、夏季采收，晒干。

| **功能主治** | 甘、淡，凉。清热解毒，镇咳利尿。用于感冒发热，咽喉肿痛，肺热咳嗽，慢性支气管炎，急性风湿性关节炎，肝炎，小便不利；外用于漆疮，蛇咬伤，疔疮痈肿。

| **用法用量** | 内服煎汤，30 ~ 60 g。外用适量，鲜品捣敷。

| **凭证标本号** | 441827180323017LY。

十字花科 Cruciferae 蔊菜属 Rorippa

风花菜 *Rorippa globosa* (Turcz.) Vassilcz

| 药 材 名 | 风花菜（药用部位：全草。别名：球果蔊菜、银条菜）。

| 形态特征 | 草本。叶片长圆形至倒卵状披针形。总状花序呈圆锥花序式排列；花小，黄色；萼片4，长卵形，基部等大，边缘膜质；花瓣4，倒卵形，与萼片等长或稍短，基部渐狭成短爪；雄蕊6，4强或近等长。短角果近球形，直径约2 mm，果瓣隆起，平滑无毛，有不明显网纹，先端具宿存短花柱。花期5～6月，果期7～9月。

| 生境分布 | 生于河岸、湿地、路旁、沟边、草丛中或干旱处。分布于广东高要及广州（市区）。

| 资源情况 | 野生资源较少。药材主要来源于野生。

| **采收加工** | 夏季采收，洗净，晒干。

| **功能主治** | 甘、淡，凉。凉血。用于乳痈。

| **用法用量** | 内服煎汤，30 ～ 60 g。

| **凭证标本号** | 440783200328020LY。

十字花科 Cruciferae 蔊菜属 Rorippa

蔊菜
Rorippa indica (L.) Hiern

| 药 材 名 | 蔊菜（药用部位：全草。别名：印度蔊菜、辣豆菜、野油菜）。

| 形态特征 | 草本。基生叶及茎下部叶具长柄，叶形多变化，通常大头羽状分裂，长 4 ~ 10 cm，宽 1.5 ~ 2.5 cm。总状花序，花小，多数；萼片 4，卵状长圆形，长 3 ~ 4 mm；花瓣 4，黄色，匙形，基部渐狭成短爪。长角果线状圆柱形，短而粗，长 1 ~ 2 cm，宽 1 ~ 1.5 mm，直立或稍内弯，成熟时果瓣隆起。花期 4 ~ 6 月，果期 6 ~ 8 月。

| 生境分布 | 生于路旁、河边、田边等潮湿处。广东各地均有分布。

| 资源情况 | 野生资源较丰富。药材主要来源于野生。

| 采收加工 | 夏、秋季采收，晒干。

| 功能主治 | 甘、淡，凉。清热利尿，凉血解毒。用于感冒发热，肺炎，肺热咳嗽，咯血，咽喉肿痛，失音，小便不利，急性风湿性关节炎，水肿，慢性支气管炎，肝炎；外用于蛇咬伤，疔疮痈肿。

| 用法用量 | 内服煎汤，30 ~ 60 g。外用适量，鲜品捣敷。

| 凭证标本号 | 440783190608018LY。

董菜科 Violaceae 董菜属 Viola

戟叶堇菜
Viola betonicifolia J. E. Smith

| 药 材 名 | 戟叶堇菜（药用部位：全草。别名：尼泊尔堇菜、箭叶堇菜）。

| 形态特征 | 草本，无地上茎。叶多数，均基生，莲座状；叶片狭披针形、长三角状戟形或三角状卵形。花白色或淡紫色，有深色条纹；萼片卵状披针形，长 5 ~ 6 mm，先端渐尖，基部附属物较短；上方花瓣倒卵形，长 1 ~ 1.2 cm，侧方花瓣长圆状倒卵形，长 1 ~ 1.2 cm，下方花瓣通常稍短，连距长 1.3 ~ 1.5 cm；距管状，稍短而粗；子房卵球形，长约 2 mm，无毛。蒴果椭圆形至长圆形。花果期 4 ~ 9 月。

| 生境分布 | 生于田野、路旁、山坡草地或林中。分布于广东乐昌、乳源、连州、始兴、平远、徐闻及东莞（市区）。

| 资源情况 | 野生资源较丰富。药材主要来源于野生。

| 采收加工 | 全年均可采收，鲜用。

| 功能主治 | 微苦、辛，寒。清热解毒，拔毒消肿。用于疮疖肿毒，跌打损伤，刀伤出血，目赤肿痛，黄疸，肠痛，喉痛。

| 用法用量 | 内服煎汤，9 ~ 15 g。外用适量，鲜品捣敷。

| 凭证标本号 | 440523190720012LY。

| 董菜科 | Violaceae | 董菜属 | Viola

深圆齿堇菜 *Viola davidii* Franch.

| **药 材 名** | 深圆齿堇菜（药用部位：全草）。

| **形态特征** | 草本。叶基生，圆形或肾形，先端圆钝，基部浅心形或截形，边缘具较深圆齿。花白色或淡紫色；萼片披针形，长3～5 mm，宽1.5～2 mm，先端稍尖，基部附属物短，末端截形，边缘膜质；花瓣倒卵状长圆形，上方花瓣长1～1.2 cm，宽约4 mm，侧方花瓣与上方花瓣近等大，下方花瓣较短，有紫色脉纹；子房球形，花柱棍棒状。蒴果椭圆形，长约7 mm。花期3～6月，果期5～8月。

| **生境分布** | 生于海拔500～1 200 m的疏林中或沟边阴湿处。分布于广东乐昌、乳源、连州、连山、和平、广宁。

| 资源情况 | 野生资源较少。药材主要来源于野生。

| 采收加工 | 夏季采集，去除杂质，晒干。

| 功能主治 | 苦，寒。清热解毒，散瘀消肿。用于风火眼肿，跌打损伤，无名肿毒，刀伤，毒蛇咬伤。

| 用法用量 | 内服煎汤，20 ～ 30 g。

| 凭证标本号 | 440224180331001LY。

堇菜科 Violaceae 堇菜属 *Viola*

蔓茎堇菜 *Viola diffusa* Ging.

| 药 材 名 | 匍匐堇菜（药用部位：全草）。

| 形态特征 | 草本。全体被糙毛或白色柔毛。匍匐枝先端具莲座状叶丛，通常生不定根。基生叶多数，丛生成莲座状，或于匍匐枝上互生；叶片卵形或卵状长圆形。花淡紫色或浅黄色；萼片披针形；侧方花瓣倒卵形或长圆状倒卵形，下方花瓣连距长约 6 mm，显著较其他花瓣短；下方 2 雄蕊背部的距短而宽，呈三角形；子房无毛。花期 3 ~ 5 月，果期 5 ~ 8 月。

| 生境分布 | 生于山谷溪边林下或潮湿的岩石上。广东各地均有分布。

| 资源情况 | 野生资源较丰富。药材主要来源于野生。

| **采收加工** | 夏、秋季采收，晒干。

| **功能主治** | 苦、微辛，寒。消肿排脓，清热解毒，生肌接骨。用于肝炎，百日咳，目赤肿痛；外用于急性乳腺炎，疔疮痈疖，带状疱疹，毒蛇咬伤，跌打损伤。

| **用法用量** | 内服煎汤，15 ~ 30 g。外用适量，鲜品捣敷。

| **凭证标本号** | 440281190427038LY。

菫菜科 Violaceae 菫菜属 Viola

紫花菫菜 *Viola grypoceras* A. Gray

| 药 材 名 |

紫花菫菜（药用部位：全草。别名：地黄瓜、黄瓜香、肾气草）。

| 形态特征 |

草本。基生叶心形或宽心形，长 1 ~ 4 cm，宽 1 ~ 3.5 cm，先端钝或微尖，基部弯缺狭。花淡紫色，无芳香；萼片披针形，长约 7 mm，有褐色腺点，先端锐尖，基部附属物长约 2 mm，末端截形，具浅齿；花瓣倒卵状长圆形，有褐色腺点，下瓣连距长 1.5 ~ 2 cm；距长 6 ~ 7 mm，直径约 2 mm，通常向下弯，稀直伸；下方 2 雄蕊具长距，距近直立；子房无毛。蒴果椭圆形，长约 1 cm，密生褐色腺点，先端短尖。花期 4 ~ 5 月，果期 6 ~ 8 月。

| 生境分布 |

生于海拔 600 ~ 1 000 m 的山谷林中阴湿处。分布于广东乳源、连州、连山、连南。

| 资源情况 |

野生资源较丰富。药材主要来源于野生。

| **采收加工** | 夏、秋季采收，鲜用。

| **功能主治** | 微苦，凉。清热解毒，止血，化瘀消肿。外用于无名肿毒，刀伤，跌打肿痛。

| **用法用量** | 外用适量，鲜品捣敷。

| **凭证标本号** | 441882180814059LY。

董菜科 Violaceae 董菜属 Viola

如意草
Viola hamiltoniana D. Don

| 药 材 名 | 如意草（药用部位：全草。别名：弧茎董菜）。

| 形态特征 | 草本。匍匐枝蔓生，长可达 40 cm。基生叶三角状心形或卵状心形。花淡紫色或白色，由茎生叶或匍匐枝的叶腋抽出，具长梗，在花梗中部以上有 2 线形小苞片；萼片卵状披针形，长约 4 mm，先端尖；花瓣狭倒卵形，长约 7.5 mm，侧方花瓣具暗紫色条纹，里面基部疏生短须毛，下方花瓣较短，有明显的暗紫色条纹，基部具长约 2 mm 的短距；下方雄蕊的距粗而短，长与花药近相等。蒴果长圆形。花果期全年。

| 生境分布 | 生于山谷林中阴湿处。分布于广东乐昌。

| 资源情况 | 野生资源较少。药材主要来源于野生。

| 采收加工 | 夏、秋季采收，晒干。

| 功能主治 | 辛、微酸，寒。清热解毒，止血，化瘀消肿。用于热毒疮疡，乳痈，跌打瘀肿，开放性骨折，金疮出血，蛇虫咬伤。

| 用法用量 | 内服煎汤，9 ~ 15 g。外用适量，鲜品捣敷。

| 凭证标本号 | 441825190414013LY。

董菜科 Violaceae 董菜属 Viola

长萼堇菜

Viola inconspicua Blume [*Viola confusa* Champ. ex Benth.]

| **药 材 名** | 长萼堇菜（药用部位：全草。别名：毛堇菜、犁头草、紫花地丁）。

| **形态特征** | 草本。叶均基生，呈莲座状；叶片三角形、三角状卵形或戟形，长 1.5 ~ 7 cm，宽 1 ~ 3.5 cm。花淡紫色，有暗色条纹；萼片卵状披针形或披针形，长 4 ~ 7 mm，先端渐尖，基部附属物伸长，长 2 ~ 3 mm，末端具缺刻状浅齿，具狭膜质的边缘；花瓣长圆状倒卵形，长 7 ~ 9 mm，侧方花瓣里面基部有须毛，下方花瓣连距长 10 ~ 12 mm；距管状，长 2.5 ~ 3 mm，直，末端钝；子房球形。蒴果长圆形，长 8 ~ 10 mm，无毛。花果期 3 ~ 11 月。

| **生境分布** | 生于田边、溪边、村旁潮湿地或山地林缘。广东各地均有分布。

| **资源情况** | 野生资源较丰富。药材主要来源于野生。

| **采收加工** | 夏、秋季采收，晒干。

| **功能主治** | 苦、微辛，寒。消炎解毒，凉血消肿。用于急性结膜炎，咽喉炎，乳腺炎，急性黄疸性肝炎，痈疖肿毒，化脓性骨髓炎，毒蛇咬伤。

| **用法用量** | 内服煎汤，干品 15 ～ 30 g，鲜品 30 ～ 60 g。外用适量，鲜品捣敷。

| **凭证标本号** | 440783200329008LY。

董菜科 Violaceae 董菜属 Viola

江西董菜
Viola kiangsiensis W. Beck.

药 材 名	江西董菜（药用部位：全草。别名：福建董菜）。
形态特征	草本，无地上茎。匍匐枝纤细，长20～30 cm。叶长圆状卵形或卵形，长2～8 cm，宽1.5～4 cm。花淡紫色；萼片披针形，长约4 mm；花瓣通常沿脉纹有腺点，上方2花瓣长圆形，侧方2花瓣长圆状倒卵形，里面基部有须毛，下方1花瓣较短而窄，呈长圆状倒卵形；距管状，长2～2.5 mm，稍下弯；子房卵球形。蒴果近球形或长圆形，无毛。花期春、夏季，果期秋季。
生境分布	生于海拔600～1 400 m的山谷林下或溪边。分布于广东乐昌、仁化、新丰、从化、信宜。

| 资源情况 | 野生资源较少。药材主要来源于野生。 |

| 采收加工 | 夏、秋季采收，鲜用。 |

| 功能主治 | 苦、微辛，寒。消肿排脓。用于疔疮肿毒。 |

| 用法用量 | 外用适量，鲜品捣敷。 |

| 凭证标本号 | 周劲松 1569。 |

堇菜科 Violaceae 堇菜属 Viola

萱
Viola moupinensis Franch.

| 药 材 名 | 萱（药用部位：全草。别名：黄堇、白三百棒、筋骨七）。

| 形态特征 | 草本，无地上茎。有时具长达 30 cm、上升的匍匐枝，枝端簇生数枚叶片。叶基生；叶片心形或肾状心形；叶柄有翅。花较大，淡紫色或白色，具紫色条纹；萼片披针形或狭卵形；花瓣长圆状倒卵形，侧方花瓣里面近基部有须毛，下方花瓣连距长约 1.5 cm；距囊状，较粗，明显长于萼片的附属物；子房无毛。蒴果椭圆形，长约 1.5 cm，无毛，有褐色腺点。花期 4 ~ 6 月，果期 5 ~ 7 月。

| 生境分布 | 生于海拔 600 ~ 1 000 m 的阔叶林下。分布于广东乐昌、乳源、连州、连山、连南。

| 资源情况 | 野生资源较丰富。药材主要来源于野生。

| 采收加工 | 全年均可采收，鲜用。

| 功能主治 | 苦、微辛，寒。消炎，止痛。外用于乳腺炎，刀伤，开放性骨折，疔疮肿毒。

| 用法用量 | 外用适量，鲜品捣敷。

| 凭证标本号 | 曾宪锋 ZXF1680。

董菜科 Violaceae 董菜属 Viola

紫花地丁 *Viola philippica* Cav.

| 药 材 名 | 地丁（药用部位：全草。别名：铧头草、宝剑草、地黄瓜）。

| 形态特征 | 草本，无地上茎。叶基生，莲座状，呈三角状卵形或狭卵形，上部者较长，呈长圆形、狭卵状披针形或长圆状卵形。花紫堇色或淡紫色，稀呈白色，喉部色较淡并带有紫色条纹；萼片卵状披针形或披针形，长 5 ~ 7 mm；花瓣倒卵形或长圆状倒卵形，侧方花瓣长 1 ~ 1.2 cm，下方花瓣连距长 1.3 ~ 2 cm，里面有紫色脉纹；距细管状，长 4 ~ 8 mm，末端圆；子房卵形，无毛，花柱棍棒状。蒴果长圆形，长 5 ~ 12 mm，无毛。花果期 4 ~ 9 月。

| 生境分布 | 生于山谷溪边林下或路旁。分布于广东乐昌、乳源、连州、连山、连南、南雄、始兴、阳山。

| **资源情况** | 野生资源较丰富。药材主要来源于野生。

| **采收加工** | 夏、秋季采收,晒干。

| **功能主治** | 微苦,寒。清热解毒,凉血消肿。用于疔痈疮疖,丹毒,蜂窝织炎,乳腺炎,目赤肿痛,咽炎,黄疸性肝炎,尿路感染,肠炎,毒蛇咬伤。

| **用法用量** | 内服煎汤,15 ~ 30 g。外用适量,鲜品捣敷。

| **凭证标本号** | 440224181203020LY。

董菜科 Violaceae 董菜属 Viola

庐山董菜 *Viola stewardiana W. Beck.*

| **药 材 名** | 庐山董菜（药用部位：全草。别名：拟蔓地草）。

| **形态特征** | 草本。基生叶莲座状，叶片三角状卵形；茎生叶叶片长卵形、菱形或三角状卵形。花淡紫色；萼片狭卵形，长 3 ~ 3.5 mm，先端具短尖；花瓣先端具微缺，上方花瓣匙形，长约 8 mm，侧方花瓣长圆形，里面基部无须毛，下方花瓣倒长卵形，连距长约 1.4 cm；距长约 6 mm，向下弯，末端钝；下方 2 雄蕊无距；子房卵球形。蒴果近球形。花期 4 ~ 7 月，果期 5 ~ 9 月。

| **生境分布** | 生于海拔 400 ~ 1 000 m 的山谷河边沙地或林中湿润的岩石缝中。分布于广东乐昌、乳源、连州、连山、连南。

| **资源情况** | 野生资源较丰富。药材主要来源于野生。

| **采收加工** | 夏、秋季采收，鲜用。

| **功能主治** | 微苦，寒。清热解毒，消肿止痛。外用于疔疮肿毒。

| **用法用量** | 外用适量，鲜品捣敷。

| **凭证标本号** | 周劲松 1570。

菫菜科 Violaceae 菫菜属 Viola

三角叶菫菜
Viola triangulifolia W. Beck.

| 药 材 名 | 三角叶菫菜（药用部位：全草。别名：蔓地犁、犁头草、蔓地草）。 |

| 形态特征 | 草本。地上茎直立，较细弱。基生叶 2 ～ 5，叶片宽卵形或卵形；茎生叶叶片卵状三角形至狭三角形。花白色，有紫色条纹；萼片卵状披针形或披针形；上方花瓣长倒卵形，侧方花瓣长圆形，下方花瓣较短，呈匙形；子房卵球形，长 1.5 mm。蒴果较小，椭圆形，长 5 ～ 6 mm，无毛。花果期 4 ～ 6 月。 |

| 生境分布 | 生于海拔 1 000 m 以下的山谷疏林或水旁。分布于广东乐昌、乳源、连州、连山、连南、英德。 |

| 资源情况 | 野生资源较少。药材主要来源于野生。 |

| **采收加工** | 秋季采收，晒干。

| **功能主治** | 微苦，寒。清热消炎。用于毒蛇咬伤，结膜炎。

| **用法用量** | 内服煎汤，20 ～ 30 g。

| **凭证标本号** | 441882180505020LY。

董菜科 Violaceae 董菜属 Viola

三色堇

Viola tricolor L. var. *hortensis* DC.

| **药 材 名** | 三色堇（药用部位：全草。别名：鬼脸花）。

| **形态特征** | 草本。地上茎较粗，直立或稍倾斜。基生叶长卵形或披针形；茎生叶卵形、长圆状圆形或长圆状披针形。花大，直径 3.5 ~ 6 cm，常每花有紫色、白色和黄色三色；萼片绿色，长圆状披针形；上方花瓣深紫堇色，侧方及下方花瓣均为三色，有紫色条纹，侧方花瓣里面基部密被须毛；下方花瓣的距较细，长 5 ~ 8 mm；子房无毛，花柱短。蒴果椭圆形，长 8 ~ 12 mm。

| **生境分布** | 广东无野生分布。广东各地均有栽培。

| **资源情况** | 有少量栽培。药材主要来源于栽培。

| **采收加工** | 夏、秋季采收，晒干。 |

| **功能主治** | 苦，寒。止咳，利尿。用于疮疡肿毒，小儿湿疹，小儿瘰疬，咳嗽。 |

| **用法用量** | 内服煎汤，9 ~ 15 g。外用适量，鲜品捣敷。 |

| **凭证标本号** | 陈卿 204。 |

董菜科 Violaceae **董菜属** Viola

董菜
Viola verecunda A. Gray

| 药 材 名 | 董菜（药用部位：全草。别名：罐嘴菜、小犁头草）。

| 形态特征 | 草本。地上茎数条丛生。基生叶叶片宽心形、卵状心形或肾形，长 1.5 ~ 3cm；茎生叶与基生叶相似。花白色或淡紫色，生于茎生叶的叶腋，具细弱的花梗；花梗远长于叶片，中部以上有 2 近对生的线形小苞片；萼片卵状披针形，长 4 ~ 5 mm；上方花瓣长倒卵形，长约 9 mm，宽约 2 mm，侧方花瓣长圆状倒卵形。蒴果长圆形或椭圆形，长约 8 mm。花果期 5 ~ 10 月。

| 生境分布 | 生于海拔 500 ~ 1 400 m 的山谷沟边。分布于广东乐昌、乳源、连州、连山、阳山、英德、仁化、翁源、新丰、从化、龙门、连平、博罗、平远、惠东、大埔、饶平、丰顺、高要、恩平、阳春、封开及清远（市

区）、河源（市区）、云浮（市区）、深圳（市区）。

| 资源情况 | 野生资源较丰富。药材主要来源于野生。

| 采收加工 | 夏季采收，晒干。

| 功能主治 | 微苦，凉。清热解毒，止咳，止血。用于肺热咯血，扁桃体炎，结膜炎，腹泻；外用于疮疖肿毒，外伤出血，毒蛇咬伤。

| 用法用量 | 内服煎汤，30 ~ 60 g。外用适量，鲜品捣敷。

| 凭证标本号 | 440281190426001LY。

远志科 Polygalaceae 远志属 Polygala

小花远志 *Polygala arvensis* Willd.

药材名

金牛草（药用部位：全草。别名：小金牛草、小兰青）。

形态特征

草本。叶倒卵形、长圆形或椭圆状长圆形。总状花序腋生或腋外生；萼片5；花瓣3，白色或紫色，侧瓣三角状菱形，长约1.5 mm，宽约1 mm，边缘皱波状，基部与龙骨瓣合生，无毛，龙骨瓣盔状，较侧生花瓣长，先端背部具2束多分枝的鸡冠状附属物。蒴果近圆形。花果期7～10月。

生境分布

生于空旷草地上。广东各地均有分布。

资源情况

野生资源较少。药材主要来源于野生。

采收加工

夏、秋季采收，晒干。

| **功能主治** | 辛、甘，平。解毒，化痰止咳，散瘀。用于咳嗽不爽，跌打损伤，月经不调，蛇咬伤，痈肿疮毒。 |

| **用法用量** | 内服煎汤，15 ~ 20 g。 |

| **凭证标本号** | 440781190826009LY。 |

远志科 Polygalaceae 远志属 Polygala

尾叶远志
Polygala caudata Rehd. et Wils.

| 药 材 名 | 尾叶远志（药用部位：根。别名：水黄杨木、乌棒子）。

| 形态特征 | 灌木，高 1 ～ 3 m。叶长圆形或倒披针形，长 3 ～ 12 cm，多数为 6 ～ 10 cm，宽 1 ～ 3 cm。总状花序，数个密集成伞房状花序或圆锥状花序；萼片 5；花瓣 3，白色、黄色或紫色。蒴果长圆状倒卵形，长 8 mm，直径约 4 mm，先端微凹，基部渐狭，具杯状环，边缘具狭翅。花期 11 月至翌年 5 月，果期 5 ～ 12 月。

| 生境分布 | 生于海拔 150 ～ 900 m 的山谷、疏林中。分布于广东乐昌、乳源、连州、阳山、从化、封开。

| 资源情况 | 野生资源较丰富。药材主要来源于野生。

| **采收加工** | 全年均可采挖，洗净，晒干。 |

| **功能主治** | 苦，平。归肺经。止咳，平喘，清热利湿。用于咳嗽，支气管炎，黄疸性肝炎。 |

| **用法用量** | 内服煎汤，15 ~ 30 g。 |

| **凭证标本号** | 441823190115001LY。 |

远志科 Polygalaceae 远志属 *Polygala*

黄花倒水莲 *Polygala fallax* Hemsl.

| 药 材 名 | 黄花倒水莲（药用部位：根。别名：倒吊黄花、观音坠、白马胎）。

| 形态特征 | 灌木或小乔木。叶披针形至椭圆状披针形。总状花序顶生或腋生，长 10 ~ 15 cm，直立，花后延长达 30 cm，下垂；萼片 5；花瓣 3，黄色，侧生花瓣长圆形，长约 10 mm，2/3 以上与龙骨瓣合生，先端近截形，基部向上盔状延长，龙骨瓣盔状，长约 12 mm，鸡冠状附属物具柄，流苏状，长约 3 mm；雄蕊 8；子房圆形。蒴果阔倒心形至圆形，绿黄色，直径 10 ~ 14 mm。花期 5 ~ 8 月，果期 8 ~ 10 月。

| 生境分布 | 生于山谷、溪旁或湿润的灌丛中。分布于广东乳源、乐昌、南雄、连山、英德、连州、阳山、始兴、仁化、翁源、新丰、新会、高州、信宜、怀集、封开、德庆、高要、博罗、惠东、龙门、梅县、五华、平远、

蕉岭、紫金、连平、和平、阳春、郁南、罗定及清远（市区）、广州（市区）、惠州（市区）、河源（市区）、云浮（市区）、深圳（市区）。

| **资源情况** | 野生资源较丰富。药材主要来源于野生。

| **采收加工** | 全年均可采挖，切片，晒干。

| **功能主治** | 甘、微苦，平。补益气血，健脾利湿，活血调经。用于病后体虚，腰膝酸痛，跌打损伤，黄疸性肝炎，肾炎性水肿，子宫脱垂，白带，月经不调。

| **用法用量** | 内服煎汤，15 ~ 30 g。

| **凭证标本号** | 440281190815007LY。

远志科 Polygalaceae 远志属 Polygal

金不换
Polygala glomerata Lour. [*Polygala chinensis* L.]

| 药 材 名 | 金不换（药用部位：全草。别名：大金不换、紫背金牛、华南远志）。

| 形态特征 | 草本。叶倒卵形、椭圆形或披针形。总状花序腋上生，稀腋生；萼片 5；花瓣 3，淡黄色或白色带淡红色，基部合生，侧生花瓣较龙骨瓣短，基部内侧具 1 簇白色柔毛，龙骨瓣长约 4 mm，先端具 2 束条裂鸡冠状附属物；雄蕊 8，花丝长约 3 mm，中部以下合生成鞘，花药棒状卵形，顶孔开裂；子房圆形，侧扁，直径约 1 mm，具缘毛。蒴果圆形，直径约 2 mm，具狭翅及缘毛，先端微凹。花期 4 ~ 10 月，果期 5 ~ 11 月。

| 生境分布 | 生于空旷草地上。广东各地均有分布。

| **资源情况** | 野生资源较丰富。药材主要来源于野生。

| **采收加工** | 夏、秋季采收，晒干。

| **功能主治** | 甘、淡，平。归肺经。清热解毒，祛痰止咳，活血散瘀。用于咳嗽胸痛，咽炎，支气管炎，肺结核，百日咳，肝炎，小儿麻痹后遗症，痢疾；外用于痈疽，疖肿，跌打损伤，毒蛇咬伤。

| **用法用量** | 内服煎汤，9 ~ 18 g。外用适量，鲜品捣敷。

| **凭证标本号** | 441825191004001LY。

远志科 Polygalaceae 远志属 *Polygala*

香港远志
Polygala hongkongensis Hemsl.

| **药 材 名** | 香港远志（药用部位：全草）。

| **形态特征** | 草本。叶卵形，长 1 ～ 2 cm，宽 5 ～ 15 mm。总状花序；萼片 5；花瓣 3，白色或紫色，侧生花瓣长 3 ～ 5 mm，深波状，2/5 以下与龙骨瓣合生；雄蕊 8，花丝长约 5 mm，2/3 以下合生成鞘，鞘 1/2 以下与花瓣贴生，并具缘毛，花药棒状，顶孔开裂；子房倒卵形，长约 1.5 mm，具柄，无毛。蒴果近圆形，直径约 4 mm，具阔翅，先端具缺刻，基部具宿存萼片。花期 5 ～ 6 月，果期 6 ～ 7 月。

| **生境分布** | 生于海拔 500 ～ 800 m 的山谷、路旁草地上。分布于广东乐昌、乳源、连州、连山、连南、阳山、龙门、增城、从化、博罗、蕉岭、封开及深圳（市区）。

| 资源情况 | 野生资源较丰富。药材主要来源于野生。

| 采收加工 | 夏、秋季采收，晒干。

| 功能主治 | 苦、微辛，温。活血，化痰，解毒。用于跌打损伤，气管炎，骨髓炎，失眠，毒蛇咬伤。

| 用法用量 | 内服煎汤，6 ~ 15 g。

| 凭证标本号 | 441825190504022LY。

远志科 Polygalaceae 远志属 Polygala

卵叶远志 *Polygala japonica* Houtt.

| 药 材 名 | 卵叶远志（药用部位：全草。别名：瓜子金、金锁匙）。

| 形态特征 | 草本。单叶卵形或卵状披针形，稀狭披针形。总状花序与叶对生；萼片5；花瓣3，白色至紫色，基部合生，侧生花瓣长圆形，长约6 mm，基部内侧被短柔毛，龙骨瓣舟状，具流苏状、鸡冠状附属物。蒴果圆形，直径约6 mm；种子2，卵形，长约3 mm，直径约1.5 mm，黑色，密被白色短柔毛，种阜2裂下延，疏被短柔毛。花期4～5月，果期5～8月。

| 生境分布 | 生于海拔600～800 m的山坡、路旁、空旷草地上。分布于广东乐昌、乳源、连州、连山、连南、阳山、英德、博罗、平远、饶平。

| 资源情况 | 野生资源较少。药材主要来源于野生。

| 采收加工 | 夏、秋季采收，晒干。

| 药材性状 | 本品呈圆柱形，稍弯曲，直径达 4 mm；表面黄褐色，有纵皱纹；质硬，断面黄白色。茎少分枝，长 10 ~ 30 cm，淡棕色，被细柔毛。叶互生，展平后呈卵形或卵状披针形，长 1 ~ 3 cm，宽 5 ~ 10 mm，侧脉明显，先端短尖，基部楔形至圆形，全缘，灰绿色；叶柄短，被柔毛。总状花序腋生，花蝶形。蒴果圆而扁，直径约 5 mm，边缘具膜质宽翅，无毛，萼片宿存。种子扁卵形，褐色，密被柔毛。气微，味微辛、苦。

| 功能主治 | 辛，微温。活血散瘀，祛痰镇咳，解毒止痛。用于咽炎，扁桃体炎，口腔炎，咳嗽，小儿肺炎，小儿疳积，尿路结石，乳腺炎，骨髓炎；外用于毒蛇咬伤，跌打损伤，疔疮疖肿。

| 用法用量 | 内服煎汤，6 ~ 15 g，鲜品 30 ~ 60 g。外用适量，鲜品捣敷。

| 凭证标本号 | 441823190314005LY。

远志科 Polygalaceae 远志属 Polygala

曲江远志 *Polygala koi* Merr.

| 药 材 名 | 曲江远志（药用部位：全株）。

| 形态特征 | 亚灌木，高 5 ~ 10 cm。叶椭圆形，长 1.5 ~ 4 cm，宽 0.6 ~ 1.5（~ 2）cm。总状花序；萼片 5，花后脱落；花瓣 3，紫红色，长约 9 mm，侧生花瓣与龙骨瓣几等长，并于 1/2 以下合生，先端圆形，龙骨瓣具 2 深裂片状的鸡冠状附属物。蒴果圆形，直径约 3 mm，淡绿色，边缘带紫色，具翅。花期 4 ~ 9 月，果期 6 ~ 10 月。

| 生境分布 | 生于山地林中。分布于广东乐昌、乳源、连州、连山、连南、英德、曲江、博罗、信宜。

| 资源情况 | 野生资源较少。药材主要来源于野生。

| **采收加工** | 夏、秋季采收，晒干。 |

| **功能主治** | 辛、苦，平。归肺经。止咳化痰，活血调经。用于咳嗽痰多，咽喉肿痛，跌打损伤，月经不调，小儿疳积等。 |

| **用法用量** | 内服煎汤，6 ~ 15 g。 |

| **凭证标本号** | 440983180407032LY。 |

远志科 Polygalaceae 远志属 Polygala

岩生远志 *Polygala latouchei* Franch.

| **药 材 名** | 岩生远志（药用部位：全株。别名：红背兰、一包花、大叶金牛）。

| **形态特征** | 矮小亚灌木，高 10 ~ 20 cm。叶卵状披针形至倒卵状或椭圆状披针形，长 3.5 ~ 8 cm，宽 1.5 ~ 2.2 cm。总状花序；萼片 5；花瓣 3，膜质，粉红色至紫红色，侧生花瓣长椭圆形，长约 8 mm，3/4 以下与龙骨瓣合生，先端圆形，龙骨瓣较侧生花瓣短，具 2 先端 3 裂的鸡冠状附属物。花期 3 ~ 4 月，果期 4 ~ 5 月。

| **生境分布** | 生于山地林中。分布于广东饶平、增城、阳春、罗定、广宁、阳西、电白、信宜、封开、高要。

| **资源情况** | 野生资源较少。药材主要来源于野生。

| **采收加工** | 夏、秋季采收，晒干。

| **功能主治** | 辛、苦，平。归肺经。止咳化痰。用于咳嗽，小儿疳积，跌打损伤等。

| **用法用量** | 内服煎汤，6 ~ 15 g。

| **凭证标本号** | 441523200107006LY。

远志科 Polygalaceae 远志属 Polygala

细叶远志 *Polygala wattersii* Hance

| 药 材 名 | 细叶远志（药用部位：全株。别名：长毛籽远志、山桂花）。

| 形态特征 | 灌木或小乔木。叶椭圆形、椭圆状披针形或倒披针形，长 4 ~ 10 cm，宽 1.5 ~ 3 cm。总状花序；萼片 5；花瓣 3，黄色，稀白色或紫红色，侧生花瓣略短于龙骨瓣，3/4 以下与龙骨瓣合生。蒴果倒卵形或楔形，长 10 ~ 14 mm，边缘具由下而上逐渐加宽的狭翅，翅具横脉。花期 4 ~ 6 月，果期 5 ~ 7 月。

| 生境分布 | 生于山地林中。分布于广东封开。

| 资源情况 | 野生资源较少。药材主要来源于野生。

| **采收加工** | 夏、秋季采收，晒干。

| **功能主治** | 辛、甘，温。解毒，散瘀。用于乳痈，无名肿毒，跌打损伤。

| **用法用量** | 内服煎汤，6 ~ 12 g。外用适量，鲜品捣敷。

| **凭证标本号** | 辛树炽 21044。

远志科 Polygalaceae 齿果草属 Salomonia

莎萝莽 *Salomonia cantoniensis* Lour.

| 药 材 名 | 莎萝莽（药用部位：全草。别名：齿果草、一碗泡）。

| 形态特征 | 草本。叶片膜质，卵状心形或心形，长 5 ~ 16 mm，宽 5 ~ 12 mm。穗状花序顶生；花极小，长 2 ~ 3 mm；萼片 5；花瓣 3，淡红色，侧生花瓣长约 2.5 mm，龙骨瓣舟状，长约 3 mm，无鸡冠状附属物；雄蕊 4，花丝长约 2 mm，几全部合生成鞘，并与花瓣基部贴生。蒴果肾形，长约 1 mm，宽约 2 mm，两侧具 2 列三角状尖齿。果爿具蜂窝状网纹。花期 7 ~ 8 月，果期 8 ~ 10 月。

| 生境分布 | 生于海拔 200 ~ 700 m 的山坡、旷地、路旁。广东各地均有分布。

| 资源情况 | 野生资源较丰富。药材主要来源于野生。

采收加工	夏、秋季采收，晒干。
功能主治	微辛，性平。解毒消肿，散瘀止痛。用于毒蛇咬伤，跌打肿痛，痈疮肿毒。
用法用量	内服煎汤，3～9 g。外用适量，鲜品捣敷。
凭证标本号	441523190921007LY。

远志科 Polygalaceae 齿果草属 Salomonia

缘毛莎萝莽
Salomonia oblongifolia DC.

药材名

缘毛莎萝莽（药用部位：全草。别名：睫毛莎萝莽、睫毛齿果草）。

形态特征

草本。叶椭圆形或卵状披针形，长 4 ~ 8 mm，宽 1 ~ 2.5 mm。穗状花序顶生，具密集的花；花小；萼片 5，绿色，基部合生；花瓣 3，红紫色，长 2 ~ 2.5 mm，龙骨瓣较侧生花瓣长，中部以下与侧生花瓣合生，先端无鸡冠状附属物。蒴果肾形，宽超过长，宽约 2 mm。花期 7 ~ 8 月，果期 8 ~ 9 月。

生境分布

生于山谷、路旁、旷地上。分布于广东博罗、陆丰、台山及清远（市区）、广州（市区）。

资源情况

野生资源较少。药材主要来源于野生。

采收加工

夏、秋季采收，鲜用。

| **功能主治** | 微苦，凉。解毒消肿。外用于痈疮肿毒，毒蛇咬伤。

| **用法用量** | 外用适量，鲜品捣敷。

| **凭证标本号** | 440781190827001LY。

远志科 Polygalaceae 蝉翼藤属 Securidaca

蝉翼藤

Securidaca inappendiculata Hassk.

| **药 材 名** | 蝉翼藤（药用部位：根。别名：九龙极、象皮藤）。

| **形态特征** | 攀缘灌木。叶椭圆形或倒卵状长圆形，长 7 ~ 12 cm，宽 3 ~ 6 cm，先端急尖，基部钝至近圆形，全缘。圆锥花序；花小；萼片 5；花瓣 3，淡紫红色，侧生花瓣倒三角形，长约 5 mm，宽约 2.5 mm，先端平截，基部与龙骨瓣合生，龙骨瓣近圆形，长约 8 mm，先端具 1 兜状附属物。核果球形，直径 7 ~ 15 mm，果皮厚，坚硬，具明显的脉纹，先端具革质翅。花期 5 ~ 8 月，果期 10 ~ 12 月。

| **生境分布** | 生于海拔 200 ~ 300 m 的林中。分布于广东新兴、高州及深圳（市区）。

| 资源情况 | 野生资源较少。药材主要来源于野生。

| 采收加工 | 秋季采挖，晒干。

| 功能主治 | 辛、甘，微寒。活血散瘀，消肿止痛，清热利尿。用于风湿骨痛，急性胃肠炎；外用于跌打损伤。

| 用法用量 | 内服煎汤，12 ~ 15 g；或研末，1.5 ~ 3 g。孕妇忌用。外用适量，浸酒搽。

| 凭证标本号 | 陈炳辉 910。

景天科 Crassulaceae 落地生根属 Bryophyllum

落地生根 *Bryophyllum pinnatum* (L. f.) Oken

| 药 材 名 |

落地生根（药用部位：全草。别名：打不死、叶生根）。

| 形态特征 |

草本。羽状复叶，长 10 ~ 30 cm；小叶长圆形至椭圆形，长 6 ~ 8 cm，宽 3 ~ 5 cm，先端钝，边缘有圆齿，圆齿底部容易生芽，芽长大后落地即成一新植物。圆锥花序顶生，长 10 ~ 40 cm；花下垂；花萼圆柱形，长 2 ~ 4 cm；花冠高脚碟形，长达 5 cm，基部稍膨大，向上成管状，裂片 4，卵状披针形，淡红色或紫红色；雄蕊 8，着生于花冠基部，花丝长；鳞片近长方形；心皮 4。蓇葖果包在花萼及花冠内；种子小，有条纹。花期 1 ~ 3 月。

| 生境分布 |

广东高要、阳春、高州及湛江（市区）、广州（市区）、深圳（市区）、珠江（市区）有栽培或逸为野生。

| 资源情况 |

常见栽培。药材主要来源于栽培。

| 采收加工 | 夏、秋季采收，鲜用。 |

| 功能主治 | 淡、微酸、涩，凉。解毒消肿，活血止痛，拔毒生肌。外用于疮痈肿痛，乳腺炎，丹毒，化脓性指头炎，跌打损伤，外伤出血，骨折，烫火伤，中耳炎。 |

| 用法用量 | 外用适量，鲜品捣敷；或绞汁滴耳。 |

| 凭证标本号 | 441284190805513LY。 |

景天科 Crassulaceae 八宝属 Hylotelephium

八宝
Hylotelephium erythrostictum (Miq.) H. Ohba

| 药 材 名 | 八宝（药用部位：全草。别名：景天、活血三七、对叶景天）。

| 形态特征 | 草本。块根胡萝卜状。叶对生，少有互生或 3 轮生，长圆形至卵状长圆形，长 4.5 ~ 7 cm，宽 2 ~ 3.5 cm，先端急尖、钝，基部渐狭，边缘有疏锯齿，无柄。伞房状花序顶生；花密生，直径约 1 cm，花梗稍短或与之等长；萼片 5，卵形，长 1.5 mm；花瓣 5，白色或粉红色，宽披针形，长 5 ~ 6 mm，渐尖；雄蕊 10，与花瓣等长或稍短，花药紫色；鳞片 5，长圆状楔形，长 1 mm，先端有微缺；心皮 5，直立，基部几分离。花期 8 ~ 10 月。

| 生境分布 | 广东无野生分布。广东各地均有栽培。

| 资源情况 | 有少量栽培。药材主要来源于栽培。

| 采收加工 | 夏、秋季采收，晒干。

| 功能主治 | 苦、酸，寒。解毒消肿，止血。用于赤游骨毒，疔疮痈疖，火眼目翳，烦热惊狂，风疹，漆疮，烫火伤，蛇虫咬伤，吐血，咯血，月经过多，外伤出血。

| 用法用量 | 内服煎汤，15 ~ 30 g。外用适量，鲜品捣敷。

| 凭证标本号 | 刘卓斌 144。

景天科 Crassulaceae 伽蓝菜属 Kalanchoe

伽蓝菜 *Kalanchoe laciniata* (L.) DC.

| 药 材 名 |

伽蓝菜（药用部位：全草。别名：鸡爪三七、五爪三七）。

| 形态特征 |

草本，高 20 ~ 100 cm。叶对生，中部叶羽状深裂，全长 8 ~ 15 cm，裂片线形或线状披针形，边缘有浅锯齿或浅裂。聚伞花序排列成圆锥状，长 10 ~ 30 cm；苞片线形；萼片 4，披针形，长 4 ~ 10 mm，先端急尖；花冠黄色，高脚碟形，管部下部膨大，长 1.5 cm，裂片 4，卵形，长 5 ~ 6 mm；雄蕊 8；鳞片 4，线形，长 3 mm；心皮 4，披针形，长 5 ~ 6 mm，花柱长 2 ~ 4 mm。花期 3 月。

| 生境分布 |

广东无野生分布。广东各地均有零星栽培。

| 资源情况 |

有少量栽培。药材主要来源于栽培。

| 采收加工 |

夏、秋季采收，晒干。

| 功能主治 | 甘、微苦，微寒。清热解毒，散瘀消肿。用于跌打损伤，外伤出血，毒蛇咬伤，疮疡脓肿，烫火伤，湿疹。

| 用法用量 | 内服煎汤，15～30 g；或加酒捣汁。外用适量，鲜品捣敷。

| 凭证标本号 | 陈少卿 8260。

景天科 Crassulaceae 伽蓝菜属 *Kalanchoe*

匙叶伽蓝菜 *Kalanchoe spathulata* DC.

| 药 材 名 | 匙叶伽蓝菜（药用部位：全草。别名：倒吊莲）。

| 形态特征 | 草本。茎高 40 ~ 120 cm，无毛。叶匙状长圆形，长 5 ~ 7 cm，宽 1.5 ~ 3.5 cm，先端钝圆，基部渐狭，几无柄，抱茎，边缘有不整齐的浅裂，少有几全缘。聚伞花序长 10 cm，果时伸长；苞片线形；萼片 4，线状卵形或狭三角形，渐尖；花冠黄色，高脚碟形，长 1.5 ~ 2 cm，裂片 4，渐尖；雄蕊 8，2 轮，着生于花冠管喉部，花丝短；鳞片 4，线形，长约 3 mm。花期 5 ~ 8 月。

| 生境分布 | 生于海边沙地或山地石缝中。分布于广东阳春、高要及云浮（市区）。

| 资源情况 | 野生资源较少。药材主要来源于野生。

| **采收加工** | 夏、秋季采收，鲜用。

| **功能主治** | 凉血散瘀，消肿止痛。外用于跌打损伤，外伤出血，毒蛇咬伤，疮疡脓肿，烫火伤，湿疹。

| **用法用量** | 外用适量，鲜品捣敷。

| **凭证标本号** | 黄志 38865。

景天科 Crassulaceae 伽蓝菜属 Kalanchoe

棒叶落地生根 *Kalanchoe tubiflora* (Harvey) Hamet [*Kalanchoe verticillata* Elliot]

| 药 材 名 |

棒叶落地生根（药用部位：全草。别名：洋吊钟、玉吊钟、落地生根）。

| 形态特征 |

多年生肉质草本。茎直立，高达 1 m。叶对生或轮生，线形，长 2.5 ~ 15 cm，宽 4 ~ 5 mm，灰绿色，具紫色斑点，先端常萌生小植物。聚伞花序顶生，分枝对生；花橙红色或深红色，下垂；花萼钟状，长 6.5 ~ 10 mm，裂片三角形或三角状披针形，先端渐尖；花冠管状，基部肿胀，近子房上部稍收狭，上部又扩大，全长 2.5 ~ 3 cm，裂片近圆形或阔卵形，先端近圆形；雄蕊 8，1 轮，花丝与花冠管等长，着生于花冠管下部；鳞片长圆形，长约 1 mm。花期 12 月至翌年 4 月。

| 生境分布 |

广东斗门、四会、高要、高州及湛江（市区）、广州（市区）、深圳（市区）、中山（市区）有栽培或逸为野生。

| 资源情况 |

少量栽培。药材主要来源于栽培。

| **采收加工** | 夏、秋季采收，晒干。

| **功能主治** | 酸，凉。清热解毒。用于烫火伤，外伤出血，疮疖红肿，风湿骨痛，急性胃肠炎。

| **用法用量** | 内服煎汤，12 ~ 15 g；或研末，1.5 ~ 3 g。

| **凭证标本号** | 叶华谷 13131。

景天科 Crassulaceae 瓦松属 Orostachys

瓦松 Orostachys fimbriatus (Turcz.) Berger

| **药 材 名** | 瓦松（药用部位：全草。别名：吊吊草、瓦松花、向天草）。

| **形态特征** | 草本。叶宽线形至倒披针形，先端有一半月形软骨质的薄片，中央具一窄长的刺，边缘呈流苏状，干后可见暗红色圆点。塔形圆锥状总状花序生于茎顶，多分枝，每梗有花 1 ～ 3；萼片 5，长圆形，先端渐尖成刺状；花瓣 5，粉红色，披针形至长圆形，先端有尖头；雄蕊 10，花药紫色；心皮 5，分离。蓇葖果；种子多数。花期 8 ～ 10 月，果期 9 ～ 11 月。

| **生境分布** | 广东无野生分布。广东韶关（市区）有引种栽培。

| **资源情况** | 有少量栽培。药材主要来源于栽培。

| 采收加工 | 夏、秋季采收，开水烫后，晒干。

| 功能主治 | 酸，平。止血，敛疮，清热解毒，止痢。用于便血，吐血；外用于疮口久不愈合。

| 用法用量 | 内服煎汤，1.5 ~ 3 g。外用适量，鲜品捣敷；或焙干，研细末敷。

景天科 Crassulaceae 景天属 Sedum

费菜 *Sedum aizoon* L.

| 药 材 名 | 费菜（药用部位：全草。别名：土三七、四季还阳、景天三七）。

| 形态特征 | 草本。叶狭披针形、椭圆状披针形至卵状倒披针形，长 3.5 ~ 8 cm，宽 1.2 ~ 2 cm，先端渐尖，基部楔形。聚伞花序有多花，水平分枝，平展，下托以苞叶；萼片 5；花瓣 5，黄色，长圆形至椭圆状披针形，长 6 ~ 10 mm，有短尖；雄蕊 10，较花瓣短；鳞片 5，近正方形，长 0.3 mm，心皮 5，卵状长圆形，基部合生，腹面凸出，花柱长钻形。蓇葖果星芒状排列，长 7 mm。花期 6 ~ 7 月，果期 8 ~ 9 月。

| 生境分布 | 生于海拔约 1 000 m 的山谷石上。分布于广东乳源山区。

| 资源情况 | 野生资源较少。药材主要来源于野生。

| **采收加工** | 夏、秋季采收，晒干。

| **功能主治** | 甘、微酸，平。散瘀，止血，宁心安神，解毒。用于吐血，衄血，咯血，便血，尿血，崩漏，紫癜，外伤出血，跌打损伤，心悸，失眠，疮疖痈肿，烫伤，蛇虫咬伤。

| **用法用量** | 内服煎汤，15 ~ 30 g。外用适量，鲜品捣敷。

| **凭证标本号** | H. Fenzel 187。

景天科 Crassulaceae 景天属 Sedum

东南景天 *Sedum alfredii* L.

| 药 材 名 | 东南景天（药用部位：全草。别名：石上瓜子菜、石上老鼠耳）。

| 形态特征 | 草本。叶线状楔形、匙形至匙状倒卵形，长 1.2 ~ 3 cm，宽 2 ~ 6 mm，先端钝，全缘。聚伞花序；萼片 5，线状匙形；花瓣 5，黄色，披针形至披针状长圆形，长 4 ~ 6 mm，宽 1.6 ~ 1.8 mm，有短尖，基部稍合生；雄蕊 10，对瓣的长 2.5 mm，着生于基部上 1 ~ 1.5 mm 处，对萼的长 4 mm；鳞片 5，匙状正方形，长 1.2 mm，先端钝、截形；心皮 5，卵状披针形，直立，基部合生，全长 4 mm，花柱长不及 1 mm。蓇葖果斜叉开。花期 4 ~ 5 月，果期 6 ~ 8 月。

| 生境分布 | 生于山地、山谷石上。分布于广东乐昌、乳源、始兴、龙门、大埔、五华、高要及云浮（市区）。

| **资源情况** | 野生资源较少。药材主要来源于野生。

| **采收加工** | 夏、秋季采收，晒干。

| **功能主治** | 微酸，凉。清热凉血，消肿拔毒。用于痢疾，外伤出血。

| **用法用量** | 内服煎汤，15 ~ 25 g。外用适量，鲜品捣敷。

| **凭证标本号** | 石国良 14660。

景天科 Crassulaceae 景天属 Sedum

大苞景天 *Sedum amplibracteatum* K. T. Fu

| 药 材 名 | 大苞景天（药用部位：全草。别名：苞叶景天、鸡爪七、活血草）。

| 形态特征 | 草本。叶 3 轮生；叶片菱状椭圆形，长 3 ～ 6 cm，宽 1 ～ 2 cm。聚伞花序常三歧分枝，每枝有花 1 ～ 4；萼片 5，宽三角形；花瓣 5，黄色，长圆形，长 5 ～ 6 mm，宽 1 ～ 1.5 mm，近急尖，中脉不显；雄蕊 5 或 10，较花瓣稍短；鳞片 5，近长方形至长圆状匙形，长 0.7 ～ 0.8 mm；心皮 5，略叉开，基部合生，长 5 mm，花柱长。蓇葖果有种子 1 ～ 2；种子大，纺锤形，长 2 ～ 3 mm，有微乳头状突起。花期 6 ～ 9 月，果期 8 ～ 11 月。

| 生境分布 | 生于海拔 1 100 m 的山坡林下阴湿处。分布于广东北部乳源、乐昌。

| 资源情况 | 野生资源较丰富。药材主要来源于野生。

| 采收加工 | 夏、秋季采收，晒干。

| 功能主治 | 甘、淡，寒。清热解毒，活血散瘀，止痛，通便。用于产后腹痛，痈疮肿痛，胃痛，大便燥结，烫伤。

| 用法用量 | 内服煎汤，6 ~ 12 g。外用适量，鲜品捣敷。

| 凭证标本号 | 高锡朋 53527。

景天科 Crassulaceae 景天属 Sedum

珠芽景天 *Sedum bulbiferum* Makino

| 药 材 名 | 珠芽景天（药用部位：全草。别名：马屎花、小箭草）。

| 形态特征 | 草本。叶腋常有圆球形、肉质、小形珠芽着生。基部叶常对生，上部的互生；下部叶卵状匙形，上部叶匙状倒披针形。花序聚伞状，3分枝，常再二叉分枝；萼片5，披针形至倒披针形，长3～4 mm，宽达1 mm，有短距，先端钝；花瓣5，黄色，披针形，长4～5 mm，宽1.25 mm，先端有短尖；雄蕊10，长3 mm；心皮5，略叉开，基部1 mm合生，连花柱（长1 mm）在内长4 mm，花期4～5月。

| 生境分布 | 生于海拔1 000 m以下的低山、平原潮湿处。分布于广东乐昌、乳源、连州、连山、连南、英德、仁化、连平、平远。

| 资源情况 | 野生资源较丰富。药材主要来源于野生。

| 采收加工 | 夏、秋季采收，晒干。

| 功能主治 | 辛、涩，温。散寒，理气，止痛，截疟。用于食积腹痛，风湿瘫痪，疟疾。

| 用法用量 | 内服煎汤，12 ~ 24 g。

| 凭证标本号 | 441825190501054LY。

景天科 Crassulaceae 景天属 Sedum

大叶火焰草 *Sedum drymarioides* Hance

| 药 材 名 | 大叶火焰草（药用部位：全草。别名：荷莲豆景天、毛佛甲草）。

| 形态特征 | 草本。植株全体被腺毛。叶对生或4轮生，上部叶互生，卵形至宽卵形。花序疏圆锥状；花少数，两性；花梗长4～8mm；萼片5，长圆形至披针形，长2mm，先端近急尖；花瓣5，白色，长圆形，长3～4mm，先端渐尖；雄蕊10，长2～3mm；鳞片5，宽匙形，先端有微缺至浅裂；心皮5，长2.5～5mm，略叉开。种子长圆状卵形，有纵纹。花期4～6月，果期8月。

| 生境分布 | 生于山地、山谷的湿地或石上。分布于广东高要、英德及云浮（市区）。

| 资源情况 | 野生资源较少。药材主要来源于野生。

| **采收加工** | 夏、秋季采收，晒干。

| **功能主治** | 苦，平。清热解毒，凉血止血。用于吐血，咯血，外伤出血，肺热咳嗽。

| **用法用量** | 内服煎汤，20～90 g。外用适量，鲜品捣敷。

| **凭证标本号** | 441426160123001LY。

景天科 Crassulaceae 景天属 Sedum

凹叶景天 Sedum emarginatum Migo

| **药 材 名** | 凹叶景天（药用部位：全草。别名：马牙半支）。 |

| **形态特征** | 草本。叶匙状倒卵形至宽卵形。花序聚伞状，顶生，宽 3 ~ 6 mm，有多花，常有 3 分枝；花无梗；萼片 5，基部有短距；花瓣 5，黄色，线状披针形至披针形，长 6 ~ 8 mm，宽 1.5 ~ 2 mm；鳞片 5，长圆形，长 0.6 mm，钝圆；心皮 5，长圆形，长 4 ~ 5 mm，基部合生。蓇葖果略叉开，腹面有浅囊状隆起；种子细小，褐色。花期 5 ~ 6 月，果期 6 月。 |

| **生境分布** | 生于海拔 500 ~ 600 m 的山坡潮湿处。分布于广东乳源、乐昌、仁化。 |

| **资源情况** | 野生资源较丰富。药材主要来源于野生。 |

| **采收加工** | 夏、秋季采收，晒干。

| **功能主治** | 苦、酸，凉。清热解毒，利水通淋，截疟。用于一切疔疮，淋证，水臌，疟疾。

| **用法用量** | 内服煎汤，15～30 g。外用适量，鲜品捣敷。

| **凭证标本号** | 440281190427023LY。

景天科 Crassulaceae 景天属 Sedum

台湾佛甲草 *Sedum formosanum* N. F. Br.

| 药 材 名 |

台湾佛甲草（药用部位：全草）。

| 形态特征 |

草本。叶长倒卵形、倒披针形或线状长圆形，长 1 ~ 2.5 cm，宽 0.2 ~ 1 cm。聚伞花序；萼片 5，狭倒卵形或狭倒披针状长圆形；花瓣 5，黄色或黄绿色，披针形或披针状长圆形；心皮 5，直立，卵状长圆形，比花瓣短，先端渐狭，下部合生，花柱长约 1 mm。蓇葖果 5，稍叉开，长 4 ~ 6 mm，具多数种子。花果期 6 ~ 9 月。

| 生境分布 |

广东无野生分布。广东广州（市区）栽培。

| 资源情况 |

有少量栽培。药材主要来源于栽培。

| 采收加工 |

夏、秋季采收，鲜用。

| **功能主治** | 清热解毒，消炎。外用于疔疮疖肿。

| **用法用量** | 外用适量，鲜品捣敷。

| **凭证标本号** | 440281190427023LY。

景天科 Crassulaceae 景天属 Sedum

佛甲草

Sedum lineare Thunb.

| 药 材 名 | 佛甲草（药用部位：全草。别名：鼠牙半支、午时花、打不死）。

| 形态特征 | 草本。3 叶轮生，少有 4 叶轮生或对生；叶片线形，长 20 ~ 25 mm，宽约 2 mm。花序聚伞状；萼片 5，线状披针形，长 1.5 ~ 7 mm，不等长，无距，有时有短距，先端钝；花瓣 5，黄色，披针形，长 4 ~ 6 mm，先端急尖，基部稍狭；雄蕊 10，较花瓣短；鳞片 5，宽楔形至近四方形，长 0.5 mm，宽 0.5 ~ 0.6 mm。蓇葖果略叉开。花期 4 ~ 5 月，果期 6 ~ 7 月。

| 生境分布 | 生于低海拔阳处石上。分布于广东乐昌、乳源、连州、连山、连南、阳山、高要、封开及云浮（市区）、清远（市区）。

| 资源情况 | 野生资源较丰富。药材主要来源于野生。

| 采收加工 | 夏、秋季采收，洗净，置沸水中烫后，晒干。

| 功能主治 | 甘、淡，凉。清热解毒，消肿止血。用于咽喉炎，肝炎，胰腺炎；外用于烫火伤，外伤出血，带状疱疹，疮疡肿毒，毒蛇咬伤。

| 用法用量 | 内服煎汤，30 ~ 60 g。外用适量，鲜品捣敷。

| 凭证标本号 | 441882180506032LY。

景天科 Crassulaceae 景天属 Sedum

垂盆草 *Sedum sarmentosum* Bunge

| 药 材 名 | 垂盆草（药用部位：全草。别名：匍茎佛甲草、土三七）。

| 形态特征 | 草本。3 叶轮生；叶片倒披针形至长圆形，长 15 ~ 28 mm，宽 3 ~ 7 mm，先端近急尖，基部急狭。聚伞花序；萼片 5，披针形至长圆形，长 3.5 ~ 5 mm，先端钝，基部无距；花瓣 5，黄色，披针形至长圆形，长 5 ~ 8 mm，先端有稍长的短尖；雄蕊 10，较花瓣短；鳞片 10，楔状四方形，长 0.5 mm，先端稍有微缺；心皮 5，长圆形，长 5 ~ 6 mm，略叉开，有长花柱。种子卵形，长 0.5 mm。花期 5 ~ 7 月，果期 8 月。

| 生境分布 | 生于海拔 400 ~ 1 600 m 的疏林下或路旁岩石上。分布于广东乐昌、乳源、阳山、龙门。

| **资源情况** | 野生资源较丰富。药材主要来源于野生。

| **采收加工** | 夏、秋季采收，除去杂质，置沸水中烫后，晒干。

| **功能主治** | 甘、微酸，凉。清热解毒，消肿排脓。用于咽喉肿痛，口腔溃疡，肝炎，痢疾；外用于烫火伤，痈肿疮疡，带状疱疹，毒蛇咬伤。

| **用法用量** | 内服煎汤，干品 15 ～ 30 g；或捣汁服，鲜品 30 ～ 120 g。外用适量，鲜品捣敷。

| **凭证标本号** | 441827180423007LY。

虎耳草科 Saxifragaceae 落新妇属 Astilbe

落新妇 *Astilbe chinensis* (Maxim.) Franch. et Savat.

| 药 材 名 | 落新妇（药用部位：根茎。别名：小升麻、术活、华南落新妇）。

| 形态特征 | 草本。基生叶为二至三回三出羽状复叶。圆锥花序长 8 ~ 37 cm；下部第 1 回分枝长 4 ~ 11.5 cm，通常与花序轴成 15° ~ 30° 角斜上；花序轴密被褐色卷曲长柔毛；苞片卵形，几无花梗；花密集；萼片 5，卵形，长 1 ~ 1.5 mm，宽约 0.7 mm，两面无毛，边缘中部以上生微腺毛；花瓣 5，淡紫色至紫红色，线形，长 4.5 ~ 5 mm，宽 0.5 ~ 1 mm，单脉。蒴果长约 3 mm。花果期 6 ~ 9 月。

| 生境分布 | 生于海拔约 900 m 的山谷、水边阴湿处。分布于广东乳源、乐昌、封开。

| 资源情况 | 野生资源较少。药材主要来源于野生。

| 采收加工 | 夏、秋季采挖，晒干。 |

| 功能主治 | 微辛、苦，凉。散瘀止痛，祛风除湿。用于跌打损伤，劳伤，筋骨酸痛，关节炎，术后疼痛，胃痛，肠炎，毒蛇咬伤。 |

| 用法用量 | 内服煎汤，6～9g。 |

| 凭证标本号 | 石国良 14924。 |

虎耳草科 Saxifragaceae 落新妇属 Astilbe

大落新妇 Astilbe grandis Stapf ex Wils.

| 药 材 名 | 大落新妇（药用部位：根茎。别名：华南落新妇）。

| 形态特征 | 草本。二至三回三出复叶至羽状复叶。圆锥花序顶生；萼片5，卵形、阔卵形至椭圆形，长1~2mm，宽1~1.2mm，先端钝或微凹，具微腺毛，边缘膜质，两面无毛；花瓣5，白色或紫色，线形，长2~4.5mm，宽0.2~0.5mm，先端急尖，单脉；雄蕊10，长1.3~5mm；雌蕊长3.1~4mm，心皮2，仅基部合生，子房半下位，花柱稍叉开。花果期6~9月。

| 生境分布 | 生于山谷疏林阴湿处。分布于广东乐昌、乳源、连州、阳山、连山、博罗、罗定、信宜。

| **资源情况** | 野生资源较少。药材主要来源于野生。

| **采收加工** | 夏、秋季采挖，晒干。

| **功能主治** | 微辛、苦，凉。散瘀止痛，祛风除湿。用于跌打损伤，劳伤，筋骨酸痛，关节炎，术后疼痛，胃痛，肠炎，毒蛇咬伤。

| **用法用量** | 内服煎汤，6 ～ 9 g。外用适量，鲜品捣敷。

| **凭证标本号** | 441882180814035LY。

虎耳草科 Saxifragaceae 金腰属 Chrysosplenium

肾萼金腰 *Chrysosplenium delavayi* Franch.

| 药 材 名 | 肾萼金腰（药用部位：全草。别名：青猫儿眼睛草）。

| 形态特征 | 草本。叶近扁圆形、阔卵形、近圆形至扇形。单花或聚伞花序具 2 ~ 5 花，长 1 ~ 1.4 cm；花黄绿色，直径约 8.7 mm；萼片在花期开展，近扁圆形，长 1.9 ~ 3 mm，宽 3 ~ 5 mm，先端微凹，凹处具 1 褐色乳头状突起；雄蕊 8，长约 0.6 mm；子房近下位，花柱长约 0.4 mm；花盘 8 裂，周围疏生褐色乳头状突起。蒴果先端近平截而微凹，2 果瓣近等大且水平状叉开，喙长约 0.4 mm。花果期 3 ~ 6 月。

| 生境分布 | 生于海拔 500 m 的山地林下潮湿处。分布于广东乐昌、乳源。

资源情况	野生资源较少。药材主要来源于野生。
采收加工	夏、秋季采收，晒干。
功能主治	苦，凉。清热解毒，生肌。用于小儿惊风，烫伤，痈疮肿毒。
用法用量	内服煎汤，10 ~ 15 g。
凭证标本号	郭素白 80198。

虎耳草科 Saxifragaceae 金腰属 Chrysosplenium

大叶金腰

Chrysosplenium macrophyllum Oliv.

| 药 材 名 | 大叶金腰（药用部位：全草。别名：龙香草、虎皮草、猪耳朵）。

| 形态特征 | 草本。基生叶倒卵形，长 2.3 ~ 19 cm，宽 1.3 ~ 11.5 cm；茎生叶通常 1，叶片狭椭圆形，长 1.2 ~ 1.7 cm，宽 0.5 ~ 0.75 cm。多歧聚伞花序长 3 ~ 4.5 cm；萼片近卵形至阔卵形，长 3 ~ 3.2 mm，宽 2.5 ~ 3.9 mm，先端微凹，无毛；雄蕊高出萼片，长 4 ~ 6.5 mm；子房半下位，花柱长约 5 mm，近直上。蒴果长 4 ~ 4.5 mm，先端近平截而微凹，2 果瓣近等大，喙长 3 ~ 4 mm；种子黑褐色，近卵球形，长约 0.7 mm，密被微乳头状突起。花果期 4 ~ 6 月。

| 生境分布 | 生于海拔约 700 m 的林下或阴湿沟边。分布于广东乳源、乐昌、仁化。

| 资源情况 | 野生资源较少。药材主要来源于野生。

| 采收加工 | 夏、秋季采收，鲜用或晒干。

| 功能主治 | 苦、涩，寒。清热解毒，生肌收敛。外用于臁疮，烫火伤。

| 用法用量 | 外用适量，鲜品捣汁或煎膏搽。

| 凭证标本号 | 高锡朋 53978。

虎耳草科 Saxifragaceae 梅花草属 *Parnassia*

鸡眼梅花草 *Parnassia wightiana* Wall. ex Wight et Arn.

药材名

鸡眼梅花草（药用部位：全草。别名：鸡肫草、金线七、水雷公）。

形态特征

草本。叶片宽心形，长 2.5 ~ 5 cm，宽 3.8 ~ 5.5 cm。花单生于茎顶；萼片卵状披针形或卵形；花瓣白色，长圆形、倒卵形或似琴形，长 8 ~ 11 mm，宽 4 ~ 9 mm，先端急尖，基部楔形，边缘上半部波状或齿状，稀深缺刻状，下半部具长流苏状毛，毛长达 5 mm；雄蕊 5，花丝长 5 ~ 7 mm，扁平，向基部加宽，先端尖，花药长约 1.5 mm，长圆形，稍侧生；退化雄蕊 5。蒴果倒卵球形，褐色。花期 7 ~ 8 月，果期 9 ~ 10 月。

生境分布

生于沟谷林下潮湿处或溪边。分布于广东乐昌、乳源、连州、连山、连南、阳山、新丰、龙门、丰顺、封开。

资源情况

野生资源较少。药材主要来源于野生。

| **采收加工** | 夏、秋季采收，晒干。

| **功能主治** | 淡，平。清肺止咳，利水祛湿。用于久咳咯血，疟疾，肾结石，胆石症，白带，跌打损伤；外用于湿热疮毒。

| **用法用量** | 内服煎汤，15 ~ 60 g。外用适量，捣敷。

| **凭证标本号** | 441823191019021LY。

虎耳草科 Saxifragaceae 扯根菜属 Penthorum

扯根菜 *Penthorum chinense* Pursh

| 药 材 名 |

扯根菜（药用部位：全草。别名：赶黄草、山黄鳝、水杨柳）。

| 形态特征 |

草本。叶披针形至狭披针形，长 4 ~ 10 cm，宽 0.4 ~ 1.2 cm。聚伞花序；花小型，黄白色；萼片 5，革质，三角形，长约 1.5 mm，宽约 1.1 mm，无毛，单脉；无花瓣；雄蕊 10，长约 2.5 mm；雌蕊长约 3.1 mm，心皮 5（~ 6），下部合生，子房 5（~ 6）室，胚珠多数，花柱 5（~ 6），较粗。蒴果红紫色，直径 4 ~ 5 mm；种子多数，卵状长圆形，表面具小丘状突起。花果期 7 ~ 10 月。

| 生境分布 |

生于溪边、沟边的湿地上。分布于广东乳源、高要及广州（市区）。

| 资源情况 |

野生资源较丰富。药材主要来源于野生。

| 采收加工 |

夏、秋季采收，晒干。

| **功能主治** | 甘，温。利水除湿，祛瘀止痛。用于黄疸，水肿，跌打肿痛。

| **用法用量** | 内服煎汤，15 ～ 30 g。外用适量，捣敷。

| **凭证标本号** | 刘心祈 29154。

虎耳草科 Saxifragaceae 虎耳草属 Saxifraga

虎耳草 Saxifraga stolonifera W. Curt.

| **药 材 名** | 虎耳草（药用部位：全草。别名：狮子耳、耳聋草）。

| **形态特征** | 草本。叶基生，肉质，圆形或肾形，直径 4 ~ 9 cm。圆锥花序疏松；
萼片狭卵形；花瓣 5，白色或粉红色，上方 3 卵形，长约 3 mm，渐尖，
基部有黄斑，下方 2 披针状椭圆形，长 1 ~ 1.5 cm，宽 2 ~ 3 mm，
先端锐尖，具羽状脉；雄蕊 10，花丝棒状，长 6 ~ 8 mm；子房球形，
花柱纤细。蒴果卵圆形，长 4 ~ 5 mm，先端 2 深裂；种子卵形，具
瘤状突起。花期 5 ~ 8 月，果期 7 ~ 11 月。

| **生境分布** | 生于山谷溪边林下潮湿的石上。分布于广东乐昌、乳源、南雄、连州、
连山、连南、阳山、新丰、连平、龙门、从化、平远、蕉岭、饶平、
阳春、信宜。

| 资源情况 | 野生资源较丰富。药材主要来源于野生。

| 采收加工 | 夏、秋季采收，晒干。

| 功能主治 | 苦、辛，寒；有小毒。清热解毒。用于小儿发热，咳嗽气喘；外用于中耳炎，耳廓溃烂，疔疮，疖肿，湿疹。

| 用法用量 | 内服煎汤，9 ~ 15 g。外用适量，鲜品捣敷。

| 凭证标本号 | 440281190427042LY。

虎耳草科 Saxifragaceae 黄水枝属 *Tiarella*

黄水枝 *Tiarella polyphylla* D. Don

药 材 名

黄水枝（药用部位：全草。别名：博落、水前胡、防风七）。

形态特征

草本。基生叶心形，长 2 ~ 8 cm，宽 2.5 ~ 10 cm。总状花序长 8 ~ 25 cm，密被腺毛；花梗长达 1 cm，被腺毛；萼片在花期直立，卵形，长约 1.5 mm，宽约 0.8 mm，先端稍渐尖，腹面无毛，背面和边缘具短腺毛，具 3 至多脉；无花瓣；雄蕊长约 2.5 mm，花丝钻形；心皮 2。蒴果长 7 ~ 12 mm；种子黑褐色，椭圆球形，长约 1 mm。花果期 4 ~ 11 月。

生境分布

生于海拔 900 ~ 1 300 m 的林下、灌丛和阴湿地。分布于广东乳源。

资源情况

野生资源较少。药材主要来源于野生。

采收加工

夏、秋季采收，晒干。

| 功能主治 | 苦，寒；无毒。清热解毒，活血祛瘀，消肿止痛。用于痈疖肿毒，跌打损伤，肝炎，咳嗽气喘。

| 用法用量 | 内服煎汤，6 ~ 9 g。外用适量，鲜品捣敷。

| 凭证标本号 | 郭素白 80203。

茅膏菜科 Droseraceae 茅膏菜属 Drosera

锦地罗
Drosera burmanni Vahl

| 药 材 名 | 锦地罗（药用部位：全草。别名：落地金钱）。

| 形态特征 | 小草本。茎短，不具球茎。叶莲座状密集，楔形或倒卵状匙形，长 0.6 ～ 1.5 cm。花葶 1 ～ 3，具花 2 ～ 19；花萼钟形，5 裂几达基部，浅绿色、红色或紫红色；花瓣 5，倒卵形，长约 4 mm，白色或变浅红色至紫红色；雄蕊 5；子房近球形，无毛，侧膜胎座 5，稀 6，花柱 5，稀 6，内卷，顶部齿裂。蒴果，果爿 5，稀 6；种子多数，棕黑色，具规则脉纹。花果期全年。

| 生境分布 | 生于山谷、水旁等低湿的草地上。分布于广东博罗、惠东、陆丰、阳春、台山、高州及广州（市区）、深圳（市区）。

| **资源情况** | 野生资源较少。药材主要来源于野生。

| **采收加工** | 夏、秋季采收，剪去花葶，晒干。

| **功能主治** | 甘、微苦，凉。清热利湿，凉血解毒，化痰消积。用于肠炎，痢疾，咽喉肿痛，肺热咳嗽，咯血，衄血，小儿疳积。

| **用法用量** | 内服煎汤，15 ～ 30 g。

| **凭证标本号** | 441523190516032LY。

茅膏菜科 Droseraceae 茅膏菜属 Drosera

长叶茅膏菜 *Drosera indica* L.

| 药 材 名 | 长叶茅膏菜（药用部位：全草。别名：捕蝇草、猴猕草）。

| 形态特征 | 草本。叶淡绿色或红色，线形，扁平，长 2 ~ 12 cm，宽 1 ~ 3 mm。花序与叶近对生或腋生，长 6 ~ 30 cm，具花 5 ~ 20；花萼 5 裂；花瓣 5，具脉纹，倒卵形或倒披针形，长约 6 mm，白色、淡红色至紫红色；雄蕊 5，长约 5 mm，花丝扁平，花药纵裂；子房圆柱形、倒卵形或近球形，胎座 3，花柱 3，每 2 深裂至近基部，顶部常向内弯卷。蒴果倒卵球形。花果期全年。

| 生境分布 | 生于潮湿旷地或水田边处。分布于广东阳春。

| 资源情况 | 野生资源较少。药材主要来源于野生。

| **采收加工** | 夏、秋季采收，鲜用。

| **功能主治** | 微辛，温；有毒。祛风除积。外用于肩胛久积风，久积伤。

| **用法用量** | 外用适量，鲜品捣敷。有强刺激性。

| **凭证标本号** | 黄志 41690。

茅膏菜科 Droseraceae 茅膏菜属 Drosera

光萼茅膏菜
Drosera peltata Smith ex Willd. var. *glabrata* Y. Z. Ruan

| 药 材 名 | 光萼茅膏菜 (药用部位: 全草。别名: 落地金钱、一粒金丹、捕虫草)。

| 形态特征 | 小草本。茎短, 不具球茎。叶莲座状密集, 楔形或倒卵状匙形, 长 0.6 ~ 1.5 cm。花葶 1 ~ 3, 具花 2 ~ 19; 花萼钟形, 5 裂几达基部, 浅绿色、红色或紫红色, 背面被短腺毛和白腺点, 宿萼腹面密具黑点或无; 花瓣 5, 倒卵形, 长约 4 mm, 白色或变浅红色至紫红色; 雄蕊 5; 子房近球形, 无毛, 侧膜胎座 5, 稀 6, 花柱 5, 稀 6, 内卷, 顶部齿裂。蒴果。花果期全年。

| 生境分布 | 生于潮湿旷地或水田边。分布于广东乳源、乐昌、始兴、仁化、南雄、阳山、连山、英德、南海、信宜、高要、博罗、龙门、丰顺、平远、蕉岭及河源 (市区)、清远 (市区)、广州 (市区)、深圳 (市区)。

| 资源情况 | 野生资源较少。药材主要来源于野生。

| 采收加工 | 全年均可采收，晒干。

| 功能主治 | 甘，温；有毒。祛风活络，活血止痛。外用于跌打损伤，腰肌劳损，风湿关节痛，疟疾，角膜薄翳，淋巴结结核，湿疹，神经性皮炎。

| 用法用量 | 外用适量，研末调敷患处或穴位上。不作内服。

| 凭证标本号 | 441882180505041LY。

茅膏菜科 Droseraceae 茅膏菜属 Drosera

宽苞茅膏菜 *Drosera spathulata* Labill. var. *loureirii* (Hook. et Arn.) Y. Z. Ruan

| 药 材 名 |

宽苞茅膏菜（药用部位：全草。别名：茅膏菜、球子参、打古子）。

| 形态特征 |

草本。鳞茎状球茎紫色，球形。基生叶密集成近 1 轮或退化，茎生叶稀疏，盾状，互生；叶片半月形或半圆形，长 2 ~ 3 mm，基部近平截。螺状聚伞花序；花萼长约 4 mm，5 ~ 7 裂，裂片背面被长腺毛；花瓣楔形，白色、淡红色或红色，基部有黑点或无。蒴果长 2 ~ 4 mm，3 ~ 5 裂；种子椭圆形、卵形或球形，种皮脉纹加厚成蜂房格状。花果期 6 ~ 9 月。

| 生境分布 |

生于石上、石间、田野、水流旁潮湿向阳处或疏林下。分布于广东高要、新会、鹤山、阳春、阳西及广州（市区）、深圳（市区）。

| 资源情况 |

野生资源较少。药材主要来源于野生。

| 采收加工 |

夏季采收，晒干。

| 功能主治 | 甘，温；有毒。祛风活络，活血止痛。外用于跌打损伤，腰肌劳损，风湿关节痛，疟疾，角膜薄翳，淋巴结结核，湿疹，神经性皮炎。

| 用法用量 | 外用适量，研末调敷患处或穴位。不作内服。

| 凭证标本号 | 440523190718017LY。

沟繁缕科 Elatinaceae 田繁缕属 Bergia

田繁缕
Bergia ammannioides Roxb. ex Roth

| **药 材 名**|　田繁缕（药用部位：全草。别名：蜂刺草、密花草）。

| **形态特征**|　草本，基部多分枝，密被腺毛和柔毛。叶对生，倒披针形、倒卵状

披针形或狭椭圆形，长 0.6 ~ 2 cm，宽 2 ~ 8 mm。花小，多数簇生于叶腋；花梗长 1 ~ 2 mm；萼片 5，狭卵形，长约 1.2 mm，渐尖，中脉粗壮、绿色，边缘膜质，下面常具长柔毛和腺毛；花瓣 5，淡红色，狭卵形或椭圆形，先端凸尖，约与萼片等长；雄蕊 5，花丝线形，基部略宽阔；子房卵圆形，花柱 5，柱头头状。蒴果近球形，长约 2 mm，5 瓣裂。

| **生境分布** | 生于低海拔的荒芜耕地、旷野、路旁、山谷或山坡草地。分布于广东连州、乳源、翁源、高要及广州（市区）。

| **资源情况** | 野生资源较少。药材主要来源于野生。

| **采收加工** | 夏、秋季采收，晒干。

| **功能主治** | 甘，凉。清热解毒。用于尿路感染，口腔炎；外用于痈疖。

| **用法用量** | 内服煎汤，15 ~ 30 g，鲜品 30 ~ 60 g。外用捣敷，鲜品 30 ~ 60 g；或煎汤含漱。

石竹科 Caryophyllaceae 无心菜属 Arenaria

无心菜
Arenaria serpyllifolia L.

| **药 材 名** | 无心菜（药用部位：全草。别名：雀儿蛋、鹅不食草、蚤缀）。 |

| **形态特征** | 铺散草本。叶片卵形，长 4 ~ 12 mm，宽 3 ~ 7 mm，基部狭，无柄。聚伞花序；萼片 5，披针形，长 3 ~ 4 mm，边缘膜质，先端尖，外面被柔毛，具显著的 3 脉；花瓣 5，白色，倒卵形，长为萼片的 1/3 ~ 1/2，先端钝圆；雄蕊 10，短于萼片；子房卵圆形，无毛，花柱 3，线形。蒴果卵圆形，与宿存萼等长，先端 6 裂；种子小，肾形，表面粗糙，淡褐色。花期 6 ~ 8 月，果期 8 ~ 9 月。 |

| **生境分布** | 生于旷地上。分布于广东乐昌、乳源。 |

| **资源情况** | 野生资源较丰富。药材主要来源于野生。 |

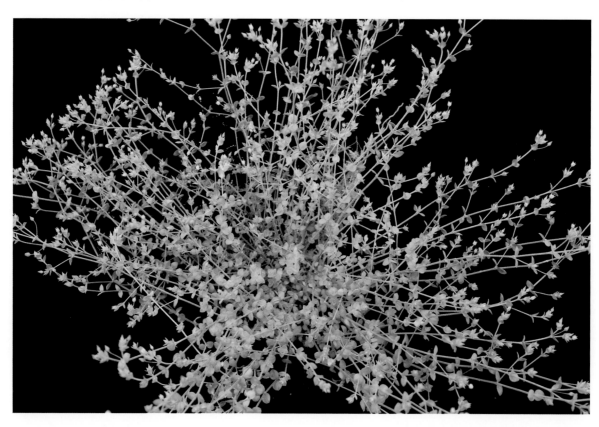

| **采收加工** | 春、夏季采收，晒干。 |

| **功能主治** | 辛、苦，平。止咳，清热明目。用于肺结核，急性结膜炎，睑腺炎，咽喉痛。 |

| **用法用量** | 内服煎汤，6 ~ 30 g。 |

| **凭证标本号** | 440224190315014LY。 |

石竹科 Caryophyllaceae 卷耳属 Cerastium

簇生卷耳

Cerastium fontanum Baumg. subsp. *triviale* (Link) Jalas

| 药 材 名 | 簇生卷耳（药用部位：全草）。

| 形态特征 | 草本。茎被白色短柔毛和腺毛。基生叶叶片近匙形或倒卵状披针形，基部渐狭成柄状。聚伞花序；萼片 5，长圆状披针形，长 5.5 ~ 6.5 mm，外面密被长腺毛，边缘中部以上膜质；花瓣 5，白色，倒卵状长圆形，等长或微短于萼片，先端 2 浅裂，基部渐狭，无毛；雄蕊短于花瓣，花丝扁线形，无毛；花柱 5，短线形。蒴果圆柱形，长 8 ~ 10 mm，长为宿存萼的 2 倍，先端 10 齿裂；种子褐色，具瘤状突起。花期 5 ~ 6月，果期 6 ~ 7 月。

| 生境分布 | 生于山地林下。分布于广东乐昌、龙门。

| 资源情况 | 野生资源较少。药材主要来源于野生。

| 采收加工 | 春、夏季采收，晒干。

| 功能主治 | 辛、苦，微寒。清热解毒，消肿止痛。用于感冒，乳痈初起，疔疽肿痛。

| 用法用量 | 内服煎汤，15 ~ 30 g。外用适量，鲜品捣敷。

| 凭证标本号 | 440224180330009LY。

石竹科 Caryophyllaceae 石竹属 Dianthus

须苞石竹 *Dianthus barbatus* L.

药 材 名	须苞石竹（药用部位：全草。别名：美国石竹、十样锦、五彩石）。
形态特征	草本。叶披针形，长 4 ~ 8 cm，宽约 1 cm，先端急尖，基部渐狭，合生成鞘，全缘。花集成头状；苞片 4，卵形，先端尾状尖，边缘膜质，具细齿，与花萼等长或稍长；花萼筒状，长约 1.5 cm，裂齿锐尖；花瓣具长爪，瓣片卵形，通常红紫色，有白色斑纹，先端齿裂，喉部具髯毛；雄蕊稍露于外；子房长圆形，花柱线形。蒴果卵状长圆形，长 1.2 ~ 1.8 cm，先端 4 裂至中部。花果期 5 ~ 10 月。
生境分布	广东无野生分布。广东广州（市区）、韶关（市区）有栽培。
资源情况	有少量栽培。药材主要来源于栽培。

| **采收加工** | 春、夏季采收，晒干。

| **功能主治** | 苦，寒。清热利尿，破血通经，散瘀消肿。用于尿路感染，热淋，尿血，闭经，疮毒，湿疹。

| **用法用量** | 内服煎汤，10～18 g。

| **凭证标本号** | 陈少卿 3168。

石竹科 Caryophyllaceae 石竹属 Dianthus

石竹 *Dianthus chinensis* L.

| **药 材 名** | 石竹（药用部位：地上部分。别名：十样景花、洛阳花）。

| **形态特征** | 草本。茎簇生，直立，有节，多分枝。叶对生，条形或线状披针形。花单朵或数朵簇生于茎顶；花大，直径 2 ~ 3 cm；花萼筒圆形；花瓣大红色、粉红色、紫红色、纯白色或杂色，单瓣 5 或重瓣，先端锯齿状，微具香气，喉部有斑纹，疏生髯毛；雄蕊露出喉部外，花药蓝色；子房长圆形，花柱线形。蒴果长圆形，包裹于宿萼内；种子扁圆形，黑褐色。花期 5 ~ 6 月，果期 7 ~ 9 月。

| **生境分布** | 广东无野生分布。广东广州（市区）、韶关（市区）有栽培。

| **资源情况** | 有少量栽培。药材主要来源于栽培。

| 采收加工 | 春、夏季花果期采割，除去杂质，晒干。

| 药材性状 | 本品全长 30 ～ 70 cm。茎呈圆柱形，上部有分枝，淡绿色或黄绿色，光滑无毛，节明显，略膨大；质轻而脆，易折断，断面中空。叶多皱缩，展平后呈线形至线状披针形，基部抱茎。花和果实均生于枝顶，花萼筒状，长 2.7 ～ 3.7 cm，其下有苞片 4 ～ 6，宽卵形，长约为萼筒的 1/4；花瓣棕紫色或棕黄色，卷曲，先端撕裂成细条状。蒴果长筒形，与宿萼等长。种子细小，多数。无臭，味淡。以色黄绿、带萼筒者为佳。

| 功能主治 | 苦，寒。归心、肾、小肠、膀胱经。用于水肿，尿路感染，月经不调，闭经，跌打肿痛。

| 用法用量 | 内服煎汤，10 ～ 18 g。

| 凭证标本号 | 445224210307009LY。

石竹科 Caryophyllaceae 石竹属 Dianthus

瞿麦 *Dianthus superbus* L.

| 药 材 名 |

石竹（药用部位：全草或根。别名：十样景花、洛阳花）。

| 形态特征 |

草本。节明显。叶对生，线形或线状披针形，长 1.5 ~ 9 cm，宽 1 ~ 4 mm，先端渐尖，基部成短鞘状包茎，全缘，两面均无毛。花单生或数朵集成稀疏二歧式分枝的圆锥花序；花梗长约 4 cm；小苞片 4 ~ 6，排成 2 ~ 3 轮；花萼圆筒形，长达 4 cm，先端 5 裂，裂片披针形，边缘膜质，有细毛；花瓣 5，淡红色、淡紫红色或白色，先端深裂成细丝条，基部有须毛；雄蕊 10；子房 1 室，花柱 2，细长。蒴果长圆形。花期 6 ~ 9 月，果期 8 ~ 10 月。

| 生境分布 |

广东无野生分布。广东广州（市区）、韶关（市区）有栽培。

| 资源情况 |

有少量栽培。药材主要来源于栽培。

| 采收加工 | 花果期采收，晒干。

| 药材性状 | 本品全长 30 ~ 70 cm。茎呈圆柱形，上部有分枝，淡绿色或黄绿色，光滑无毛，节明显，略膨大；质轻而脆，易折断，断面中空。叶多皱缩，展平后呈线形至线状披针形，基部抱茎。花和果实均生于枝顶，花萼筒状，长 2.7 ~ 3.7 cm，其下有苞片 4 ~ 6，宽卵形，长约为萼筒的 1/4；花瓣棕紫色或棕黄色，卷曲，先端撕裂成细条状。蒴果长筒形，与宿萼等长。种子细小，多数。无臭，味淡。以色黄绿、带萼筒者为佳。

| 功能主治 | 苦，寒。清热利尿，破血通经。全草，用于尿路感染，结石，小便不利，尿血，闭经，皮肤湿疹。根，用于恶性肿瘤。

| 用法用量 | 全草，内服煎汤，3 ~ 9 g。根，内服煎汤，24 ~ 30 g。

石竹科 Caryophyllaceae 荷莲豆草属 Drymaria

荷莲豆草

Drymaria diandra Bl. [*Drymaria cordata* auct. non (L.) Willd. ex Roem. et Schult.]

| **药 材 名** | 荷莲豆（药用部位：全草。别名：串钱草、水蓝草）。

| **形态特征** | 匍匐草本。叶片卵状心形，长 1 ~ 1.5 cm，宽 1 ~ 1.5 cm。聚伞花序顶生；苞片针状披针形，边缘膜质；花梗细弱，短于花萼，被白色腺毛；萼片披针状卵形，长 2 ~ 3.5 mm，草质，边缘膜质，具 3 脉，被具腺柔毛；花瓣白色，倒卵状楔形，长约 2.5 mm，稍短于萼片，先端 2 深裂；雄蕊稍短于萼片，花丝基部渐宽，花药黄色，圆形，2 室；子房卵圆形，花柱 3，基部合生。蒴果卵形，长 2.5 mm，宽 1.3 mm，3 瓣裂。花期 4 ~ 10 月，果期 6 ~ 12 月。

| **生境分布** | 生于山谷水边或潮湿的草地。广东各地均有分布。

| 资源情况 | 野生资源较丰富。药材主要来源于野生。

| 采收加工 | 夏、秋季采收，晒干。

| 功能主治 | 淡、微酸，凉。清热解毒，利尿通便，活血消肿，退翳。用于急性肝炎，慢性肾小球肾炎，胃痛，疟疾，翼状胬肉，腹水，便秘；外用于骨折，疮痈，蛇咬伤。

| 用法用量 | 内服煎汤，6 ~ 9 g。外用适量，鲜品捣敷。

| 凭证标本号 | 441523190406002LY。

石竹科 Caryophyllaceae 剪秋罗属 *Lychnis*

剪夏罗
Lychnis coronata Thunb.

| 药 材 名 | 剪春罗（药用部位：全草。别名：山茶田、白牛膝）。

| 形态特征 | 草本。叶长圆状披针形或长圆形，长 5 ~ 11 cm，宽 1 ~ 4 cm，基

部宽楔形。二歧聚伞花序；花萼筒状棒形，长 20 ~ 25 mm，直径 3.5 ~ 5 mm，后期微膨大，萼齿三角形，长约 3 mm，先端渐尖；花瓣橙红色或淡红色，爪微露出；副花冠片长圆状披针形，暗红色，先端具齿；雄蕊微外露；花柱微外露。蒴果长椭圆状卵形，长约 15 mm；种子圆肾形，肥厚，长约 1.5 mm，黑褐色，两侧微凹，具短条纹，脊圆，具乳突。花期 7 ~ 8 月，果期 8 ~ 9 月。

| 生境分布 | 广东无野生分布。广东韶关（市区）有栽培。

| 资源情况 | 有少量栽培。药材主要来源于栽培。

| 采收加工 | 夏、秋季采收，晒干。

| 功能主治 | 解热镇痛，消炎，止泻。用于感冒，关节炎，腹泻；外用于带状疱疹。

| 用法用量 | 内服煎汤，15 ~ 30 g。外用适量，鲜花或叶捣敷；或根研细末，植物油调敷。

石竹科 Caryophyllaceae 剪秋罗属 Lychnis

剪红纱花 *Lychnis senno* Sieb. et Zucc.

| 药 材 名 | 剪红纱花（药用部位：全草。别名：汉宫秋、散血沙、阔叶鲤鱼胆）。

| 形态特征 | 草本。叶片椭圆状披针形，长6～12 cm，宽2～3 cm。二歧聚伞花序；花直径3.5～5 cm，花梗长5～15 mm，比花萼短；花萼筒状，长25～30 mm，直径2.5～3.5 mm；花瓣深红色，爪不露出或微露出花萼，狭楔形，无毛，瓣片三角状倒卵形，不规则深多裂，裂片具缺刻状钝齿；雄蕊与花萼近等长，花丝无毛，花药暗紫色。蒴果椭圆状卵形，长10～15 mm，微长于宿存萼。花期7～8月，果期8～9月。

| 生境分布 | 广东无野生分布。广东韶关（市区）有栽培。

| **资源情况** | 有少量栽培。药材主要来源于栽培。

| **采收加工** | 夏、秋季采收，晒干。

| **功能主治** | 涩、苦，平。散血，止泻。用于跌打损伤，小便不利，感冒，风湿性关节炎，腹泻。

| **用法用量** | 内服煎汤，15 ~ 20 g。

| **凭证标本号** | 陈焕镛 11816。

石竹科 Caryophyllaceae 鹅肠菜属 *Myosoton*

牛繁缕
Myosoton aquaticum (L.) Moench [*Stellaria aquatica* (L.) Scop.]

| 药 材 名 | 牛繁缕（药用部位：全草。别名：鹅肠草、鹅儿肠、抽筋草）。

| 形态特征 | 草本。叶卵形或宽卵形，长 2.5 ~ 5.5 cm，宽 1 ~ 3 cm，先端急尖，基部稍心形。顶生二歧聚伞花序；苞片叶状，边缘具腺毛；萼片卵状披针形或长卵形，长 4 ~ 5 mm；花瓣白色，2 深裂至基部，裂片线形或披针状线形，长 3 ~ 3.5 mm，宽约 1 mm；雄蕊 10，稍短于花瓣；子房长圆形，花柱短，线形。蒴果卵圆形，稍长于宿存萼；种子近肾形，直径约 1 mm，稍扁，褐色，具小疣。花期 5 ~ 8 月，果期 6 ~ 9 月。

| 生境分布 | 生于山谷、耕地、旷野、沟边或路旁。广东各地均有分布。

| **资源情况** | 野生资源较丰富。药材主要来源于野生。

| **采收加工** | 春、夏季采收，鲜用或晒干。

| **功能主治** | 甘、酸，平。消肿止痛，清热凉血，消积通乳。用于小儿疳积，牙痛，痢疾，痔疮肿痛，乳腺炎，乳汁不通；外用于疮疖。

| **用法用量** | 内服煎汤，15 ~ 30 g；或捣汁服，鲜品 60 g。外用适量，鲜品捣敷；或煎浓汁熏洗。

| **凭证标本号** | 440281190423002LY。

石竹科 Caryophyllaceae 白鼓钉属 Polycarpaea

白鼓钉

Polycarpaea corymbosa (L.) Lam.

| 药 材 名 |

白鼓钉（药用部位：全草。别名：星色草、白头翁）。

| 形态特征 |

草本，被白色柔毛。叶假轮生；叶片狭线形或针形，长 1.5 ~ 2 cm，宽约 1 mm，先端急尖。花密集成聚伞花序，多数；苞片披针形，透明，膜质，长于花梗；萼片披针形，长 2 ~ 3 mm，宽 0.5 ~ 1 mm，先端渐尖，基部稍圆，白色，透明，膜质；花瓣宽卵形，先端钝，长不及萼片的 1/2；雄蕊短于花瓣；子房卵形，花柱短，先端不分裂。蒴果卵形，褐色。花期 7 ~ 8 月，果期 9 ~ 10 月。

| 生境分布 |

生于沿海空旷沙地上。分布于广东惠东、陆丰、海丰、台山、阳西、雷州、徐闻及广州（市区）、湛江（市区）、深圳（市区）。

| 资源情况 |

野生资源较少。药材主要来源于野生。

| 采收加工 |

春、夏季采收，晒干。

| **功能主治** | 淡，凉。清热解毒，利尿祛湿。用于湿热痢疾，胃肠炎。

| **用法用量** | 内服煎汤，15 ～ 30 g。

| **凭证标本号** | 邢福武等 10608。

石竹科 Caryophyllaceae 漆姑草属 Sagina

漆姑草
Sagina japonica (Swartz) Ohwi

| 药 材 名 | 漆姑草（药用部位：全草。别名：瓜槌草、珍珠草、星宿草）。

| 形态特征 | 草本，高 5 ～ 20 cm。茎丛生，稍铺散。叶片线形，长 5 ～ 20 mm，宽 0.8 ～ 1.5 mm，先端急尖，无毛。花小形，单生于枝端；萼片 5，卵状椭圆形，长约 2 mm，先端尖或钝，外面疏生短腺柔毛，边缘膜质；花瓣 5，狭卵形，稍短于萼片，白色，先端圆钝，全缘；雄蕊 5，短于花瓣；子房卵圆形，花柱 5，线形。蒴果卵圆形，微长于宿存萼，5 瓣裂。花期 3 ～ 5 月，果期 5 ～ 6 月。

| 生境分布 | 生于山谷或旷野草地。分布于广东乐昌、乳源、连州、连山、连南、仁化、始兴、连平及广州（市区）。

| **资源情况** | 野生资源较少。药材主要来源于野生。

| **采收加工** | 春、夏季采收，晒干。

| **功能主治** | 苦、涩、辛，凉。消肿散结，解毒止痒。用于漆疮，痈疽，淋巴结结核，慢性鼻炎，龋齿，小儿乳积，跌打损伤。

| **用法用量** | 内服煎汤，10 ~ 30 g。外用适量，鲜品捣敷。

| **凭证标本号** | 440281190626054LY。

石竹科 Caryophyllaceae 蝇子草属 Silene

女娄菜

Silene aprica Turcz. ex Fisch. et Mey.

药材名

王不留行（药用部位：全草。别名：桃色女娄菜）。

形态特征

草本。基生叶叶片倒披针形或狭匙形，长4～7cm，宽4～8mm；茎生叶叶片倒披针形、披针形或线状披针形。圆锥花序；花萼卵状钟形；花瓣白色或淡红色，倒披针形，长7～9mm，微露出花萼或与花萼近等长，爪具缘毛，瓣片倒卵形，2裂；副花冠片舌状；雄蕊不外露，花丝基部具缘毛；花柱不外露。蒴果卵形，长8～9mm，与宿存萼近等长或微长。花期6～7月，果期8～9月。

生境分布

生于山谷、旷野、路旁。分布于广东清新。

资源情况

野生资源较少。药材主要来源于野生。

采收加工

春、夏季采收，晒干。

| **功能主治** | 辛，平。活血调经，利湿，健脾，下乳，解毒。用于月经不调，乳汁不足，小儿疳积，脾虚浮肿，疔疮肿毒。

| **用法用量** | 内服煎汤，9 ~ 15 g。外用适量，鲜品捣敷。

| **凭证标本号** | 黄成 161586。

石竹科 Caryophyllaceae 繁缕属 Stellaria

雀舌草
Stellaria alsine Grinum [*Stellaria uliginosa* Murray]

| 药 材 名 | 雀舌草（药用部位：全草。别名：滨繁缕、石灰草）。

| 形态特征 | 草本，高 15 ~ 25 cm，全体无毛。叶披针形至长圆状披针形，长 5 ~ 20 mm，宽 2 ~ 4 mm。聚伞花序通常具花 3 ~ 5；萼片 5，披针形，长 2 ~ 4 mm，宽 1 mm，先端渐尖，边缘膜质，中脉明显；花瓣 5，白色，短于萼片或与之近等长，2 深裂几达基部，裂片条形，具钝头；雄蕊 5（~ 10），有时 6 ~ 7，微短于花瓣；子房卵形，花柱 2 ~ 3，短线形。蒴果卵圆形，与宿存萼等长或较之稍长，6 齿裂，含多数种子。花期 5 ~ 6 月，果期 7 ~ 8 月。

| 生境分布 | 生于田间、河溪两岸或潮湿地上。广东各地均有分布。

| **资源情况** | 野生资源较丰富。药材主要来源于野生。

| **采收加工** | 春、夏季采收，晒干。

| **功能主治** | 辛，平。祛风散寒，续筋接骨，活血止痛，解毒。用于伤风感冒，风湿骨痛，疮痈肿毒，跌打损伤，骨折，蛇咬伤。

| **用法用量** | 内服煎汤，9 ~ 15 g。外用适量，鲜品捣敷。

| **凭证标本号** | 441523200108003LY。

繁缕 *Stellaria media* (L.) Vill.

| 药 材 名 | 繁缕（药用部位：全草。别名：鹅儿肠、鸡肠菜）。

| 形态特征 | 草本。叶阔卵形或卵形，长 1.5 ~ 2.5 cm，宽 1 ~ 1.5 cm。聚伞花序顶生；萼片 5，卵状披针形，长约 4 mm，先端稍钝或近圆形，边缘宽膜质，外面被短腺毛；花瓣白色，长椭圆形，比萼片短，深 2 裂达基部，裂片近线形；雄蕊 3 ~ 5，短于花瓣；花柱 3，线形。蒴果卵形，稍长于宿存萼，先端 6 裂，具多数种子。花期 6 ~ 7 月，果期 7 ~ 8 月。

| 生境分布 | 生于田间、路旁或沟边草地。广东各地均有分布。

| 资源情况 | 野生资源较丰富。药材主要来源于野生。

| **采收加工** | 春、夏季采收，晒干。

| **功能主治** | 甘、酸，凉。清热解毒，化瘀止痛，催乳。用于肠炎，痢疾，肝炎，阑尾炎，产后瘀血腹痛，宫缩痛，牙痛，头发早白，乳汁不下，乳腺炎，跌打损伤，疮痛肿痛。

| **用法用量** | 内服煎汤，15 ~ 30 g。外用适量，鲜品捣敷。

| **凭证标本号** | 441284190805515LY。

石竹科 Caryophyllaceae 繁缕属 Stellaria

石生繁缕 Stellaria saxatilis Buch.-Ham. ex D. Don

| 药 材 名 | 石生繁缕（药用部位：全草。别名：箐姑草、接筋草、筋骨草）。

| 形态特征 | 草本。叶卵形或椭圆形，长 1 ～ 3.5 cm，宽 8 ～ 20 mm。聚伞花序疏散；萼片 5，披针形，长 4 ～ 6 mm，先端急尖，边缘膜质，外面被星状柔毛，显灰绿色，具 3 脉；花瓣 5，2 深裂近基部，短于萼片或与之近等长，裂片线形；雄蕊 10，较花瓣短或与之近等长；花柱 3，稀 4。蒴果卵圆形，长 4 ～ 5 mm，6 齿裂。花期 4 ～ 6 月，果期 6 ～ 8 月。

| 生境分布 | 生于海拔约 1 100 m 的山谷林中。分布于广东乐昌、乳源。

| 资源情况 | 野生资源较少。药材主要来源于野生。

| 采收加工 | 春、夏季采收，晒干。 |

| 功能主治 | 辛，凉。平肝，舒筋活血，利湿，解毒。用于中风不语，肢体麻木，风湿痹痛，跌打损伤，黄疸性肝炎，白带，疮疖。 |

| 用法用量 | 内服煎汤，6 ~ 15 g。外用适量，鲜品捣敷。 |

| 凭证标本号 | 曹照忠、叶育石 3850。 |

石竹科 Caryophyllaceae 繁缕属 Stellaria

巫山繁缕 *Stellaria wushanensis* Williams

| 药 材 名 | 巫山繁缕（药用部位：全草。别名：武冈繁缕）。

| 形态特征 | 草本。叶卵状心形至卵形，长 2 ～ 3.5 cm，宽 1.5 ～ 2 cm。聚伞花序具少数花，常 1 ～ 3，顶生或腋生；萼片 5，披针形，长 5.5 ～ 6 mm，具 1 脉，先端急尖，边缘膜质；花瓣 5，倒心形，长约 8 mm，先端 2 裂深达花瓣 1/3；雄蕊 10，短于花瓣；花柱 3，线形；中下部的腋生花为雌花，常无雄蕊，有时缺花瓣和雄蕊，只有 2 花柱。蒴果卵圆形，与宿存萼等长，具 3 ～ 5 种子。花期 4 ～ 6 月，果期 6 ～ 7 月。

| 生境分布 | 生于山谷、林下。分布于广东乐昌、英德、仁化。

| 资源情况 | 野生资源较少。药材主要来源于野生。

| **采收加工** | 夏、秋季采收，洗净，鲜用或晒干。 |

| **功能主治** | 辛，凉。利湿，活血止痛。用于小儿疳积，浮肿，带下，跌打损伤，风湿关节痛。 |

| **用法用量** | 内服煎汤，6 ~ 15 g。 |

| **凭证标本号** | 441827180323019LY。 |

▌粟米草科▌ Molluginaceae ▌星粟草属▌ *Glinus*

簇花粟米草 *Glinus oppositifolius* (L.) A. DC.

| **药 材 名** | 簇花粟米草（药用部位：全草。别名：圆根草）。

| **形态特征** | 草本。叶 3 ~ 6 假轮生或对生；叶片匙状倒披针形或椭圆形，长 1 ~ 2.5 cm，宽 3 ~ 6 mm。花通常 2 ~ 7 簇生，绿白色、淡黄色或 乳白色；花被片 5，长圆形，长 3 ~ 4 mm，具 3 脉，边缘膜质；雄 蕊 3 ~ 5，花丝线形；花柱 3。蒴果椭圆形，稍短于宿存花被；种子 栗褐色，近肾形，具多数颗粒状突起，假种皮较小，种阜线形，白色。 花果期几全年。

| **生境分布** | 生于海边沙地或空旷草地上。分布于广东海丰、陆丰。

| **资源情况** | 野生资源较少。药材主要来源于野生。

| **采收加工** | 夏、秋季采收，晒干。

| **功能主治** | 淡，平。清热解毒。用于急性阑尾炎。

| **用法用量** | 内服煎汤，9 ~ 30 g。

| **凭证标本号** | 卫兆芬 121522。

粟米草

Mollugo stricta L. [*Mollugo pentaphylla* L.]

| 药 材 名 | 粟米草（药用部位：全草。别名：四月飞、瓜仔草、瓜疮草）。

| 形态特征 | 草本。叶 3 ~ 5 假轮生或对生；叶片披针形或线状披针形，长 1.5 ~ 4 cm，宽 2 ~ 7 mm。花极小，组成疏松聚伞花序；花被片 5，淡绿色，椭圆形或近圆形，长 1.5 ~ 2 mm，脉达花被片 2/3，边缘膜质；雄蕊常 3，花丝基部稍宽；子房宽椭圆形或近圆形，3 室，花柱 3，短，线形。蒴果近球形，与宿存花被等长，3 瓣裂。花期 6 ~ 8 月，果期 8 ~ 10 月。

| 生境分布 | 生于山谷、路边、旷野、田野。广东各地均有分布。

| 资源情况 | 野生资源较丰富。药材主要来源于野生。

| **采收加工** | 夏、秋季采收，晒干。

| **功能主治** | 淡、涩，平。抗菌消炎，清热止泻。用于腹痛泄泻，感冒咳嗽，风疹；外用于结膜炎，疮疖肿毒。

| **用法用量** | 内服煎汤，9 ~ 30 g。外用适量，鲜品捣烂敷或塞鼻。

| **凭证标本号** | 440281190813015LY。

番杏科 Aizoaceae 番杏属 Tetragonia

番杏

Tetragonia tetragonioides (Pall.) O. Kuntze

| 药 材 名 | 番杏（药用部位：全草。别名：法国菠菜、新西兰菠菜）。

| 形态特征 | 草本。茎初直立，后平卧上升，高 40 ~ 60 cm，肥粗，淡绿色，从基部分枝。叶片卵状菱形或卵状三角形，长 4 ~ 10 cm，宽 2.5 ~ 5.5 cm，边缘波状；叶柄肥粗，长 5 ~ 25 mm。花单生或 2 ~ 3 簇生于叶腋；花梗长 2 mm；花被筒长 2 ~ 3 mm，裂片 3 ~ 5，常 4，内面黄绿色；雄蕊 4 ~ 13。坚果陀螺形，长约 5 mm，具钝棱，有 4 ~ 5 角，附有宿存花被，具数颗种子。花果期 8 ~ 10 月。

| 生境分布 | 多生于旷地或海岸沙地上。分布于广东海丰、南澳及广州（市区）。

| 资源情况 | 野生资源较少。药材主要来源于野生。

采收加工	夏、秋季采收，晒干。
功能主治	甘、微辛，平。清热解毒，祛风消肿。用于泄泻，疗疮红肿，风热目赤。
用法用量	内服煎汤，9 ~ 30 g。
凭证标本号	伍柏年 16016。

马齿苋科 Portulacaceae 马齿苋属 Portulaca

马齿苋 *Portulaca oleracea* L.

药 材 名	马齿苋（药用部位：全草。别名：瓜子菜、酸味菜）。
形态特征	草本。叶扁平，肥厚，倒卵形，似马齿状，长 1 ~ 3 cm，宽 0.6 ~ 1.5 cm。花无梗，直径 4 ~ 5 mm，常 3 ~ 5 簇生于枝端，午时盛开；萼片 2；花瓣 5，稀 4，黄色，倒卵形，长 3 ~ 5 mm，先端微凹，基部合生；雄蕊通常 8，有时更多，长约 12 mm，花药黄色；子房无毛，花柱比雄蕊稍长，柱头 4 ~ 6 裂，线形。蒴果卵球形，长约 5 mm，盖裂。花期 5 ~ 8 月，果期 6 ~ 9 月。
生境分布	生于旷地、路旁、园地。广东各地均有分布。
资源情况	野生资源较丰富。药材主要来源于野生。

| 采收加工 | 夏、秋季采收，晒干。

| 功能主治 | 酸，寒。清热利湿，解毒消肿，消炎，止渴利尿。用于细菌性痢疾，急性胃肠炎，急性阑尾炎，乳腺炎，痔疮出血，白带；外用于疔疮肿毒，湿疹，带状疱疹。

| 用法用量 | 内服煎汤，15 ~ 30 g。外用适量，鲜品捣敷。

| 凭证标本号 | 440783191006023LY。

马齿苋科 Portulacaceae 马齿苋属 Portulaca

多毛马齿苋 *Portulaca pilosa* L.

| 药 材 名 | 多毛马齿苋（药用部位：全草。别名：毛马齿苋）。

| 形态特征 | 草本。叶近圆柱状线形或钻状狭披针形，长 1 ~ 2 cm，宽 1 ~ 4 mm，腋内有长疏柔毛，茎上部毛较密。花直径约 2 cm，无梗，围以 6 ~ 9 轮生叶，密生长柔毛；萼片长圆形，渐尖或急尖；花瓣 5，膜质，红紫色，宽倒卵形，先端钝或微凹，基部合生；雄蕊 20 ~ 30，花丝洋红色，基部不连合；花柱短，柱头 3 ~ 6 裂。蒴果卵球形，蜡黄色，有光泽，盖裂。花果期 5 ~ 8 月。

| 生境分布 | 生于海边沙地。分布于广东海丰、陆丰、斗门、高要、电白、吴川及广州（市区）、深圳（市区）。

| **资源情况** | 野生资源较少。药材主要来源于野生。 |

| **采收加工** | 夏、秋季采收，鲜用。 |

| **功能主治** | 酸，寒。止血消炎。外用于刀伤出血，犬咬伤，烫火伤。 |

| **用法用量** | 外用适量，鲜品捣敷。 |

| **凭证标本号** | 邢福武等 10989。 |

马齿苋科 Portulacaceae 马齿苋属 Portulaca

松叶牡丹
Portulaca pilosa L. subsp. *grandiflora* (Hook.) Geesink.

| 药 材 名 |

松叶牡丹（药用部位：全草。别名：午时花、太阳花、半支莲）。

| 形态特征 |

草本。叶细圆柱形，有时微弯，长 1 ~ 2.5 cm，直径 2 ~ 3 mm，先端圆钝，无毛。花单生或数朵簇生于枝端，日开夜闭；萼片 2；花瓣 5 或重瓣，倒卵形，先端微凹，长 12 ~ 30 mm，红色、紫色或黄白色；雄蕊多数，长 5 ~ 8 mm，花丝紫色，基部合生；花柱与雄蕊近等长，柱头 5 ~ 9 裂，线形。蒴果近椭圆形，盖裂。花期 6 ~ 9 月，果期 8 ~ 11 月。

| 生境分布 |

广东无野生分布。分布于广东斗门及广州（市区）、深圳（市区）。

| 资源情况 |

有少量栽培。药材主要来源于栽培。

| 采收加工 |

夏、秋季采收，晒干。

| **功能主治** | 淡、微辛，平。凉血散瘀，消肿止痛。用于跌打损伤；外用于疮疖肿痛。 |

| **用法用量** | 内服煎汤，15 ~ 30 g。孕妇忌用。外用适量，鲜品捣敷。 |

| **凭证标本号** | 441421181104478LY。 |

马齿苋科 Portulacaceae 土人参属 Talinum

土人参
Talinum paniculatum (Jacq.) Gaertn.

| 药 材 名 | 土人参（药用部位：全草。别名：栌兰）。

| 形态特征 | 草本。主根粗壮，圆锥形。叶稍肉质，倒卵形或倒卵状长椭圆形，长 5 ～ 10 cm，宽 2.5 ～ 5 cm。圆锥花序顶生或腋生，较大型；花小；萼片卵形，紫红色；花瓣粉红色或淡紫红色，长椭圆形、倒卵形或椭圆形，长 6 ～ 12 mm，先端圆钝，稀微凹；子房卵球形，长约 2 mm。蒴果近球形，直径约 4 mm，3 瓣裂，坚纸质。花期 6 ～ 8 月，果期 9 ～ 11 月。

| 生境分布 | 广东各地有栽培或逸为野生。

| 资源情况 | 野生资源较丰富。药材主要来源于野生。

| 采收加工 | 夏、秋季采收，晒干。

| 功能主治 | 甘，平。补中益气，润肺生津。用于气虚乏力，体虚自汗，脾虚泄泻，肺燥咳嗽，乳汁稀少。

| 用法用量 | 内服煎汤，15 ~ 30 g。

| 凭证标本号 | 441225180611019LY。

蓼科 Polygonaceae 金线草属 Antenoron

金线草

Antenoron filiforme (Thunb.) Rob. et Vant.

| 药 材 名 | 金线草（药用部位：全草。别名：九龙盘）。

| 形态特征 | 草本。根茎粗壮。叶椭圆形或长椭圆形，长 6 ~ 15 cm，宽 4 ~ 8 cm。总状花序呈穗状；苞片漏斗状，绿色，边缘膜质，具缘毛；花被 4 深裂，红色，花被片卵形，果时稍增大；雄蕊 5；花柱 2，果时伸长，硬化，长 3.5 ~ 4 mm，先端呈钩状，宿存，伸出花被之外。瘦果卵形，双凸镜状，褐色，有光泽，长约 3 mm，包于宿存花被内。花期 7 ~ 8月，果期 9 ~ 10 月。

| 生境分布 | 生于山谷林下、路旁。分布于广东乐昌、乳源、连州、连山、连南、南雄、始兴、阳山、仁化、翁源、新丰、连平、和平、龙门、阳春。

| **资源情况** | 野生资源较丰富。药材主要来源于野生。 |

| **采收加工** | 夏、秋季采收，晒干。 |

| **功能主治** | 微苦、辛，凉。凉血止血，祛瘀止痛。用于吐血，肺结核咯血，子宫出血，淋巴结结核，胃痛，痢疾，跌打损伤，骨折，风湿痹痛，腰痛。 |

| **用法用量** | 内服煎汤，15 ~ 30 g。 |

| **凭证标本号** | 440783191103008LY。 |

蓼科 Polygonaceae 金线草属 Antenoron

短毛金线草

Antenoron filiforme (Thunb.) Rob. et Vant. var. *neofiliforme* (Nakai) A. J. Li

| 药 材 名 | 短毛金线草（药用部位：全草。别名：蓼子七）。

| 形态特征 | 草本。叶椭圆形或长椭圆形，长 6 ~ 15 cm，宽 4 ~ 8 cm，先端长渐尖，基部楔形，全缘，两面疏生短糙伏毛。总状花序呈穗状，通常数个，顶生或腋生，花序轴延伸，花排列稀疏；花被 4 深裂，红色，花被片卵形，果时稍增大；雄蕊 5；花柱 2，果时伸长，硬化，长 3.5 ~ 4 mm，先端呈钩状，宿存，伸出花被之外。瘦果卵形，双凸镜状，褐色，有光泽。花期 7 ~ 8 月，果期 9 ~ 10 月。

| 生境分布 | 生于山谷林下、路旁。分布于广东乐昌、乳源、和平。

| 资源情况 | 野生资源较丰富。药材主要来源于野生。

采收加工	夏、秋季采收，晒干。
功能主治	微苦、辛，凉。凉血止血，祛瘀止痛。用于吐血，肺结核咯血，子宫出血，淋巴结结核，胃痛，痢疾，跌打损伤，骨折，风湿痹痛，腰痛。
用法用量	内服煎汤，15 ～ 30 g。
凭证标本号	441823190722014LY。

蓼科 Polygonaceae 荞麦属 Fagopyrum

野荞麦 *Fagopyrum dibotrys* (D. Don) Hara

| 药 材 名 | 野荞麦（药用部位：根茎。别名：苦荞麦、酸荞麦、荞麦七）。

| 形态特征 | 草本。叶三角形，长 4 ~ 12 cm，宽 3 ~ 11 cm；托叶鞘筒状，膜质，褐色。花序伞房状；花梗中部具关节，与苞片近等长；花被 5 深裂，白色，花被片长椭圆形，长约 2.5 mm；雄蕊 8，比花被短；花柱 3，柱头头状。瘦果宽卵形，具 3 锐棱，长 6 ~ 8 mm，黑褐色，无光泽，超出宿存花被 2 ~ 3 倍。花期 7 ~ 9 月，果期 8 ~ 10 月。

| 生境分布 | 生于山谷、路旁、沟边。分布于广东乐昌、乳源、连州、连山、连南、南雄、始兴、仁化、英德、阳山、翁源、新丰、连平、和平、龙门。

| 资源情况 | 野生资源较丰富。药材主要来源于野生。

| 采收加工 | 秋季采挖，除去须根，洗净，晒干。

| 药材性状 | 本品呈不规则团块或圆柱状，常有瘤状分枝，有的先端有茎残基，长 3 ~ 15 cm，直径 1 ~ 4 cm。表面棕褐色，有横向环节和纵皱纹，密布点状皮孔，并有凹陷的圆形根痕和残存须根。质坚硬，不易折断，断面淡黄白色或淡棕红色，有放射状纹理，中央髓部色较深。气微，味微涩。

| 功能主治 | 辛、涩，凉。归肺经。清热解毒，活血散瘀，健脾利湿。用于咽喉肿痛，肺脓肿，脓胸，肺炎，胃痛，肝炎，痢疾，消化不良，盗汗，痛经，闭经，白带；外用于淋巴结结核，痈疖肿毒，跌打损伤。

| 用法用量 | 内服煎汤，15 ~ 60 g。外用适量，鲜品捣敷。

| 凭证标本号 | 441825191002053LY。

蓼科 Polygonaceae 荞麦属 Fagopyrum

荞麦
Fagopyrum esculentum Moench

| 药 材 名 | 荞麦（药用部位：茎、叶、种子。别名：三角丹、野花麦）。

| 形态特征 | 草本。叶三角形或卵状三角形，长 2.5 ～ 7 cm，宽 2 ～ 5 cm；托叶鞘膜质，短筒状。花序总状或伞房状，顶生或腋生，花序梗一侧具小突起；苞片卵形，长约 2.5 mm，绿色，边缘膜质，每苞内具 3 ～ 5 花；花梗比苞片长，无关节，花被 5 深裂，白色或淡红色，花被片椭圆形，长 3 ～ 4 mm；雄蕊 8，比花被短，花药淡红色；花柱 3，柱头头状。瘦果卵形，具 3 锐棱，先端渐尖，长 5 ～ 6 mm，暗褐色，无光泽。花期 5 ～ 9 月，果期 6 ～ 10 月。

| 生境分布 | 广东无野生分布。广东各地山区均有分布。

| **资源情况** | 有少量栽培。药材主要来源于栽培。

| **采收加工** | 秋季采收，晒干。

| **功能主治** | 甘，平。降压，止血。用于高血压，毛细血管脆性出血，中风，视网膜出血，肺出血。

| **用法用量** | 内服煎汤，30 ～ 60 g。

| **凭证标本号** | 粤 74-5179。

蓼科 Polygonaceae　何首乌属 Fallopia

何首乌

Fallopia multiflora (Thunb.) Harald. [*Polygonum multiflorum* Thunb.]

| 药 材 名 | 何首乌（药用部位：块根。别名：夜交藤、马肝石、赤葛）。

| 形态特征 | 缠绕藤本。根茎块状，横走，近肉质，棕色或黑棕色。叶互生，具柄，卵状心形，长5～9 cm，宽3～5 cm，先端渐尖，基部心形或近心形，全缘，两面无毛；托叶鞘状，膜质。总状花序排成圆锥状，大而开展，顶生或腋生；苞片卵状披针形，全缘；花小而多，白色；花梗纤细，呈毛发状；花萼5深裂，裂片大小不等，果时增大，外面3肥厚，背部有翅。瘦果椭圆形，有3棱，光滑，黑色。花期7～11月。

| 生境分布 | 生于村边、路旁、灌丛或多石的山坡。分布于广东乐昌、乳源、连州、连山、连南、南雄、始兴、仁化、英德、阳山、翁源、新丰、和平、连平、龙川、紫金、龙门、从化、增城、博罗及河源（市区）、广东东部、广东西部大部分地区。广东德庆有大量栽培。

资源情况	野生资源较丰富。药材主要来源于栽培。

采收加工	春、秋季采挖，切片，晒干。

药材性状	本品为团块状或不规则纺锤形，通常长 6 ～ 20 cm，直径 4 ～ 12 cm。外表面红棕色或红褐色，皱缩不平，上下端削平面为黄色或淡红棕色，除维管束组织外，皮部常散有云锦状花纹。首乌片为不规则块片，厚 5 ～ 7 mm，切开面有黄白色筋脉。气微，味微苦而甘、涩。首乌个以体重、质坚实、切面无裂隙者为佳；首乌片以切面色黄棕、有胶状光泽者为佳。

功能主治	甘、苦、涩，温。归肝、心、肾经。补肝肾，益精血，养心安神；生用润肠，解毒散结。用于神经衰弱，贫血，须发早白，头晕，失眠，盗汗，血胆固醇过高，腰膝酸痛，遗精，白带；生用用于阴血不足之便秘，淋巴结结核，痈疖。

用法用量	内服煎汤，9 ～ 15 g。

凭证标本号	445222181025010LY。

蓼科 Polygonaceae 竹节蓼属 Homalocladium

竹节蓼
Homalocladium platycladum (F. Muell ex Hook.) Bailey

| **药 材 名** | 竹节蓼（药用部位：全株。别名：蜈蚣草、扁竹蓼）。

| **形态特征** | 亚灌木。老枝圆柱形，有节，暗褐色，上有纵线条；幼枝扁平，多节，绿色，形似叶片。叶退化，全缺或有数枚披针形小叶片，基部三角状楔形，托叶退化为线条。总状花序簇生在新枝条的节上，小形，淡红色或绿白色。浆果红色或淡紫色。

| **生境分布** | 广东无野生分布。广东斗门及广州（市区）、深圳（市区）有栽培。

| **资源情况** | 有少量栽培。药材主要来源于栽培。

| **采收加工** | 夏、秋季采收，鲜用。

| **功能主治** | 微甘，平。行血祛瘀，消肿止痛。外用于痈疮肿痛，跌打损伤，毒蛇及蜈蚣咬伤。 |

| **用法用量** | 外用适量，鲜品捣敷。 |

| **凭证标本号** | 445224210521003LY。 |

蓼科 Polygonaceae 蓼属 Polygonum

萹蓄
Polygonum aviculare L.

| 药 材 名 | 萹蓄（药用部位：全草。别名：网基菜、乌蓼）。

| 形态特征 | 草本。叶椭圆形、狭椭圆形或披针形，长 1 ~ 4 cm，宽 3 ~ 12 mm；托叶鞘膜质，下部褐色，上部白色，撕裂脉明显。花单生或数朵簇生于叶腋，遍布于植株，小；花被绿色，5 深裂，裂片椭圆形，长 2 ~ 2.5 mm，绿色，边缘白色或淡红色；雄蕊 8，花丝基部扩展；花柱 3，柱头头状。瘦果卵形，具 3 棱，长 2.5 ~ 3 mm，黑褐色，密被由小点组成的细条纹。花期 5 ~ 7 月，果期 6 ~ 8 月。

| 生境分布 | 生于田野、荒地和水边湿地上。分布于广东乐昌、乳源、连州、连山、连南、南雄、始兴、仁化、英德、阳山、新丰、和平、连平、紫金。

| **资源情况** | 野生资源较少。药材主要来源于野生。 |

| **采收加工** | 夏、秋季采收，晒干。 |

| **药材性状** | 本品全长 15 ～ 50 cm。茎圆柱形而略扁，直径 1.5 ～ 3 mm，有分枝，灰绿色或棕红色，有细密的纵纹，节部稍膨大，有浅棕色膜质的托叶鞘；质硬，易折断，断面有白色髓部。叶互生，近无柄或具短柄，叶片多脱落或皱缩破碎，完整者展平后呈披针形，全缘，无毛，两面均呈棕绿色或灰绿色。无臭，味微苦。以质嫩、叶多、色灰绿者为佳。 |

| **功能主治** | 苦，平。归膀胱经。清热利尿，解毒驱虫。用于尿路感染，结石，肾炎，黄疸，细菌性痢疾，蛔虫病，蛲虫病，疥癣湿痒。 |

| **用法用量** | 内服煎汤，6 ～ 15 g。 |

| **凭证标本号** | 441823201205004LY。 |

蓼科 Polygonaceae 蓼属 Polygonum

毛蓼
Polygonum barbatum L.

| 药 材 名 | 毛蓼（药用部位：全草。别名：水辣蓼）。

| 形态特征 | 草本。叶披针形或椭圆状披针形，长 7 ~ 15 cm，宽 1.5 ~ 4 cm；托叶鞘筒状，长 1.5 ~ 2 cm，密被细刚毛。总状花序呈穗状，紧密，直立，长 4 ~ 8 cm；花被 5 深裂，白色或淡绿色，花被片椭圆形，长 1.5 ~ 2 mm；雄蕊 5 ~ 8；花柱 3，柱头头状。瘦果卵形，具 3 棱，黑色，有光泽，长 1.5 ~ 2 mm，包于宿存花被内。花期 8 ~ 9 月，果期 9 ~ 10 月。

| 生境分布 | 生于水旁、路边湿地及林下。分布于广东乐昌、阳山、乳源、英德、翁源、连平、惠东、平远、饶平、陆丰、斗门、台山、高要、新兴、恩平、开平、阳春、封开及广州（市区）、深圳（市区）。

| **资源情况** | 野生资源较丰富。药材主要来源于野生。

| **采收加工** | 夏、秋季采收，晒干。

| **功能主治** | 辛，温；有毒。消肿，散毒。用于疽瘘，瘰疬，疮痈，胃痛，肠炎，痢疾，风湿痹痛，跌打损伤，足癣，皮肤病。

| **用法用量** | 内服煎汤，2～3g。外用适量，煎汤洗。

| **凭证标本号** | 441523200106016LY。

蓼科 Polygonaceae 蓼属 Polygonum

细齿毛蓼 Polygonum barbatum L. var. gracile (Dens.) Stew.

| **药 材 名** | 细齿毛蓼（药用部位：全草。别名：小蓼子草）。

| **形态特征** | 本种与毛蓼的区别在于茎纤细柔弱，穗状花序短，2 或 3 簇生于枝
先端。

| **生境分布** | 生于山谷或疏林下。分布于广东乐昌、乳源、连州、英德、阳山及
广州（市区）、深圳（市区）。

| **资源情况** | 野生资源较少。药材主要来源于野生。

| **采收加工** | 夏、秋季采收，晒干。

| 功能主治 | 微辛，温。散寒活血，排脓生肌。用于外感发热，久疟，痢疾，瘰疬破不收敛，跌打损伤，风湿痹痛；外用于麻疹。

| 用法用量 | 内服煎汤，6～15 g。外用适量，鲜品捣烂搓皮肤；或煎汤洗。

| 凭证标本号 | 440781190320028LY。

蓼科 Polygonaceae 蓼属 Polygonum

头花蓼 *Polygonum capitatum* Buch.-Ham. ex D. Don

| 药 材 名 | 头花蓼（药用部位：全草。别名：红酸杆、石头花）。

| 形态特征 | 草本。茎匍匐。叶卵形或椭圆形，长 1.5 ～ 3 cm，宽 1 ～ 2.5 cm；托叶鞘筒状，膜质。头状花序，直径 6 ～ 10 mm，单生或成对，顶生；花序梗具腺毛；苞片长卵形，膜质；花梗极短；花被 5 深裂，淡红色，花被片椭圆形，长 2 ～ 3 mm；雄蕊 8，比花被短；花柱 3，中下部合生，与花被近等长，柱头头状。瘦果长卵形，具 3 棱，长 1.5 ～ 2 mm，黑褐色，密生小点，微有光泽，包于宿存花被内。花期 6 ～ 9 月，果期 8 ～ 10 月。

| 生境分布 | 生于田野或溪边潮湿处。分布于广东和平、博罗、怀集、封开。

| **资源情况** | 野生资源较少。药材主要来源于野生。 |

| **采收加工** | 夏、秋季采收，晒干。 |

| **功能主治** | 酸，寒。清热凉血，利尿。用于尿路感染，痢疾，腹泻，血尿，尿布皮炎，黄水疮。 |

| **用法用量** | 内服煎汤，15 ~ 30 g。外用适量，煎汤洗。 |

| **凭证标本号** | 441523190920051LY。 |

蓼科 Polygonaceae 蓼属 *Polygonum*

火炭母 *Polygonum chinense* L.

| **药材名** | 火炭母（药用部位：全草。别名：赤地利、火炭星）。

| **形态特征** | 匍匐草本。叶卵形或长卵形，长 4 ~ 10 cm，宽 2 ~ 4 cm；托叶鞘膜质。头状花序，常数个排成圆锥状，顶生或腋生，花序梗被腺毛；苞片宽卵形，每苞内具 1 ~ 3 花；花被 5 深裂，白色或淡红色，裂片卵形，果时增大，呈肉质，蓝黑色；雄蕊 8，比花被短；花柱 3，中下部合生。瘦果宽卵形，具 3 棱，长 3 ~ 4 mm，黑色，无光泽，包于宿存的花被内。花期 7 ~ 9 月，果期 8 ~ 10 月。

| **生境分布** | 生于山谷水边湿地。广东各地均有分布。

| **资源情况** | 野生资源较丰富。药材主要来源于野生。

| 采收加工 | 夏、秋季采收,晒干。

| 药材性状 | 本品长 30 ~ 100 cm。茎扁圆柱形,有分枝,节稍膨大,下部节上有褐色须根,淡绿色或紫褐色,嫩枝紫红色,无毛,有细线棱;质脆,易折断,断面灰黄色,疏松,常中空。叶多卷缩或破碎,完整叶片展平后呈卵状长圆形,长 5 ~ 10 cm,基部截形或稍圆,全缘,上面暗绿色,有淡紫色斑块,下面色较浅,两面近无毛;托叶鞘筒状,膜质,抱茎。无臭,味酸、微涩。以叶多、色黄绿者为佳。

| 功能主治 | 微酸、涩、甘,凉。归肝、脾经。清热解毒,利湿消滞,凉血止痒,明目退翳。用于痢疾,肠炎,肝炎,消化不良,感冒,扁桃体炎,百日咳,咽喉炎,白喉,角膜薄翳,外阴阴道假丝酵母菌病,白带,乳腺炎,疖肿,小儿脓疱疮,湿疹,毒蛇咬伤。

| 用法用量 | 内服煎汤,15 ~ 30 g。外用适量,鲜品捣敷。

| 凭证标本号 | 441523190918057LY。

蓼科 Polygonaceae 蓼属 Polygonum

蓼子草

Polygonum criopolitanum Hance

| 药 材 名 | 蓼子草 (药用部位: 全草。别名: 细叶一枝蓼、小莲蓬、猪蓼子草)。

| 形态特征 | 草本。叶狭披针形或披针形, 长 1 ~ 3 cm, 宽 3 ~ 8 mm; 托叶鞘膜质。花序头状, 顶生, 花序梗密被腺毛; 苞片卵形, 长 2 ~ 2.5 mm, 密生糙伏毛, 具长缘毛, 每苞内具 1 花; 花梗比苞片长, 密被腺毛, 顶部具关节; 花被 5 深裂, 淡紫红色, 花被片卵形, 长 3 ~ 4 mm; 雄蕊 5, 花药紫色; 花柱 2, 中上部合生。瘦果椭圆形, 双凸镜状, 长约 2.5 mm, 有光泽, 包于宿存花被内。花期 7 ~ 11 月, 果期 9 ~ 12 月。

| 生境分布 | 生于田野、水边或山谷湿地上。分布于广东连州、乳源、高要。

| 资源情况 | 野生资源较少。药材主要来源于野生。

| 采收加工 | 夏、秋季采收，晒干。

| 功能主治 | 辛，温。祛风利湿，散瘀止痛，消肿解毒。用于痢疾，胃肠炎，腹泻，风湿性
关节炎，跌打肿痛，功能失调性子宫出血；外用于毒蛇咬伤，湿疹。

| 用法用量 | 内服煎汤，15 ~ 30 g。外用适量，鲜品捣敷。

| 凭证标本号 | 441322161001447LY。

蓼科 Polygonaceae 蓼属 Polygonum

大箭叶蓼

Polygonum darrisii Lévl. [*Polygonum sagittifolium* Lévl. et Vant.]

| **药 材 名** | 大箭叶蓼（药用部位：全草）。

| **形态特征** | 草本。匍匐茎，四棱形，沿棱具稀疏的倒生皮刺。叶长三角形或三角状箭形。总状花序密集成头状，顶生或腋生，花序梗通常不分枝，无腺毛，具稀疏的倒生短皮刺；苞片长卵形，先端渐尖，每苞内通常具2花；花梗短，比苞片短；花被5深裂，白色或淡红色，花被片椭圆形；雄蕊8，比花被短；花柱3，中下部合生，柱头头状。瘦果近球形。花期6～8月，果期7～10月。

| **生境分布** | 生于河旁、水沟边、田边等湿润处。分布于广东乐昌、乳源、始兴、仁化、高要。

| **资源情况** | 野生资源较少。药材主要来源于野生。 |

| **采收加工** | 夏、秋季采收，晒干。 |

| **功能主治** | 苦，凉。清热解毒。用于皮肤瘙痒，毒蛇咬伤，痈肿，牙痛。 |

| **用法用量** | 内服煎汤，9 ~ 15 g。 |

| **凭证标本号** | 南岭队 3175。 |

蓼科 Polygonaceae 蓼属 *Polygonum*

箭叶蓼

Polygonum hastatosagittatum Makino

| 药 材 名 | 箭叶蓼（药用部位：全草。别名：长箭叶蓼）。

| 形态特征 | 草本。茎沿棱具倒生短皮刺。叶披针形或椭圆形。总状花序呈短穗状，长 1 ~ 1.5 cm，顶生或腋生，花序梗二歧状分枝，密被短柔毛及腺毛；苞片宽椭圆形或卵形，长 2.5 ~ 3 mm，具缘毛，每苞内通常具 2 花；花梗长 4 ~ 6 mm，密被腺毛，比苞片长；花被 5 深裂，淡红色，花被片宽椭圆形，长 3 ~ 4 mm；雄蕊 7 ~ 8；花柱 3，中下部合生，柱头头状。瘦果卵形，具 3 棱。花期 8 ~ 9 月，果期 9 ~ 10 月。

| 生境分布 | 生于丘陵疏林下、灌丛或田边湿地。分布于广东阳山、龙门及河源（市区）、深圳（市区）。

| 资源情况 | 野生资源较少。药材主要来源于野生。

| 采收加工 | 夏、秋季采收，晒干。

| 功能主治 | 清湿热，润肠。用于热泻，毒蛇咬伤，烫火伤。

| 用法用量 | 内服煎汤，20 ~ 30 g。

| 凭证标本号 | 440224181112020LY。

水蓼
Polygonum hydropiper L.

| 药 材 名 | 辣蓼（药用部位：全草。别名：辣蓼草、蓼子草）。

| 形态特征 | 草本。叶披针形或椭圆状披针形。总状花序呈穗状；苞片漏斗状，长 2 ~ 3 mm，绿色，边缘膜质，疏生短缘毛，每苞内具 3 ~ 5 花；花梗比苞片长；花被 5 深裂，稀 4 裂，绿色，上部白色或淡红色，被黄褐色透明腺点，花被片椭圆形，长 3 ~ 3.5 mm；雄蕊 6，稀 8，比花被短；花柱 2 ~ 3，柱头头状。瘦果卵形，长 2 ~ 3 mm，双凸镜状或具 3 棱，密被小点。花期 5 ~ 9 月，果期 6 ~ 10 月。

| 生境分布 | 生于田边、路旁、沟边、河岸等湿润处。广东各地均有分布。

| 资源情况 | 野生资源较丰富。药材主要来源于野生。

| 采收加工 | 夏、秋季采收，晒干。

| 功能主治 | 辛，温。祛风利湿，散瘀止痛，解毒消肿，杀虫止痒。用于痢疾，胃肠炎，腹泻，风湿关节痛，跌打肿痛，功能失调性子宫出血；外用于毒蛇咬伤，湿疹。

| 用法用量 | 内服煎汤，15 ~ 30 g。外用适量，煎汤洗。

| 凭证标本号 | 441523190514019LY。

蓼科 Polygonaceae 蓼属 *Polygonum*

蚕虫草
Polygonum japonicum Meisn.

| 药 材 名 | 蚕虫草（药用部位：全草。别名：蓼子草、小蓼子草、红蓼子）。

| 形态特征 | 草本。叶披针形，近薄革质，长 7 ~ 15 cm，宽 1 ~ 2 cm。总状花序呈穗状；苞片漏斗状，绿色，上部淡红色，具缘毛，每苞内具 3 ~ 6 花；花梗长 2.5 ~ 4 mm；雌雄异株，花被 5 深裂，白色或淡红色，花被片长椭圆形，长 2.5 ~ 3 mm；雄花雄蕊 8，比花被长；雌花花柱 2 ~ 3，中下部合生，比花被长。瘦果卵形，具 3 棱或双凸镜状，长 2.53 mm，黑色，有光泽。花期 8 ~ 10 月，果期 9 ~ 11 月。

| 生境分布 | 生于溪旁的潮湿处。分布于广东乳源、乐昌、高要及广州（市区）、深圳（市区）。

| 资源情况 | 野生资源较丰富。药材主要来源于野生。

| 采收加工 | 夏、秋季采收，晒干。

| 功能主治 | 辛，温。散寒活血，止痢。用于腰膝寒痛，麻疹，细菌性痢疾。

| 用法用量 | 内服煎汤，6～9g。

| 凭证标本号 | 441882190324028LY。

蓼科 Polygonaceae 蓼属 Polygonum

山蓼
Polygonum jucundum Meisn.

药 材 名

山蓼(药用部位:全草。别名:愉悦蓼、香蓼)。

形态特征

草本。叶椭圆状披针形,长 6 ~ 10 cm,宽 1.5 ~ 2.5 cm。总状花序呈穗状,顶生或腋生,长 3 ~ 6 cm,花排列紧密;苞片漏斗状,绿色,缘毛长 1.5 ~ 2 mm,每苞内具 3 ~ 5 花;花梗长 4 ~ 6 mm,明显比苞片长;花被 5 深裂,花被片长圆形,长 2 ~ 3 mm;雄蕊 7 ~ 8;花柱 3,下部合生,柱头头状。瘦果卵形,具 3 棱,黑色,有光泽,长约 2.5 mm。花期 8 ~ 9 月,果期 9 ~ 11 月。

生境分布

生于山地、山谷、水旁潮湿处。分布于广东始兴、仁化、翁源、乳源、新丰、乐昌、南雄、南海、信宜、怀集、高要、博罗、连平、和平、阳春、阳山、英德、连州、饶平、揭西、新兴、郁南、罗定及广州(市区)、清远(市区)、云浮(市区)、深圳(市区)。

资源情况

野生资源较丰富。药材主要来源于野生。

| 采收加工 | 春、夏季采收，鲜用。

| 功能主治 | 酸，凉。消肿止痛。外用于风湿肿痛，跌打损伤，扭挫伤肿痛。

| 用法用量 | 外用适量，鲜品捣敷。

| 凭证标本号 | 441825190926022LY。

蓼科 Polygonaceae 蓼属 Polygonum

酸模叶蓼 *Polygonum lapathifolium* L.

| 药 材 名 | 酸模叶蓼（药用部位：全草。别名：蓼草、大马蓼）。

| 形态特征 | 草本。叶披针形或宽披针形，长 5 ~ 15 cm，宽 1 ~ 3 cm。总状花序呈穗状，顶生或腋生，近直立，花紧密，通常由数个花穗再组成圆锥状，花序梗被腺体；苞片漏斗状，边缘具稀疏短缘毛；花被淡红色或白色，花被片椭圆形，外面两面较大，脉粗壮，先端叉分，外弯；雄蕊通常 6。瘦果宽卵形，双凹镜状，长 2 ~ 3 mm，黑褐色，有光泽，包于宿存花被内。花期 6 ~ 8 月，果期 7 ~ 9 月。

| 生境分布 | 生于路旁湿地和沟渠、水边。分布于广东乐昌、台山、开平、恩平、阳春、信宜及清远（市区）、广州（市区）、河源（市区）、深圳（市区）。

| 资源情况 | 野生资源较丰富。药材主要来源于野生。

| 采收加工 | 夏、秋季采收，晒干。

| 功能主治 | 辛、苦，凉。清热解毒，利湿止痒。用于肠炎，痢疾；外用于湿疹，颈淋巴结结核。

| 用法用量 | 内服煎汤，15 ~ 30 g。外用适量，煎汤熏洗；或捣敷。

| 凭证标本号 | 440783200328019LY。

蓼科 Polygonaceae 蓼属 Polygonum

绵毛酸模叶蓼

Polygonum lapathifolium L. var. *salicifolium* Sibth.

药材名

绵毛酸模叶蓼（药用部位：全草。别名：柳叶蓼）。

形态特征

草本。叶披针形或宽披针形，长 5 ~ 15 cm，宽 1 ~ 3 cm。总状花序呈穗状，顶生或腋生，近直立，花紧密，通常由数个花穗再组成圆锥状，花序梗被腺体；苞片漏斗状，边缘具稀疏短缘毛；花被淡红色或白色，4（~ 5）深裂，花被片椭圆形，外面两面较大，脉粗壮，先端叉分，外弯；雄蕊通常 6。瘦果宽卵形，双凹镜状，长 2 ~ 3 mm，黑褐色，有光泽。花期 6 ~ 8 月，果期 7 ~ 9 月。

生境分布

生于水边或潮湿处。分布于广东乐昌、博罗、梅县、大埔、高要、阳春、阳西、信宜及广州（市区）、清远（市区）、云浮（市区）、深圳（市区）。

资源情况

野生资源较丰富。药材主要来源于野生。

| **采收加工** | 夏、秋季采收，晒干。

| **功能主治** | 辛，温。消肿止痛，消炎。用于痢疾，胃肠炎，腹泻，风湿关节痛，跌打肿痛，功能失调性子宫出血；外用于毒蛇咬伤，湿疹。

| **用法用量** | 内服煎汤，15 ~ 30 g。外用适量，鲜品捣敷。

| **凭证标本号** | 石国良 12023。

蓼科 Polygonaceae 蓼属 Polygonum

长鬃蓼
Polygonum longisetum De Br.

| 药 材 名 | 长鬃蓼（药用部位：全草。别名：马蓼）。

| 形 态 特 征 | 草本。叶披针形或宽披针形，长 5 ~ 13 cm，宽 1 ~ 2 cm。总状花序呈穗状；花被 5 深裂，淡红色或紫红色，花被片椭圆形，长 1.5 ~ 2 mm；雄蕊 6 ~ 8；花柱 3，中下部合生，柱头头状。瘦果宽卵形，具 3 棱，黑色，有光泽，长约 2 mm，包于宿存花被内。花期 6 ~ 8 月，果期 7 ~ 9 月。

| 生 境 分 布 | 生于沟边或河流两岸湿地。分布于广东乐昌、乳源、南雄、连州、连山、连南、翁源、连平、和平、饶平、高要、阳春、信宜、高州及惠州（市区）、广州（市区）。

| 资源情况 | 野生资源较丰富。药材主要来源于野生。 |

| 采收加工 | 夏、秋季采收,晒干。 |

| 功能主治 | 辛,温。解毒,除湿。用于肠风,痢疾,无名肿毒,阴疳,瘰疬,毒蛇咬伤,风湿痹痛。 |

| 用法用量 | 内服煎汤,9 ~ 30 g。外用适量,鲜品捣敷。 |

| 凭证标本号 | 441825190412016LY。 |

蓼科 Polygonaceae 蓼属 *Polygonum*

长戟叶蓼 *Polygonum maackianum* Regel

| 药 材 名 | 长戟叶蓼（药用部位：全草。别名：马蓼、马氏蓼）。

| 形态特征 | 草本。茎疏生倒生皮刺。叶长戟形，长 3 ~ 8 cm。花序头状顶生或腋生，花序梗通常分枝，密被星状毛及稀疏的腺毛；苞片披针形，密被星状毛，每苞内具 2 花；花梗粗壮，比苞片短；花被 5 深裂，淡红色，花被片宽椭圆形；雄蕊 8，比花被短；花柱 3，中下部合生，柱头头状。瘦果卵形，具 3 棱，深褐色，有光泽，长约 3.5 mm，包于宿存花被内。花期 6 ~ 9 月，果期 7 ~ 10 月。

| 生境分布 | 生于山谷水边、山坡湿地。分布于广东高要。

| 资源情况 | 野生资源较少。药材主要来源于野生。

| 采收加工 | 夏、秋季采收，晒干。

| 功能主治 | 清热解毒，消肿。用于痧症，感冒，肠炎，腹泻，痢疾，毒蛇咬伤。

| 用法用量 | 内服煎汤，9 ~ 30 g。

| 凭证标本号 | 石国良 12528。

蓼科 Polygonaceae 蓼属 Polygonum

粗糙蓼 *Polygonum muricatum* Meisn.

| 药 材 名 | 粗糙蓼（药用部位：全草。别名：小花蓼）。

| 形态特征 | 草本。茎棱上有极稀疏的倒生短皮刺。叶卵形或长圆状卵形。总状花序呈穗状，极短，由数个穗状花序再组成圆锥状，花序梗密被短柔毛及稀疏的腺毛；苞片宽椭圆形或卵形，具缘毛，每苞片内具2花；花梗长约2 mm，比苞片短；花被5深裂，白色或淡紫红色，花被片宽椭圆形，长2～3 mm；雄蕊通常6～8；花柱3，柱头头状。瘦果卵形，具3棱，黄褐色，平滑，有光泽，长2～2.5 mm，包于宿存花被内。花期7～8月，果期9～10月。

| 生境分布 | 生于山坡、路旁潮湿处。分布于广东乐昌、连州、连山、始兴、翁源、新丰、和平、连平、龙川、紫金、惠东、大埔、阳春、郁南、封开

及云浮（市区）、深圳（市区）。

| 资源情况 | 野生资源较丰富。药材主要来源于野生。

| 采收加工 | 夏、秋季采收，晒干。

| 功能主治 | 辛，温。祛风利湿，散瘀止痛，解毒消肿。用于痢疾，胃肠炎，腹泻，风湿关节痛，功能失调性子宫出血；外用于蛇咬伤，皮肤瘙痒。

| 用法用量 | 内服煎汤，9 ~ 30 g。外用适量，鲜品捣敷。

| 凭证标本号 | 441825191001015LY。

蓼科 Polygonaceae 蓼属 Polygonum

尼泊尔蓼 *Polygonum nepalense* Meisn.

| 药 材 名 | 尼泊尔蓼（药用部位：全草。别名：山谷蓼、猫儿眼睛）。

| 形态特征 | 草本。茎下部叶卵形或三角状卵形，长 3 ~ 5 cm，宽 2 ~ 4 cm。花序头状，顶生或腋生，基部常具 1 叶状总苞片；花被通常 4 裂，淡紫红色或白色，花被片长圆形，长 2 ~ 3 mm，先端圆钝；雄蕊 5 ~ 6，与花被近等长，花药暗紫色；花柱 2，下部合生，柱头头状。瘦果宽卵形，双凸镜状，长 2 ~ 2.5 mm，黑色，密生洼点。花期 5 ~ 8 月，果期 7 ~ 10 月。

| 生境分布 | 生于山谷疏林下或田野草丛中。分布于广东乳源、乐昌、阳山、连山、连州、始兴、仁化、翁源、连平、和平、蕉岭、阳春、信宜及惠州（市区）、广州（市区）。

| **资源情况** | 野生资源较丰富。药材主要来源于野生。

| **采收加工** | 春、夏季采收，晒干。

| **功能主治** | 酸、涩，平。收敛固肠。用于痢疾，关节疼痛。

| **用法用量** | 内服煎汤，9 ~ 12 g。

| **凭证标本号** | 440783200426002LY。

蓼科 Polygonaceae 蓼属 Polygonum

红蓼
Polygonum orientale L.

| 药 材 名 | 红蓼（药用部位：果实。别名：东方蓼、荭草、过节风）。

| 形态特征 | 草本，高 1 ~ 2 m。叶宽卵形、宽椭圆形或卵状披针形，长 10 ~ 20 cm，宽 5 ~ 12 cm。总状花序呈穗状；花被 5 深裂，淡红色或白色，花被片椭圆形，长 3 ~ 4 mm；雄蕊 7，比花被长；花盘明显；花柱 2，中下部合生，比花被长，柱头头状。瘦果近圆形，双凹镜状，直径 3 ~ 3.5 mm，黑褐色，有光泽，包于宿存花被内。花期 6 ~ 9 月，果期 8 ~ 10 月。

| 生境分布 | 生于村边、路旁和水边湿地上。分布于广东乐昌、乳源、英德、斗门、高要、阳春及中山（市区）、广州（市区）、深圳（市区）。

| 资源情况 | 野生资源较少。药材主要来源于野生。

| 采收加工 | 秋季果实成熟时割取果穗，晒干，打下果实，除去杂质。

| 药材性状 | 本品呈扁球形，直径 2 ~ 3.5 mm，厚 1 ~ 1.5 mm，棕黑色，有时红棕色，有光泽，两面微凹，先端有短突尖，基部有浅棕色略凸起的果柄痕，有时有残存的膜质花被。质硬。气微，味淡。以粒大、饱满、色棕黑者为佳。

| 功能主治 | 咸，凉。归肝、胃经。清热，软坚，活血，消积，止痛，利尿。用于胃痛，腹胀，脾肿大，肝硬化腹水，颈淋巴结结核。

| 用法用量 | 内服煎汤，3 ~ 9 g。

| 凭证标本号 | 440781190514026LY。

蓼科 Polygonaceae 蓼属 Polygonum

掌叶蓼

Polygonum palmatum Dunn [*Polygonum pseudopalmatum* Hoo]

| 药 材 名 |

掌叶蓼（药用部位：全草。别名：屈草、猪草、大辣蓼）。

| 形态特征 |

草本。叶掌状深裂，圆形或宽卵形。花序头状，直径约 1 cm；苞片披针形，被星状毛及稀疏的糙伏毛，每苞内具 2 ~ 3 花；花梗无毛，比苞片短；花被 5 深裂，淡红色，花被片椭圆形，长 2.5 ~ 3 mm；雄蕊 8 ~ 10；花柱 3，中下部合生。瘦果卵形。花期 7 ~ 8 月，果期 9 ~ 10 月。

| 生境分布 |

生于山谷、沟边、路旁草丛中。分布于广东翁源、连平、新丰、高要、从化、增城。

| 资源情况 |

野生资源较少。药材主要来源于野生。

| 采收加工 |

夏、秋季采收，晒干。

| 功能主治 | 苦、酸，凉。止血，清热。用于吐血，衄血，崩漏，血痢，外伤出血。

| 用法用量 | 内服煎汤，10 ~ 15 g。外用适量，鲜品捣敷。

| 凭证标本号 | 441825190708045LY。

蓼科 Polygonaceae 蓼属 Polygonum

杠板归

Polygonum perfoliatum L.

| 药 材 名 | 杠板归（药用部位：全草。别名：蛇倒退、犁头刺）。

| 形态特征 | 攀缘草本。茎长 1 ~ 2 m，蜿蜒状，有棱，棱上有倒钩刺。叶薄纸质或近膜质，三角形，长 2 ~ 10 cm；托叶叶状，贯茎，圆形，直径 1.5 ~ 3 cm，无毛。花白色或青紫色，组成短总状花序；总花梗有钩刺，腋生；苞片膜质，无毛；花萼 5 裂，裂片长圆形，果时稍增大；雄蕊 8，比花萼稍短；花柱 3，上部分离。瘦果近球形。花期夏、秋季。

| 生境分布 | 生于村边、路旁、旷野荒地。广东各地均有分布。

| 资源情况 | 野生资源较丰富。药材主要来源于野生。

采收加工	夏、秋季采收，切段，晒干。
药材性状	本品茎略呈方柱形，有棱角，最长达 2 m，紫红色或紫棕色，棱角上有倒生钩刺，节略膨大。根断面黄白色，有髓心或中空。叶互生，叶柄盾状着生；叶片多皱卷，展平后近等边三角形，灰绿色至红棕色，下面叶脉及叶柄均有倒生钩刺。总状花序顶生或生于上部叶腋；花小，多卷缩或脱落。气微，味微酸。以叶多者为佳。
功能主治	酸，凉。归肺、脾、肝经。清热解毒，利尿消肿。用于上呼吸道感染，气管炎，百日咳，急性扁桃体炎，肠炎，痢疾，肾炎性水肿；外用于带状疱疹，湿疹，痈疖肿毒，蛇咬伤。
用法用量	内服煎汤，15 ～ 30 g。外用适量，鲜品捣敷；或干品煎汤洗。
凭证标本号	440783190522012LY。

蓼科 Polygonaceae 蓼属 Polygonum

腋花蓼

Polygonum plebeium R. Brown

| 药 材 名 | 腋花蓼（药用部位：全草。别名：小萹蓄、习见蓼）。

| 形态特征 | 草本。茎平卧。叶狭椭圆形或倒披针形，长 0.5 ~ 1.5 cm，宽 2 ~ 4 mm。花 3 ~ 6，簇生于叶腋；花被 5 深裂，花被片长椭圆形，绿色，背部稍隆起，边缘白色或淡红色，长 1 ~ 1.5 mm；雄蕊 5，花丝基部稍扩展，比花被短；花柱 3，稀 2，极短，柱头头状。瘦果宽卵形，具 3 锐棱或双凸镜状，长 1.5 ~ 2 mm，黑褐色，平滑，有光泽，包于宿存花被内。花期 5 ~ 8 月，果期 6 ~ 9 月。

| 生境分布 | 生于荒地、田野。广东各地均有分布。

| 资源情况 | 野生资源较丰富。药材主要来源于野生。

| **采收加工** | 春、夏季采收，晒干。

| **功能主治** | 苦，平。清热利尿，解毒驱虫。用于尿路感染，结石，肾炎，黄疸性肝炎，细菌性痢疾，蛔虫病，疥癣湿疹。

| **用法用量** | 内服煎汤，10 ～ 15 g。

| **凭证标本号** | 441422210224674LY。

蓼科 Polygonaceae 蓼属 Polygonum

丛枝蓼

Polygonum posumbu Buch.-Ham. ex D. Don [*Polygonum caespitosum* Bl.]

药 材 名	丛枝蓼（药用部位：全草。别名：红辣蓼、簇蓼、长尾叶蓼）。
形态特征	草本。叶卵状披针形或卵形，长3～6(～8)cm，宽1～2(～3)cm。总状花序呈穗状，顶生或腋生，细弱，下部间断，花稀疏，长5～10 cm；苞片漏斗状，无毛，淡绿色，具缘毛，每苞片内含花3～4；花梗短；花被5深裂，淡红色，花被片椭圆形，长2～2.5 mm；雄蕊8，比花被短；花柱3，下部合生，柱头头状。瘦果卵形，具3棱。花期6～9月，果期7～10月。
生境分布	生于水边或阴湿处。分布于广东乳源、乐昌、始兴、翁源、阳山、连山、英德、连州、连平、和平、博罗、龙门、平远、饶平、阳春、新兴、封开及惠州（市区）、深圳（市区）。

| **资源情况** | 野生资源较丰富。药材主要来源于野生。

| **采收加工** | 夏、秋季采收，晒干。

| **功能主治** | 辛，温。祛风利湿，散瘀止痛，消肿解毒。用于痢疾，胃肠炎，腹泻，风湿关节痛，跌打肿痛，功能失调性子宫出血；外用于毒蛇咬伤，湿疹。

| **用法用量** | 内服煎汤，9 ~ 15 g。外用适量，鲜品捣敷。

| **凭证标本号** | 441523200105031LY。

蓼科 Polygonaceae 蓼属 Polygonum

伏毛蓼 *Polygonum pubescens* Blume

药材名

伏毛蓼（药用部位：全草。别名：鱼腥蓼、软水蓼）。

形态特征

草本。叶卵状披针形或宽披针形，长5～10 cm，宽1～2.5 cm。总状花序呈穗状；花被5深裂，绿色，上部红色，密生淡紫色透明腺点，花被片椭圆形，长3～4 mm；雄蕊8，比花被短；花柱3，中下部合生。瘦果卵形，具3棱，黑色，密生小凹点，无光泽，长2.5～3 mm，包于宿存花被内。花期8～9月，果期8～10月。

生境分布

生于水边肥沃的草地上。分布于广东连州、连山、翁源、新丰、龙门、连平、博罗、惠东、大埔、高要、罗定、阳春、郁南及云浮（市区）。

资源情况

野生资源较丰富。药材主要来源于野生。

采收加工

夏、秋季采收，晒干。

| 功能主治 | 除湿化痰，消肿止痛，杀虫止痒。用于痢疾，胃肠炎，腹泻，跌打肿痛，毒蛇咬伤，湿疹。 |

| 用法用量 | 内服煎汤，9 ~ 15 g。 |

| 凭证标本号 | 441825191001014LY。 |

蓼科 Polygonaceae 蓼属 Polygonum

廊茵
Polygonum senticosum (Meisn.) Franch. et Savat.

| 药 材 名 | 廊茵（药用部位：全草。别名：急解素、蛇不钻、蛇倒退）。

| 形态特征 | 草本。茎攀缘状，棱具倒生皮刺。叶三角形或长三角形。花序头状，顶生或腋生，花序梗分枝，密被短腺毛；苞片长卵形，淡绿色，边缘膜质，具短缘毛，每苞内具花 2 ~ 3；花梗粗壮，比苞片短；花被 5 深裂，淡红色，花被片椭圆形，长 3 ~ 4 mm；雄蕊 8，2 轮，比花被短；花柱 3，中下部合生，柱头头状。瘦果近球形，微具 3 棱，黑褐色。花期 6 ~ 7 月，果期 7 ~ 9 月。

| 生境分布 | 生于沟边、路旁及山谷灌丛中。分布于广东始兴、南雄、曲江、连州、连山、翁源、新丰、和平、连平、龙川、紫金、博罗、从化。

资源情况	野生资源较少。药材主要来源于野生。
采收加工	夏、秋季采收，晒干。
功能主治	酸、微辛，平。解毒消肿，利湿止痒，行血散瘀。外用于湿疹，黄水疮，疔疮，痈疖，蛇咬伤。
用法用量	外用适量，煎汤洗；或研末敷；或捣敷。本品多作外用，不作内服。
凭证标本号	441825190808008LY。

蓼科 Polygonaceae 蓼属 *Polygonum*

戟叶蓼

Polygonum thunbergii Sieb. et Zucc.

| 药 材 名 |

戟叶蓼（药用部位：全草。别名：苦荞麦、水麻、凹叶蓼）。

| 形态特征 |

草本。茎棱具倒生皮刺。叶戟形。花序头状；花被5深裂，淡红色或白色，花被片椭圆形，长3～4 mm；雄蕊8，2轮，比花被短；花柱3，中下部合生，柱头头状。瘦果宽卵形，具3棱，黄褐色，无光泽，长3～3.5 mm，包于宿存花被内。花期7～9月，果期8～10月。

| 生境分布 |

生于湿地或水边。分布于广东从化、始兴、乳源、新丰、乐昌。

| 资源情况 |

野生资源较少。药材主要来源于野生。

| 采收加工 |

夏、秋季采收，鲜用。

| 功能主治 | 拔毒，杀虫。外用于毒蛇咬伤。

| 用法用量 | 外用适量，鲜品捣敷。

| 凭证标本号 | 440224181114014LY。

蓼科 Polygonaceae 蓼属 Polygonum

蓼蓝
Polygonum tinctorium Ait.

| 药 材 名 | 蓼蓝（药用部位：全草。别名：倒吊莲）。

| 形态特征 | 草本。叶卵形或宽椭圆形，长 3 ~ 8 cm，宽 2 ~ 4 cm，干后呈暗蓝绿色。总状花序呈穗状，长 2 ~ 5 cm，顶生或腋生；苞片漏斗状，绿色，有缘毛，每苞内含花 3 ~ 5；花梗细，与苞片近等长；花被 5 深裂，淡红色，花被片卵形，长 2.5 ~ 3 mm；雄蕊 6 ~ 8，比花被短；花柱 3，下部合生。瘦果宽卵形，具 3 棱，长 2 ~ 2.5 mm，褐色，有光泽，包于宿存花被内。花期 8 ~ 9 月，果期 9 ~ 10 月。

| 生境分布 | 生于湿地或水边。分布于广东珠江口岛屿。

| 资源情况 | 野生资源较少。药材主要来源于野生。

| 采收加工 | 夏、秋季采收，晒干。

| 功能主治 | 甘、苦，寒。清热解毒，凉血消肿。用于温病高热，吐衄，发癍，咽喉肿痛，疖肿，无名肿毒，疳蚀疮，蜂蜇伤。

| 用法用量 | 内服煎汤，3～10 g。外用适量，研末调敷。

蓼科 Polygonaceae 蓼属 Polygonum

香蓼
Polygonum viscosum Buch.-Ham. ex D. Don

| 药 材 名 | 香蓼（药用部位：全草。别名：粘毛蓼）。

| 形态特征 | 草本，植株具香味。叶卵状披针形或椭圆状披针形。总状花序呈穗状，再组成圆锥状；苞片漏斗状，具长糙硬毛及腺毛，边缘疏生长缘毛，每苞内具 3 ~ 5 花；花梗比苞片长；花被 5 深裂，淡红色，花被片椭圆形，长约 3 mm；雄蕊 8，比花被短；花柱 3，中下部合生。瘦果宽卵形，具 3 棱，黑褐色，有光泽，长约 2.5 mm，包于宿存花被内。花期 7 ~ 9 月，果期 8 ~ 10 月。

| 生境分布 | 生于田间或阴湿处。分布于广东高要、电白及广州（市区）、深圳（市区）。

| 资源情况 | 野生资源较少。药材主要来源于野生。

| 采收加工 | 夏、秋季采收，晒干。

| 功能主治 | 辛，温。理气除湿，健胃消食。用于胃气痛，消化不良，小儿疳积，风湿疼痛。

| 用法用量 | 内服煎汤，9 ~ 15 g。

| 凭证标本号 | 李泽贤等 2182。

蓼科 Polygonaceae 虎杖属 Reynoutria

虎杖 *Reynoutria japonica* Houtt. [*Polygonum cuspidatum* Sieb. et Zucc.]

| 药 材 名 | 虎杖（药用部位：根茎。别名：花斑杖、大叶蛇总管）。

| 形态特征 | 草本。根茎粗壮，横走，黄色。叶宽卵形或卵状椭圆形，长 5 ~ 12 cm，宽 4 ~ 9 cm。花单性，雌雄异株；花被 5 深裂，淡绿色，雄花花被片具绿色中脉，无翅，雄蕊 8，比花被长；雌花花被片外面 3 背部具翅，果时增大，翅扩展下延，花柱 3，柱头流苏状。瘦果卵形，具 3 棱，长 4 ~ 5 mm，黑褐色，有光泽，包于宿存花被内。花期 8 ~ 9 月，果期 9 ~ 10 月。

| 生境分布 | 生于山谷溪边。分布于广东乐昌、乳源、南雄、连州、连山、连南、始兴、仁化、英德、阳山、翁源、新丰、龙门、从化、增城、博罗、和平、连平、龙川、紫金、台山、恩平、开平、饶平、怀集、罗定、阳春、信宜及河源（市区）。

| 资源情况 | 野生资源较丰富。药材主要来源于野生。

| 采收加工 | 夏、秋季采收，切片，晒干。

| 药材性状 | 本品为圆柱形短段或不规则块片，长 1 ~ 7 cm，直径 0.5 ~ 3 cm，外皮棕褐色或棕红色，有纵皱纹及须根痕；切开面皮部较薄，木部宽大，棕黄色，有放射状纹理，皮部与木部较易分离。髓为隔膜状，成层排列，或隔膜消失，留下 1 空洞。质坚硬，不易折断。气微，味微苦、涩。以根条多、粗壮、坚实、断面色黄者为佳。

| 功能主治 | 苦、酸，凉。清热利湿，通便解毒，散瘀活血。用于肝炎，肠炎，痢疾，扁桃体炎，咽喉炎，支气管炎，肺炎，风湿性关节炎，急性肾炎，尿路感染，闭经，便秘；外用于烫火伤，跌打损伤，痈疖肿毒，毒蛇咬伤。

| 用法用量 | 内服煎汤，9 ~ 15 g。外用适量，研末调敷。

| 凭证标本号 | 441825191003008LY。

蓼科 Polygonaceae 酸模属 Rumex

酸模 *Rumex acetosa* L.

| 药 材 名 | 酸模（药用部位：全草。别名：癣草、山菠菜）。

| 形态特征 | 草本。基生叶和茎下部叶箭形。花序狭圆锥状，顶生，分枝稀疏；花单性，雌雄异株；花梗中部具关节；花被片6，排成2轮，雄花内花被片椭圆形，长约3 mm，外花被片较小，雄蕊6；雌花内花被片果时增大，近圆形，直径3.5 ~ 4 mm，全缘，基部心形，网脉明显，基部具极小的小瘤，外花被片椭圆形，反折。瘦果椭圆形，具3锐棱。花期5 ~ 7月，果期6 ~ 8月。

| 生境分布 | 生于山地灌丛或路旁荒地。分布于广东乳源、连山、连州、仁化。

| 资源情况 | 野生资源较丰富。药材主要来源于野生。

采收加工	春、夏季采收，晒干。
功能主治	酸、苦，寒。凉血，解毒，通便，杀虫。用于内出血，痢疾，便秘，内痔出血；外用于疥癣，疔疮，神经性皮炎，湿疹。
用法用量	内服煎汤，9 ~ 15 g。外用适量，捣汁；或干根用醋磨汁涂。
凭证标本号	441523190514017LY。

蓼科 Polygonaceae 酸模属 Rumex

皱叶酸模 *Rumex crispus* L.

| 药 材 名 |

皱叶酸模（药用部位：全草。别名：土大黄、皱叶羊蹄、牛耳大黄）。

| 形态特征 |

草本。叶披针形至长圆状披针形，先端渐尖，基部楔形，边缘有波状折皱，两面无毛；托叶鞘膜质，管状，常破裂。茎上部叶渐小，披针形或狭披针形。花两性，多数，花簇轮生，花序狭圆锥状，分枝紧密；花梗中部以下具关节；花被片 6，2 轮排列，内轮花被片果时增大，背部均具瘤状物。小坚果卵状三棱形，包于内轮花被片内。花期 6 月，果期 7 月。

| 生境分布 |

生于田边、路旁、湿地或水边。分布于广东南澳、和平、封开。

| 资源情况 |

野生资源较少。药材主要来源于野生。

| 采收加工 |

春、夏季采收，晒干。

功能主治	苦、酸，寒；有小毒。清热解毒，止血，消肿，通便，杀虫。用于鼻出血，功能失调性子宫出血，血小板减少性紫癜，慢性肝炎，肛门周围炎，大便秘结；外用于外痔，急性乳腺炎，黄水疮，疖肿，皮癣。
用法用量	内服煎汤，9 ～ 15 g，鲜品 30 ～ 60 g。外用适量，煎汤洗；或捣敷。
凭证标本号	叶华谷等 13194。

蓼科 Polygonaceae 酸模属 Rumex

齿果酸模 *Rumex dentatus* L.

| 药 材 名 |

齿果酸模（药用部位：叶。别名：羊蹄大黄）。

| 形态特征 |

草本。叶长圆形或长椭圆形。花序圆锥状，长达35 cm，多花；外花被片椭圆形，长约2 mm，内花被片果时增大，三角状卵形，长 3.5 ~ 4 mm，宽 2 ~ 2.5 mm，先端急尖，基部近圆形，网纹明显，全部具小瘤，小瘤长 1.5 ~ 2 mm，边缘每侧具 2 ~ 4 刺状齿，齿长 1.5 ~ 2 mm。瘦果卵形，具 3 锐棱，长 2 ~ 2.5 mm，两端尖，黄褐色，有光泽。花期 5 ~ 6 月，果期 6 ~ 7 月。

| 生境分布 |

生于田边、路旁、湿地或水边。分布于广东珠江口岛屿。

| 资源情况 |

野生资源较少。药材主要来源于野生。

| 采收加工 |

春、夏季采收，晒干。

| **功能主治** | 苦，寒。清热解毒，杀虫止痒，活血止血。用于乳痈，疮疡肿毒，疥癣。

| **用法用量** | 内服煎汤，3 ~ 10 g。

| **凭证标本号** | 441823190315020LY。

蓼科 Polygonaceae 酸模属 Rumex

羊蹄
Rumex japonicus Houtt.

| 药 材 名 |

羊蹄（药用部位：根。别名：羊蹄大黄、土大黄、牛舌根）。

| 形态特征 |

草本。叶长圆形或披针状长圆形。花序圆锥状，花两性，多花轮生；花梗细长，中下部具关节；花被片6，淡绿色，外花被片椭圆形，长 1.5 ～ 2 mm，内花被片果时增大，宽心形，长 4 ～ 5 mm，先端渐尖，基部心形，网脉明显，边缘具不整齐的小齿，小瘤长卵形，长 2 ～ 2.5 mm。瘦果宽卵形，具 3 锐棱，长约 2.5 mm，两端尖，暗褐色，有光泽。花期 5 ～ 6 月，果期 6 ～ 7 月。

| 生境分布 |

生于海拔 30 ～ 1 300 m 的路旁、河滩、沟边湿地。分布于广东南雄、连山、连平、和平、封开、从化、阳春。

| 资源情况 |

野生资源较丰富。药材主要来源于野生。

| 采收加工 |

春、秋季采挖，晒干。

| 功能主治 | 微苦、涩，寒。凉血止血，解毒杀虫，泻下。用于大便燥结，淋浊，黄疸，肠风，功能失调性子宫出血，白秃疮，疥癣，痈肿，跌打损伤。 |

| 用法用量 | 内服煎汤，9～15 g。外用适量，捣敷；或磨汁涂；或煎汤洗。 |

| 凭证标本号 | 440281190701010LY。 |

蓼科 Polygonaceae 酸模属 Rumex

刺果酸模 *Rumex maritimus* L.

| 药 材 名 | 刺果酸模（药用部位：全草。别名：假菠菜、土大黄、野当归）。

| 形态特征 | 草本。叶披针形或披针状长圆形。花序圆锥状，具叶，花两性，多花轮生；花梗基部具关节；外花被片椭圆形，长约 2 mm，内花被片果时增大，狭三角状卵形，长 2.5 ~ 3 mm，宽约 1.5 mm，先端急尖，基部截形，边缘每侧具 2 ~ 3 针刺，针刺长 2 ~ 2.5 mm，全部具长圆形小瘤，小瘤长约 1.5 mm。瘦果椭圆形，两端尖，具 3 锐棱，黄褐色，有光泽，长 1.5 mm。花期 5 ~ 6 月，果期 6 ~ 7 月。

| 生境分布 | 生于海拔 30 ~ 800 m 的路旁、河滩、沟边湿地。分布于广东始兴、廉江、高州、信宜、高要、大埔及广州（市区）、深圳（市区）。

| **资源情况** | 野生资源较丰富。药材主要来源于野生。 |

| **采收加工** | 春、夏季采收，鲜用。 |

| **功能主治** | 凉血解毒，杀虫止痒。外用于疥癣，无名肿毒。 |

| **用法用量** | 外用适量，鲜品捣敷。 |

| **凭证标本号** | 曾飞燕 1054。 |

蓼科 Polygonaceae 酸模属 Rumex

小果酸模 *Rumex microcarpus* Campd.

| 药 材 名 | 小果酸模（药用部位：全草）。

| 形态特征 | 草本。叶长椭圆形，长 10 ~ 15 cm，宽 2 ~ 5 cm。花序圆锥状，通常具叶；多花轮生，上部较紧密，下部稀疏，间断；花被片 6，2 轮，黄绿色，外花被片披针状，长约 1 mm，内花被片果时增大，狭三角状卵形，长 3 ~ 4 mm，宽 1.5 ~ 2 mm，全部具小瘤，小瘤长圆形，长 1.5 ~ 2 mm。瘦果卵形，长 1 ~ 2 mm，具 3 锐棱，褐色，有光泽。花期 4 ~ 6 月，果期 5 ~ 7 月。

| 生境分布 | 生于田边、路旁湿地。分布于广东阳春、高要、遂溪。

| 资源情况 | 野生资源较少。药材主要来源于野生。

| **采收加工** | 春、夏季采收，晒干。

| **功能主治** | 民间用作缓泻剂。

| **用法用量** | 内服煎汤，9 ~ 15 g。

| **凭证标本号** | 440224190312005LY。

蓼科 Polygonaceae 酸模属 Rumex

长刺酸模 *Rumex trisetifer* Stokes

| 药 材 名 | 长刺酸模（药用部位：全草。别名：海滨酸模、假菠菜）。

| 形态特征 | 草本。叶长圆形或披针状长圆形。花序总状；花两性；花被黄绿色，外花被片披针形，较小，内花被片果时增大，狭三角状卵形，长 3 ~ 4 mm，宽 1.5 ~ 2 mm（不包括针刺），先端狭窄，急尖，基部截形，全部具小瘤，边缘每侧具 1 针刺，针刺长 3 ~ 4 mm，直伸或微弯。瘦果椭圆形，具 3 锐棱，两端尖，长 1.5 ~ 2 mm，黄褐色，有光泽。花期 5 ~ 6 月，果期 6 ~ 7 月。

| 生境分布 | 生于海拔 30 ~ 1 300 m 的田边湿地、水边、山坡草地。分布于广东北部至中部。

| 资源情况 | 野生资源较丰富。药材主要来源于野生。

| 采收加工 | 春、夏季采收，鲜用。

| 功能主治 | 酸、苦，寒。杀虫，清热，凉血。外用于痈疮肿痛，秃疮疥癣，跌打肿痛。

| 用法用量 | 外用适量，鲜品捣敷。

| 凭证标本号 | 440783191208006LY。

商陆
Phytolacca acinosa Roxb.

| **药 材 名** | 商陆（药用部位：根。别名：山萝卜、见肿消）。 |

| **形态特征** | 草本。根肥大，肉质。叶椭圆形、长椭圆形或披针状椭圆形。总状花序顶生或与叶对生，圆柱状，直立；花被片5，白色或黄绿色，椭圆形、卵形或长圆形；花药椭圆形，粉红色；心皮通常为8，有时少至5或多至10，分离，花柱短，直立，先端下弯，柱头不明显。果序直立；浆果扁球形，直径约7 mm，成熟时黑色；种子肾形，黑色，长约3 mm，具3棱。花期5～8月，果期6～10月。 |

| **生境分布** | 生于村旁、旷野。分布于广东乐昌、乳源、连州、连山、连南、南雄、始兴、仁化、英德、阳山、翁源、新丰、连平、和平、龙门、龙川、平远、大埔、高要、阳春、封开、罗定及河源（市区）。 |

| 资源情况 | 野生资源较丰富。药材主要来源于野生。

| 采收加工 | 秋季至翌年春季采挖，除去须根及泥沙，切块或片，晒干或阴干。

| 功能主治 | 苦，寒；有毒。泻水，利尿，消肿。用于水肿，腹水，小便不利，宫颈柱状上皮异位，带下；外用于痈肿疮毒。

| 用法用量 | 内服煎汤，3 ~ 9 g。外用适量，捣敷。脾胃虚弱者及孕妇忌用。

| 凭证标本号 | 441823200708014LY。

商陆科 Phytolaccaceae 商陆属 Phytolacca

美洲商陆 *Phytolacca americana* L.

| 药 材 名 | 美洲商陆（药用部位：根。别名：商陆、山萝卜、见肿消）。

| 形态特征 | 草本。根粗壮，肥大，倒圆锥形。叶椭圆状卵形或卵状披针形，长9 ~ 18 cm，宽5 ~ 10 cm，先端急尖，基部楔形；叶柄长1 ~ 4 cm。总状花序顶生或侧生，长5 ~ 20 cm；花梗长6 ~ 8 mm；花白色，微带红晕，直径约6 mm；花被片5；雄蕊、心皮及花柱通常均为10，心皮合生。果序下垂；浆果扁球形，成熟时紫黑色；种子肾圆形，直径约3 mm。花期6 ~ 8 月，果期8 ~ 10 月。

| 生境分布 | 生于林下、村边、路旁的阴湿处。分布于广东乳源、连州、和平、封开、新会、恩平及广州（市区）。

| **资源情况** | 野生资源较丰富。药材主要来源于野生。

| **采收加工** | 秋季至翌年春季采挖，除去须根及泥沙，切块或片，晒干或阴干。

| **功能主治** | 苦，寒；有毒。泻水，利尿，消肿。用于水肿，腹水，小便不利，宫颈柱状上皮异位，带下；外用于痈肿疮毒。

| **用法用量** | 内服煎汤，3～9g。外用适量，捣敷。脾胃虚弱者及孕妇忌用。

| **凭证标本号** | 440783190717006LY。

藜科 Chenopodiaceae 滨藜属 Atriplex

海滨藜 *Atriplex maximowicziana* Makino

| 药 材 名 | 海滨藜（药用部位：全草）。

| 形态特征 | 草本。叶菱状卵形至卵状矩圆形，通常长 2 ~ 3 cm，宽 1 ~ 2 cm。团伞花序腋生，并于枝的先端集成紧缩的小型穗状圆锥花序；雄花花被 5 深裂，雄蕊 5；雌花的苞片果时菱状宽卵形至三角状卵形。胞果扁平，圆形，或双凸镜形；果皮膜质，淡黄色，与种子贴伏。花果期 9 ~ 12 月。

| 生境分布 | 生于海滩沙地上。分布于广东南澳、饶平及湛江（市区）。

| 资源情况 | 野生资源较少。药材主要来源于野生。

| 采收加工 | 夏、秋季采收，晒干。 |

| 功能主治 | 利湿消肿。用于水肿。 |

| 用法用量 | 内服煎汤，9 ~ 15 g。 |

| 凭证标本号 | 李泽贤、邢福武 696。 |

藜科 Chenopodiaceae 滨藜属 Atriplex

匍匐滨藜
Atriplex repens Roth

| 药 材 名 | 匍匐滨藜（药用部位：全株。别名：伏地滨藜、海芙蓉、海归母）。

| 形态特征 | 小灌木。茎外倾或平卧。叶宽卵形至卵形，肥厚，通常长 1 ~ 2 cm，宽 8 ~ 15 mm，全缘。短穗状花序；雄花花被锥形，4 ~ 5 深裂，裂片倒卵形；雌花的苞片果时呈三角形至卵状菱形，边缘具不整齐锯齿，仅近基部的边缘合生，靠基部的中心部木栓质鼓胀，黄白色，中线两侧常常各有 1 向上的突出物。胞果扁，卵形，果皮膜质；种子红褐色至黑色，宽约 1.5 mm。果期 12 月至翌年 1 月。

| 生境分布 | 生于海滨沙地。分布于广东雷州半岛沿海地区。

| 资源情况 | 野生资源较少。药材主要来源于野生。

采收加工	夏、秋季采收，晒干。
功能主治	微苦，凉。祛风除湿，活血通经，解毒消肿。用于风湿痹痛，带下，月经不调，疮疡痈疽，皮炎。
用法用量	内服煎汤，9 ~ 15 g。外用适量，鲜品捣敷。
凭证标本号	叶华谷 7779。

藜科 Chenopodiaceae 甜菜属 Beta

莙荙菜 *Beta vulgaris* L. var. *cicla* L.

| 药 材 名 | 莙荙菜（药用部位：全草。别名：猪嫲菜、牛皮菜、厚皮菜）。

| 形态特征 | 草本。叶肉质，基生叶卵形或长圆状卵形，长 30 ~ 40 cm，宽 10 ~ 15 cm。花小，绿色，无梗，单生或 2 ~ 3 团集，此花簇又再组成一长而柔弱、开展的圆锥花序式的穗状花序；苞片狭，线形；花被裂片长圆形，先端钝，果时花被基底部变厚。胞果包于坚硬的宿存花被内，常 2 ~ 3 基部连合而成为聚合果。花期春季。

| 生境分布 | 广东无野生分布。广东各地均有栽培。

| 资源情况 | 常见栽培。药材主要来源于栽培。

| **采收加工** | 春、夏季采收，晒干。

| **功能主治** | 甘，凉。清热凉血，透疹。用于吐血，麻疹不透。

| **用法用量** | 内服煎汤，15 ～ 30 g。

| **凭证标本号** | 陈少卿 8568。

藜

Chenopodium album L.

| **药 材 名** | 藜（药用部位：嫩苗。别名：灰苋菜、白藜）。 |

| **形态特征** | 草本。叶菱状卵形至宽披针形，长 3 ~ 6 cm，宽 2.5 ~ 5 cm，先端急尖或微钝，基部楔形至宽楔形。花两性，簇生于枝上部排列成或大或小的穗状圆锥状花序或圆锥状花序；花被裂片 5，宽卵形至椭圆形，背面具纵隆脊，有粉，先端或微凹，边缘膜质；雄蕊 5，花药伸出花被；柱头 2。果皮与种子贴生。花果期 5 ~ 10 月。 |

| **生境分布** | 生于田间、路边、荒地上。分布于广东乐昌、乳源、连山、连州、大埔、高要及广州（市区）、深圳（市区）。 |

| **资源情况** | 野生资源较丰富。药材主要来源于野生。 |

| 采收加工 | 春、夏季采收，晒干。

| 功能主治 | 甘，平；有小毒。清热利湿，止痒透疹。用于风热感冒，痢疾，腹泻，龋齿痛；外用于皮肤瘙痒，麻疹不透。

| 用法用量 | 内服煎汤，30 ~ 60 g。外用适量，煎汤洗；或捣烂蒸热，用布包。滚胸、背、手脚心，以透疹。

| 凭证标本号 | 441823190315018LY。

藜科 Chenopodiaceae 藜属 Chenopodium

土荆芥 *Chenopodium ambrosioides* L.

药 材 名	土荆芥（药用部位：全草。别名：臭藜藿、臭草）。
形态特征	草本。叶长圆状披针形至披针形，先端急尖或渐尖，边缘具稀疏不整齐的大锯齿，基部渐狭，具短柄。花两性及雌性，通常3~5团集，生于上部叶腋；花被裂片5，稀为3，绿色，果时通常闭合；雄蕊5，花药长0.5 mm；花柱不明显，柱头通常3，较少为4，丝形，伸出花被外。胞果扁球形，完全包于花被内。花果期几全年。
生境分布	生于村边旷野、路旁、河岸、溪边等。广东各地均有分布。
资源情况	野生资源较丰富。药材主要来源于野生。

| **采收加工** | 夏、秋季采收，摊放通风处或捆扎成束，悬挂阴干。

| **功能主治** | 辛，微温；有小毒。祛风除湿，杀虫，止痒。用于蛔虫病，钩虫病，蛲虫病；外用于皮肤湿疹，瘙痒。

| **用法用量** | 内服煎汤，3 ~ 9 g；或研末；或制成丸剂；或制成土荆芥油。外用适量，煎汤洗。孕妇忌用。

| **凭证标本号** | 440783190718021LY。

藜科 Chenopodiaceae 藜属 *Chenopodium*

小藜 *Chenopodium ficifolium* Smith [*Chenopodium serotinum* L.]

| 药 材 名 |

小藜（药用部位：全草。别名：灰菜）。

| 形态特征 |

草本。叶卵状长圆形，长 2.5 ~ 5 cm，宽 1 ~ 3.5 cm。花两性，数个团集，排列于上部的枝上形成较开展的顶生圆锥状花序；花被近球形，5 深裂，裂片宽卵形，不开展，背面具微纵隆脊并有密粉；雄蕊 5，花开时外伸；柱头 2，丝形。胞果包在花被内，果皮与种子贴生；种子双凸镜状，黑色，有光泽，直径约 1 mm，边缘微钝，表面具六角形细洼；胚环形。花期 4 ~ 6 月。

| 生境分布 |

生于低海拔的空旷荒地或田野。分布于广东翁源、平远、高要、阳春、高州、化州及广州（市区）。

| 资源情况 |

野生资源较丰富。药材主要来源于野生。

| 采收加工 |

夏、秋季采收，晒干。

| **功能主治** | 甘、苦，平。祛风清热，解毒利湿。用于风热外感，痢疾，荨麻疹，疮疡肿毒，疥癣，湿疮，白癜风，虫咬伤。

| **用法用量** | 内服煎汤，9 ~ 15 g。外用适量，鲜品捣敷。

| **凭证标本号** | 440781190320015LY。

藜科 Chenopodiaceae 地肤属 Kochia

地肤 *Kochia scoparia* (L.) Schrad. [*Chenopodium scoparia* L.]

| 药 材 名 |

地肤（药用部位：种子。别名：扫帚菜、扫帚苗、地肤子）。

| 形态特征 |

草本。叶为平面叶，披针形或条状披针形，长 2 ~ 5 cm，宽 3 ~ 7 mm。花两性或雌性，1 ~ 3 生于上部叶腋，构成疏穗状圆锥状花序；花被近球形，淡绿色，花被裂片近三角形，无毛或先端稍有毛；翅端附属物三角形至倒卵形，有时近扇形，膜质，脉不明显，边缘微波状或具缺刻；花丝丝状，花药淡黄色；柱头 2，丝状，紫褐色，花柱极短。胞果扁球形，果皮膜质，与种子离生。花期 7 ~ 9 月，果期 8 ~ 10 月。

| 生境分布 |

生于湖边、田边、路旁、荒地，亦有栽培。分布于广东高要及广州（市区）。

| 资源情况 |

野生资源较少。药材主要来源于野生。

| 采收加工 |

秋季采收成熟果实，晒干，打下种子。

| **功能主治** | 辛、苦，寒。清热利湿，祛风止痒。用于小便不利，淋浊，小儿疳积，头痛，湿热带下，血痢，风疹，湿疹，疥癣，皮肤瘙痒，疮毒。 |

| **用法用量** | 内服煎汤，6～15 g。外用适量，煎汤洗。 |

| **凭证标本号** | 石国良 13714。 |

藜科 Chenopodiaceae 菠菜属 Spinacia

菠菜
Spinacia oleracea L.

| 药 材 名 | 菠菜（药用部位：全草。别名：菠菱菜、甜菜、拉筋菜）。

| 形态特征 | 草本。叶戟形至卵形，鲜绿色，柔嫩多汁，稍有光泽，全缘或有少数齿状裂片。雄花集成球形团伞花序，再于枝和茎的上部排列成有间断的穗状圆锥花序，花被片通常 4，花丝丝形，扁平，花药不具附属物；雌花团集于叶腋，小苞片两侧稍扁，先端残留 2 小齿，背面通常各具 1 棘状附属物，子房球形，柱头 4 或 5，外伸。胞果卵形或近圆形，直径约 2.5 mm，两侧扁；果皮褐色。

| 生境分布 | 广东无野生分布。广东各地均有栽培。

| 资源情况 | 常见栽培。药材主要来源于栽培。

| **采收加工** | 冬、春季采收，鲜用。 |

| **功能主治** | 甘，凉。滋阴平肝，止泻润肠。用于高血压，头痛，目眩，风火赤眼，糖尿病，便秘。 |

| **用法用量** | 内服煎汤，鲜品 60 ~ 120 g。 |

| **凭证标本号** | 石国良 11082。 |